Een zijden draad

Linda Chaikin

Een zijden draad

Roman

Vertaald door Marianne van Reenen

uitgeverij

© Uitgeverij Kok – Kampen, 2007
Postbus 5018, 8260 GA Kampen
www.kok.nl

Oorspronkelijk verschenen onder de titel *Written on Silk* bij Zondervan, Grand
Rapids, Michigan 49530, USA
© Linda Chaikin, 2007

Vertaling Marianne van Reenen
Omslagillustratie Getty Images
Omslagontwerp Douglas Design
ISBN 978 90 435 1293 0
NUR 302

Geliefden, laat de vuurgloed, die tot beproeving dient, u niet bevreemden, alsof u iets vreemds overkwame. Integendeel, verblijdt u naarmate gij deel hebt aan het lijden van Christus, opdat gij u ook met vreugde zult mogen verblijden bij de openbaring Zijner heerlijkheid.

1 Petrus 4:12-13

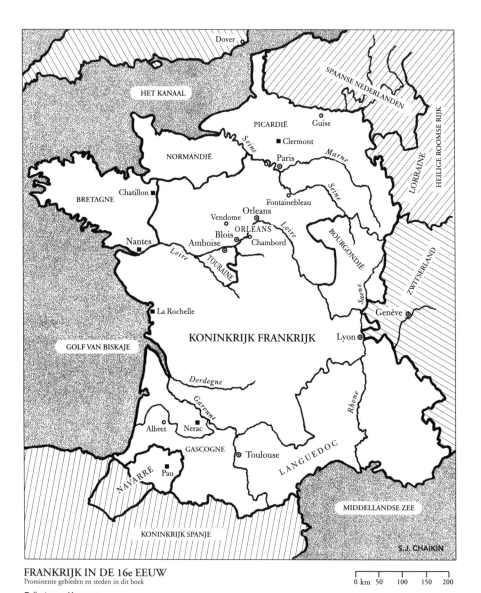

Dover

HET KANAAL

SPAANSE NEDERLANDEN

LORRAINE

HEILIGE ROOMSE RIJK

PICARDIË   Guise

■ Clermont

NORMANDIË   Paris

Seine

Marne

Seine

Chatillon ■

BRETAGNE

Fontainebleau

Vendome   Orleans

Blois   ORLEANS

Loire

BOURGONDIË

Nantes

Amboise   Chambord

Loire

TOURAINE

Saône

ZWITSERLAND

La Rochelle

KONINKRIJK FRANKRIJK

Genève

Lyon

GOLF VAN BISKAJE

Dordogne

Garonne

Rhône

Albret   Nerac

GASCOGNE   Toulouse

LANGUEDOC

NAVARRE   Pau

MIDDELLANDSE ZEE

KONINKRIJK SPANJE

S.J. CHAIKIN

FRANKRIJK IN DE 16e EEUW
Prominente gebieden en steden in dit boek

0 km 50   100   150   200

■ Bastion van Hugenoten

1

Het zijdekasteel, Lyon, Frankrijk

Onder het hoge raam van het atelier hadden de rode ranken van de bloeiende bougainville zich als een waaier uitgespreid over de muur die om de tuin van het beroemde zijdekasteel liep. De wind blies door de moerbeibomen in de boomgaard en de bladeren leken op de maat van het lied mee te wiegen.

Plotseling brak er een koortsachtige activiteit op de binnenplaats uit. Van alle kanten werd geroepen dat er ruiters in aantocht waren. Mademoiselle Rachelle Dushane-Macquinet, die bezig was een houten spoel met gouddraad af te winden, keek naar Nenette, haar *amie* en *grisette* in opleiding.

'Wat is er aan de hand, Nenette?'

Nenette stond al bij het raam en trok de gordijnen van alençonkant open.

'Een koets, *mademoiselle*. Hij ziet er nogal oud en stoffig uit, maar er stapt een hele knappe *monsieur* uit, olala.'

'Wat ben je toch een onverbeterlijke flirt, Nenette,' zuchtte Idette. Ze stond bij de kniptafel en bekeek de roze zijden stof van de jurk die ze voor de verjaardag van hun *mignonne* zusje Avril aan het maken was.

Rachelle lachte en keek naar Nenette. 'Is Andelot Dangeau niets voor je? Een heel sympathieke en integere jongeman.'

Nenette bloosde zo hevig dat er niets meer te zien was van de sproeten in haar gezicht.

Idelette, die twee jaar ouder was dan Rachelle, keek haar ontstemd aan. 'Andelot is een heel serieuze *monsieur*, hij heeft

7

momenteel te veel andere zaken aan zijn hoofd om aan trouwen te denken.'

Rachelle onderdrukte een glimlach. Ze was er bijna zeker van dat haar zusje gecharmeerd was van Andelot.

'Hij heeft zich ingeschreven aan de universiteit van Parijs en wil geleerde worden,' zei Idelette, terwijl ze haar gouden vingerhoed met artistieke flair over haar vinger schoof. 'Hoe weet je dat?' vroeg Rachelle quasionschuldig. 'Heeft hij je dat tijdens een van jullie onderonsjes verteld?'

Een van de andere *grisettes* giechelde, maar boog snel haar hoofd, toen Idelette scherp in haar richting keek.

Rachelle legde de houten spoel op de kniptafel en kwam overeind. 'Denk je dat de man die zojuist de koets is uitgestapt sir James Hudson is, op wie we zo lang wachten?'

'De *monsieur* ziet er heel Engels uit,' zei Nenette, terwijl ze bedachtzaam over haar kleine kin wreef.

Idelette stak de zilveren naald in haar fluwelen speldenkussen, rechtte haar rug en streek haar donkerblauwe rokken glad. 'Wat een onzin. Niemand ziet er heel Engels uit. Hoe zouden de Engelsen er volgens jou uitzien?'

'Neem me niet kwalijk, *mademoiselle*, maar ik kan een Spanjaard uit duizenden herkennen,' zei Nenette met een hoog stemmetje en tuitte haar lippen.

Idelettes mond verstrakte.

Rachelle keek haar zusje ernstig aan. Idelette was niet in Amboise geweest, toen daar meer dan tweeduizend hugenoten waren afgeslacht tot grote voldoening van Spanje. Natuurlijk had Rachelle haar familie verteld over het gruwelijke bloedbad waarvan Andelot ook getuige was geweest.

'Als het inderdaad monsieur Hudson is,' vervolgde Idelette, 'dan zal *notre mère* in alle staten zijn. Ze had hem gisteren verwacht op het *château*. Over een uur zal het donker zijn en morgen is het zondag. Dat betekent dat we vanavond onze Bijbelstudie houden.'

Het was de gewoonte in het gezin om zich op de zondag voor te bereiden met een eenvoudige maaltijd op zaterdagavond, gevolgd door gebed en een Schriftlezing uit de Franse bijbel die haar ouders als een kostbare schat in het zijdekasteel verborgen hielden.

'Als het sir James Hudson is, dan zal hij zich moeten aanpassen,' zei Rachelle, terwijl ze haar schouders nonchalant ophaalde. 'Hopelijk zal hij blijven overnachten; ik heb zo veel vragen over de hugenootse vluchtelingen in Spitalfields. Ik hoop dat papa ermee akkoord gaat een kledingzaak met de Hudsons te openen.'

'Ik weet bijna zeker dat dit zal gebeuren. Ik heb zelfs gehoord dat ze van plan zijn om zijderupsen en moerbeiboomstekken naar het land van de Hudsons te transporteren.'

'Ik vraag me af of het klimaat op het Engelse platteland zacht genoeg is.'

Ze hoorden iemand de trap opkomen.

'Idelette! Rachelle!'

Rachelle draaide zich om naar Idelette. 'Vlug, verstop de jurk.'

Idelette kon nog net op tijd de roze jurk achter haar rug verbergen. De deur vloog open.

Avril, die over twee weken dertien zou worden, kwam buiten adem de kamer binnenstormen. Ze leek als twee druppels water op haar oudste zus, die getrouwd was met graaf Sébastien Dangeau.

Avril had glanzend kastanjebruin haar en donkerbruine ogen. Ze keek Idelette en Rachelle triomfantelijk aan.

'De Engelsman is er. Hij heeft *maman* verteld dat zijn koetsier gisteren ziek is geworden en dat hij daarom een dag te laat is. Hij heeft zijn reis moeten onderbreken en is in een herberg blijven overnachten. Gelukkig heeft hij een nieuwe koetsier gevonden. Hij komt zo dadelijk naar boven met *maman*. Monsieur Hudson heeft een patroon bij zich voor een japon en heeft uitdrukkelijk gevraagd naar de zijdedochters.'

Rachelle sloeg haar handen ineen en keek Idelette aan.

'Heeft hij naar ons gevraagd?'

'Grandmère is niet langer de enige in onze familie die bekendheid geniet als couturière – niet dat ik daar blij mee ben.'

'Zie je nu wel?' Rachelle pakte Idelette bij haar schouders en danste met haar het atelier rond, totdat Idelette in lachen uitbarstte, iets wat haar zelden overkwam.

'Houd toch op, zusje, *sotte* die je er bent.'

'Had ik je niet voorspeld dat al het werk dat we voor de verwende prinses Marguerite en *reinette* Maria gedaan hebben uiteindelijk vruchten zou afwerpen? Zelfs aan de buitenlandse hoven hebben we naam gemaakt als couturières.'

'Je had gelijk, dat geef ik toe.'

Ook Avril danste het atelier rond en deed toen alsof ze een diepe buiging maakte. 'Ik hoop dat de mare van jullie grote talent zich aan alle koninklijke hoven zal verspreiden, behalve het Escorial, het hof van de koning van Spanje,' zei ze.

Rachelle moest onwillekeurig denken aan de koningin-moeder, Catherine de Médicis, en op slag was haar vrolijkheid verdwenen. Catherine zou met prinses Marguerite naar Spanje reizen en de kans bestond dat Rachelle naar het hof zou worden teruggeroepen om met de prinses mee te reizen. *Ik hoop van niet*, dacht ze.

'O! Wat een *belle* roze jurk! Voor wie is die?' Avril had de jurk ontdekt die Idelette over de rugleuning van een stoel aan de andere kant van de kamer had gelegd.

Rachelle keek Idelette aan.

Avril liep naar de stoel toe om de jurk van dichtbij te bekijken, maar Idelette pakte hem snel op, liep naar haar werktafel en legde hem zogenaamd ongeïnteresseerd terzijde. 'Dat doet er niet toe. Alle gekheid op een stokje. We hebben nog veel werk te doen. Wat zal sir James Hudson wel niet van ons denken, als hij ons zo kinderachtig ziet gedragen?'

Stemmen en voetstappen kondigden de komst van hun *mère* aan, Claire Dushane-Macquinet, en sir James Hudson, de couturier van de beroemde Londense firma in Regent Street.

Rachelle haalde diep adem, rechtte haar rug en stak haar kin omhoog.

Sir James Hudson was veel jonger dan ze had verwacht. Hij was een jaar of twintig, lenig en niet onaantrekkelijk met zijn donkere haar en ogen. Uit zijn levendige manier van doen kon Rachelle opmaken dat hij een blijmoedig mens was.

Hij was modieus gekleed. Rachelle had niet anders verwacht van de zoon van één van de beroemdste kleermakers in Londen. Aan zijn chocoladebruine, met oranje zijden linten en houten knopen versierde overjas kon je zien dat hij oog voor mode had. Zijn stijl was modern en origineel zonder protserig of opzichtig te zijn.

Madame Claire stelde haar dochters aan sir James voor. Rachelle beantwoordde zijn glimlach met een ernstig knikje. Ze gaf zich er rekenschap van dat ze hem met open mond had aangestaard.

'*Bonjour, mesdemoiselles,*' zei hij vriendelijk. 'Ik wil u de hartelijke groeten overbrengen van mijn collega's, de couturiers van Londen…' – hij maakte een buiging voor Idelette en Rachelle – 'en in het bijzonder van de medewerkers van mijn vaders onderneming, Hudson en Crier, in Regent Street.'

Rachelle merkte op dat sir James Hudson de mannelijke vorm, couturiers, gebruikte, toen hij over de Londense modeontwerpers sprak, en was niet verbaasd. Aan de meeste Europese hoven ontwierpen mannelijk couturiers de kleding van de hofdames, terwijl *grisettes* het werk uitvoerden. Vrouwen speelden geen rol van belang in het ontwerpen van kleding voor dames van koninklijke en adellijke huize, of rijke, modebewuste vrouwen uit de burgerij. Ook in het zijdehuis

Dushane-Macquinet was dit zo geweest, totdat Grandmère tijdens de regering van koning François I naar het hof werd geroepen om de garderobe van prinses Anne de Bretagne te ontwerpen. Dit had ze gedaan op verzoek van haar eigen *cousine*, de hertogin Dushane. De zijdedochters, zoals Rachelle en Idelette zich graag noemden, hadden het aan hun moed en inzicht te danken dat sir James Hudson helemaal vanuit Londen naar het zijdehuis was gereisd om hen te ontmoeten. Hun moeder, madame Claire, was niet bedreven met naald en draad, noch had ze talent voor ontwerpen. Ze overzag daarentegen de productie van de stoffen en verkocht deze aan plaatselijke *messieurs* en aan klanten die van verder kwamen, zoals de Hudsons. Vader Arnaut hield toezicht op de zijdecultuur en moerbeiboomplantage, terwijl madame Claire verantwoordelijk was voor de zijdewevers en hun gezinnen.

Rachelle en Idelette bedankten Hudson voor zijn compliment door bescheiden het hoofd te buigen en beleefd te zwijgen, in overeenstemming met de etiquette van die dagen, die madame Claire hen had bijgebracht.

Madame Claire was de beschaafde en nobele dame van het zijdekasteel. Ze had haar lichtblonde haren in haar nek samengebonden. Voor de kerkdienst bedekte ze haar hoofd met een *coif*, een hoofddoek. Deze middag droeg ze een jurk van zwarte zijde met een hooggesloten boord, die aan de mouwen en langs haar nog altijd gladde hals was afgezet met wit kant. Rachelle zag de japon graag, omdat ze hem als verrassing voor haar *mère* had gemaakt, net zoals zij en Idelette nu aan een jurk voor Avril bezig waren. Rachelle was vooral tevreden over het kant dat ze voor de mouwen had gebruikt. Het was iets langer dan gebruikelijk en viel in zachte plooien over haar moeders polsen. De met zilverdraad bewerkte kanten manchetten vormden een mooi contrast met de strenge, zwarte zijde. Rachelle had extra lang kant gebruikt om de verminking te verbergen aan haar moeders linkerhand. Als jong meisje had Claire namelijk een van haar vingers verloren. Deze was gaan ontsteken, toen ze zichzelf had gesneden. *Dit maakt deel uit van mijn missie als ontwerpster,* dacht ze tevreden. *Ik wil vrouwen een goed gevoel geven over hun lichaam, dat door God is geschapen, zelfs over de minder perfecte delen.* Wie had per slot van rekening een volmaakt figuur na de zondeval? Of ze nu lang, kort, dik of dun waren, vrouwen konden er *élégantes* uitzien, als ze de juiste kleding en kleuren droegen. En als ze bovendien begrepen wie ze in Christus waren, namelijk kinderen die door God werden bemind en waren 'aangenomen in de Geliefde', dan zouden ze ook van binnen *élégantes* zijn.

'Als u me toestaat…' zei Hudson.

Rachelle richtte haar aandacht weer op de Engelsman. Ze volgde zijn blik naar de kniptafel aan de andere kant van het atelier. De tafel was opgeruimd, omdat het morgen zondag was. Hij opende een grote, bruine, lederen zak met de initialen J. H.

Hudson legde een aantal schetsen van een schitterende japon op tafel. Rachelle begreep dat hij deze zelf ontworpen had. Ze was onder de indruk en dat waren madame Claire en Idelette ook. Nadat ze blijk hadden gegeven van hun bewondering, gaf monsieur Hudson hun een korte toelichting.

'*Mesdames,* wij, van de firma Hudson, hopen dat we deze japon kunnen vervaardigen met de zijde van uw huis…' Hij zweeg en keek naar de rollen zijde in verschillende tinten paars, donkerrood en roze, naar het grijze, met zilverdraad bewerkte satijn, het rode fluweel, de duifgrijze, rode en oranje gevlamde zijde, de gele, roodbruine, oranje en oranjebruine glanzende katoen en het ragfijne roze linnen met zilveren streepjes.

'Ah, dat is het! Prachtig!' Hij pakte een rol zachtglanzende roze zijde en legde die op de tafel. Toen legde hij er een baal zilverkleurig, met parels bewerkt satijn naast. Hij hield zijn donkere hoofd een beetje schuin. 'Ja, *c'est magnifique*, zoals jullie Fransen zeggen. Voeg er nog een bijpassende roze waaier van struisvogelveren aan toe, en je hebt een oogverblindend *ensemble*.'

Rachelle keek Idelette even aan om haar reactie op de levendige monsieur Hudson te zien. Ze zag iets van bewondering in Idelettes lichtblauwe ogen, maar Idelette hield haar lippen stijf op elkaar geperst, alsof ze zich schaamde voor haar gevoelens. Af en toe begreep Rachelle helemaal niets van haar zusje.

'En we zullen het naaien van deze japon uitbesteden aan...' – weer zweeg Hudson en deze keer maakte hij een buiging voor Rachelle en Idelette – 'de beroemde zijdedochters, mesdemoiselles Idelette en Rachelle Macquinet.'

Rachelle glimlachte opgewonden en maakte een kleine buiging. '*Merci, monsieur*, ik ben *honorée*. U hebt uw keuze laten vallen op het materiaal en de kleuren die ik zelf ook zou hebben gekozen voor zo'n prachtige japon – hoewel ik in plaats van kant, hermelijn voor de kraag en manchetten zou gebruiken.'

'Een suggestie die van goede smaak getuigt, *mademoiselle*.' Hij glimlachte naar haar.

Rachelle keek Idelette aan. 'En jij, zusje?'

Zelfs Grandmère zou waardering hebben gehad voor Idelettes discrete buiging. Idelette verloor nooit haar waardigheid. Idelette heeft een innerlijke gratie, dacht Rachelle. Ze had als prinses geboren moeten worden.

'Ook ik ben *honorée, monsieur*. Het is een prachtige japon. Het zal echter een probleem zijn voor mijn zuster en mij dat we de maten niet kunnen nemen van de *mademoiselle* voor wie de japon bestemd is. Het is... bijna onmogelijk, zou ik zeggen. Ik ben zeer benieuwd voor wie u deze *belle* japon hebt ontworpen.'

Rachelle had zich dit ook afgevraagd. Ze zag Hudson en madame Claire een blik van verstandhouding wisselen. Rachelle begreep dat het iemand van hoog aanzien was en dat dit project hun naam als couturières definitief zou vestigen. Haar hart begon sneller te kloppen. Er speelde een glimlach om Hudsons lippen. Rachelle vermoedde dat hij geamuseerd was over Idelettes nieuwsgierigheid.

'Mijn vader en ik zijn van plan om de japon aan Hare Majesteit, koningin Elizabeth I van Engeland, te schenken.'

Rachelles hart sprong op als een eenhoorn op de toppen van de bergen. Koningin Elizabeth van Engeland! Idelette kon blijkbaar geen woord uitbrengen van verbazing, wat James Hudson zichtbaar plezier deed. Rachelle vermoedde dat madame Claire al op de hoogte was, voordat ze Hudson aan hen had voorgesteld, want ze glimlachte om hun reactie.

'De koningin van Engeland,' zei Idelette geschokt. 'Maar, *monsieur*, we hebben haar maten niet – hoe kunnen we deze schitterende japon ooit in Lyon vervaardigen?'

'Maakt u zich maar geen zorgen, *mademoiselle*,' zei hij opgewekt. 'Ik heb de exacte maten bij me in een verzegelde envelop. De hofdame die verantwoordelijk is voor de garderobe van Hare Majesteit heeft me deze persoonlijk overhandigd. Ik denk niet dat de zijdedochters onze geliefde vorstin zullen teleurstellen.'

Hij haalde een envelop met een gouden zegel voor de dag en overhandigde die aan madame Claire.

'Ach, mijn dochters en ik zijn zeer *honorées*. De *bonne* koningin is heel geliefd bij ons vanwege haar steun aan de hugenoten in Frankrijk en het feit dat ze in eigen land een einde heeft gemaakt aan de verschrikkelijke vervolgingen van haar zuster Maria.'

'Aan wie kunnen we deze opdracht beter geven dan aan uw dochters? Tot in de hoogste kringen wordt vol bewondering gesproken over de japonnen die ze voor de Franse koninklijke familie hebben gemaakt.'

Er liep een rilling over Rachelles rug.

'Het is spijtig dat u niet kunt kennismaken met madame Henryette Dushane,' zei madame Claire. 'Ze verblijft momenteel in Parijs bij mijn oudste dochter.'

'*Oui*, Grandmère is de hoofdcouturière van ons familiebedrijf; ze is de *grande dame* van het zijdehuis,' zei Rachelle vol warmte.

'Zij heeft ons het vak geleerd,' viel Idelette haar bij.

'Het verbaast me niet dat de Engelse koninklijke familie haar keuze op Lyon heeft laten vallen,' zei madame Claire. 'Al vele generaties lang produceren we de fijnste zijde ter wereld in allerlei soorten en kleuren.'

'Dat is precies de reden dat ik hier ben, *madame*. De brief van mijn vader spreekt voor zich. Er is ons veel aan gelegen om met het zijdehuis Dushane-Macquinet te gaan samenwerken.'

Op grond van eerdere gesprekken wist Rachelle dat James Hudson op het *château* was om de details te bespreken van een overeenkomst die zijn familie en vader Arnaut hadden gesloten. Het ging om de export van Macquinetzijde naar het magazijn van de Hudsons in Spitalfields, een voorstad van Londen.

'We hopen dat de onderhandelingen met de vertegenwoordigers van uw firma in Londen vlot verlopen,' zei Hudson tegen madame Claire. 'Uw man heeft zich akkoord verklaard met ons te gaan samenwerken onder de naam "Dushane-Macquinet-Hudson, koninklijke couturiers in Regent Street". Uiteraard zullen we ons best doen om aan alle wensen van de rest van de familie tegemoet te komen.'

'Grandmère en haar nicht, de hertogin Dushane, zijn beiden in Parijs bij mijn oudste dochter,' zei madame Claire. 'Helaas hebben we nog niet met hen over uw komst kunnen spreken vanwege het onverwachte heengaan van mijn dochters man, graaf Sébastien Dangeau.'

Sir James Hudson boog vol ernst zijn hoofd. 'Ik heb het

verdrietige nieuws vernomen, madame Macquinet. De vervolgingen in Frankrijk zijn een grote tragedie. Gode zij dank is het tij in Engeland gekeerd. De katholieken stellen alles in het werk om koningin Elizabeth af te zetten en een handlanger van Spanje en het Vaticaan op de troon te krijgen, maar gelukkig zijn we tot nu toe bewaard gebleven voor het juk van Rome.'

Rachelle was aangenaam verrast door zijn vurigheid. Ze merkte dat Idelette ook verheugd was dat James Hudson de reformatie blijkbaar een warm hart toedroeg.

'Ik heb al genoeg van uw tijd in beslag genomen in deze periode van grote rouw,' vervolgde hij. 'Ik zal mijn koetsier vragen om mij naar de herberg te brengen en als u er geen bezwaar tegen hebt, *madame*, zou ik graag maandag terugkomen.'

'Geen sprake van, monsieur Hudson, *non*. Wij willen u uitnodigen om hier te blijven overnachten en morgen met ons mee te gaan naar de kerk.'

Sir James Hudson zag er vermoeid uit. Rachelle vermoedde dat haar *mère* dit ook had gezien en hem daarom had uitgenodigd om bij hen te blijven logeren.

'*Madame*, dat is heel vriendelijk van u. Ik ga morgen graag met u mee naar de kerkdienst van monsieur Bernard Macquinet. Ik heb hem een keer in Spitalfields horen preken. Ongetwijfeld zullen onze zielen ook deze keer gelaafd en gesticht worden door zijn onderwijs.'

'Vanavond zullen we vroeg eten,' zei Claire. 'Daarna zal onze *cousin*, dominee Bernard, een Bijbelstudie leiden, zoals hij elke zaterdagavond doet. Misschien wilt u deze bijwonen, als u tenminste niet te vermoeid bent van de reis?'

Hij verzekerde hen dat hij zich dankzij hun vriendelijkheid onmiddellijk thuis voelde op het *château* en zei dat hij zich verheugde op een nauwere samenwerking met het zijdehuis.

Rachelle keek hem na, toen hij met haar *mère* het atelier

verliet. Zachtjes zei ze tegen Idelette: 'Heb je de knopen op de jas van monsieur Hudson gezien?'

'Uiteraard! Houten knopen met de afbeelding van een dier!' Ze trok haar rechte neus op en huiverde. 'Wat voor dier was dat?'

'Een wolf, denk ik. Ik vond de knopen... origineel. De keuze van zijn knopen getuigt van een zeer eigenzinnige smaak.'

'Misschien heeft hij zich laten inspireren door de dierentuin van het koninklijke *palais*.'

'Zijn ontwerp van de japon voor de Engelse koningin is in ieder geval conventioneler. Het is een prachtige japon, vind je ook niet?' Ze liep naar de kniptafel waar monsieur Hudson zijn schetsen had laten liggen.

Idelette liep achter haar aan en nam de tekeningen van tafel. 'Inderdaad, *merveilleux*.'

'Ik ben blij dat hij er geen bezwaar tegen had de kanten kraag te vervangen door een kraag van zacht hermelijnbont. Ik heb een hekel aan plooikragen! Ze kriebelen en schuren langs je nek.' Rachelle wreef over haar hals.

'Ik heb gehoord dat ze rood haar heeft en prachtige, blanke handen.'

'Is ze niet de dochter van koning Hendrik VIII en Anna Boleyn?'

'*Oui*, maar Hendrik heeft Anna in de Tower van Londen gevangengezet en haar daarna laten onthoofden,' zei Idelette.

Rachelle huiverde. Ze kon slecht tegen dit soort verhalen na het bloedbad in Amboise, waar tweeduizend hugenoten waren onthoofd op bevel van de koningin-moeder, Catherine de Médicis, en de hertog en kardinaal van Guise. Ze had het bloedbad zelf niet gezien, maar een aantal ooggetuigen hadden haar verslag uitgebracht. De afgehakte hoofden van de hugenoten waren als teken van wraak aan de muren en poorten gehangen en de binnenplaats had blank gestaan van het bloed.

Rachelle was die dag met de hulp van markies Fabien de Vendôme ontsnapt. Niet dat haar leven direct gevaar had gelopen. In Amboise had ze deel uitgemaakt van het gevolg van prinses Marguerite Valois, de jongste dochter van de koningin-moeder, en had verder niets te maken met de terechtgestelde hugenoten, die waren beschuldigd van hoogverraad tegen de jonge koning François. In werkelijkheid waren de hugenoten koning François altijd trouw gebleven. Het was hun bedoeling geweest om de Guises, de hertog en zijn broer, de kardinaal, ten val te brengen.

Rachelle had begrip voor hun motieven, hoewel de opstandelingen volgens markies Fabien onbezonnen te werk waren gegaan. De kardinaal was corrupt en doortrapt, en alles behalve een man Gods, wat je op grond van zijn ambt zou verwachten, en de hertog was sluw en eerzuchtig. Hij heulde met Spanje en stelde de belangen van dat land boven die van de Valois, de koninklijke familie die hij in naam diende. De gebroeders Guise waren ook verantwoordelijk voor de brandstapels die in heel Frankrijk rookten.

De koningin-moeder, die als regentes voor haar zonen regeerde, ging over lijken om de toekomst van de Valois zeker te stellen, in de eerste plaats voor zichzelf, maar ook voor haar zonen. Ze hoopte dat haar lievelingszoon Henri, die vaak Anjou werd genoemd, op een dag koning van Frankrijk zou zijn. Hij was nog niet volwassen, maar helaas ging zijn voorkeur nu al uit naar jongetjes in plaats van meisjes.

Rachelle was naar het zijdekasteel teruggekeerd, zonder door de koningin-moeder van haar verplichtingen ontheven te zijn. Daarom was ze formeel gezien nog steeds hofdame van prinses Marguerite.

Markies Fabien had haar voor zijn vertrek beloofd een *lettre* te sturen aan Margot, zoals hij haar noemde, waarin hij haar zou vragen om Rachelle te laten gaan. Hij kende haar, omdat hij een telg uit het koninklijke geslacht van de Bourbons was. Na het overlijden van zijn vader was Fabien op twaalfjarige leeftijd naar het Franse hof gestuurd. Daar had hij zijn verdere opvoeding genoten met de kinderen van de koninklijke familie en van andere hoge edelen, onder wie *reinette* Maria Stuart van Schotland. Margot was een goede vriendin van hem.

Desondanks verkeerde Rachelle nog steeds in grote onzekerheid, evenals haar *mère*, madame Claire, die heimelijk vreesde dat de koningin-moeder minder laconiek zou reageren op Rachelles afwezigheid dan de dweepzieke, oppervlakkige prinses.

De volgende morgen nam Rachelle plaats op een met lavendelblauwe en goudkleurige stof beklede stoel om met de rest van haar familie en sir James Hudson te ontbijten. Ze droeg haar zondagse, zijden jurk en dronk goudbruine, zoete thee uit een hoog glas van Weens kristal. Op haar lichtroze porseleinen bord dat met een gouden randje was versierd lagen warme cakejes die in opgeklopt eiwit waren gedoopt en in zoete boter gebakken. Het zilveren tafelgerei glinsterde in het zonlicht dat door de ramen van de *salle* naar binnen stroomde.

Aan het hoofd van de lange tafel zat Bernard Macquinet, een neef van haar vader. Hij was predikant en een jaar of zestig. Normaal gesproken zat Rachelles vader Arnaut op deze plaats, maar hij verbleef in Genève.

Net als Calvijn had Bernard een hoekig gezicht en donkere, scherpe ogen. Hij was vriendelijk en zeer geliefd bij zijn familie. Rachelle vond Bernards snor die was vergroeid met zijn baard op een omgekeerde V lijken. Zijn breedgerande hoed, die hij altijd droeg als hij ging preken, lag op de tafel in de hal. Hij had hem zorgvuldig afgeborsteld, want deze zondagmorgen zou hij in de plaatselijke gemeente voorgaan. Van zijn dierbare Franse bijbel was echter geen spoor te bekennen.

De jonge James Hudson keek neef Bernard aandachtig,

maar welwillend aan. '*Monsieur*, ik heb gehoord dat u uw opleiding tot dominee bij Johannes Calvijn in Genève hebt gevolgd.'

'Hij is een indrukwekkende persoonlijkheid, James. Ik had vaak de neiging om mij op mijn tenen in zijn gezelschap te bewegen, maar daar wilde hij niets van weten. Dankzij hem kon ik aan de Theologische Faculteit van Genève gaan lesgeven, wat ik met Gods hulp meer dan tien jaar heb gedaan.'

Rachelle dronk langzaam van haar thee en zweeg, maar Idelette wilde James Hudson ervan overtuigen dat hun neef Bernard een man Gods was. Voelde ze zich tot James aangetrokken? Rachelle onderdrukte een glimlach.

'Drie jaar geleden kreeg Bernard de opdracht om de hugenoten in Spitalfields te bemoedigen. Deze hugenoten waren vanwege de grote vervolgingen in dit land naar Engeland gevlucht en daarom wilde hij graag een keer voor hen preken.'

'En nu hebben jullie je eigen Franse kerk in Londen,' zei James met een glimlach. Hij keek naar Idelette en toen weer naar Bernard. 'Ik merk dat uw jonge *cousines* zich verheugen over uw werk in dienst van God, en terecht. Hoe hebt u monsieur Calvijn leren kennen?'

Bernards hoekige gezicht kreeg een peinzende uitdrukking, alsof hij terugkeerde naar een ver verleden.

'Dat zal ik nooit vergeten, James, mijn jongen. Op een gegeven moment moest monsieur Calvijn uit Frankrijk wegvluchten om aan de toorn van koning François I en de brandstapel te ontkomen. Hij reisde naar Straatsburg, waar ik ook naartoe was gevlucht. Calvijn stelde me voor aan de grote Franse predikant, Jacques Lefèvre d'Étaples, de vertaler van de eerste Bijbel in het Frans. Ik was zeer onder de indruk van hen beiden. Uiteindelijk vestigde Calvijn zich in Genève en ik had het voorrecht om hem daar te mogen dienen. Die stad maakte hij, met de hulp van andere hervormers, zoals Beza, tot het reformatorische centrum van Europa.'

Bernard was vanuit Genève, waar hij verslag had uitgebracht aan Calvijn over het werk onder de hugenoten in Spitalfields, naar het zijdekasteel gereisd. Madame Claire had hem vergezeld, maar Arnaut was in Genève gebleven om het werk waarmee ze een aantal maanden eerder begonnen waren, af te ronden.

Ze hadden niet verteld om wat voor soort werk het ging. Rachelle was verstandig genoeg, dit niet te vragen. Ze wist dat het te maken had met het drukken en verspreiden van bijbels in de Franse, Nederlandse en Duitse taal.

Cousin Bernard wachtte momenteel op een lading Frans- en Nederlandstalige bijbels, die hij op de een of andere manier naar Engeland moest smokkelen, een uiterst riskante onderneming.

Rachelle keek Bernard vol genegenheid aan. Ze hechtte grote waarde aan zijn wijze en vaderlijke adviezen en bewonderde hem om zijn grote Bijbelkennis. Rachelle miste haar vader en was nog steeds niet over het bloedbad in Amboise heen, maar de vele gesprekken met dominee Bernard hadden haar bemoedigd in deze onzekere dagen.

'Zijdewevers, couturiers en *grisettes* – onder de hugenootse vluchtelingen vind je de beste vaklieden,' zei Hudson enthousiast. 'En de Nederlandse protestanten? Ze zijn meesters in het vervaardigen van kant, garen, knopen en allerlei soorten fijn borduurwerk. *Mesdames, monsieur,* God heeft Engeland rijk gezegend.'

Rachelle voelde haar frustratie groeien. 'Dat is natuurlijk fijn voor Engeland, monsieur Hudson, en ik ben dankbaar dat het land zijn deuren wijd voor ons heeft opengezet. Maar de situatie in Frankrijk baart me grote zorgen. Het land lijdt schade door deze leegloop. De koning weet toch dat de hugenoten, de middenklasse van dit land, de pijlers van de Franse economie zijn? Zonder ons heb je alleen nog maar edelen aan de ene kant en ongeletterde armen aan de andere kant.'

'U hebt gelijk, *mademoiselle*, ja, volkomen gelijk... het is een trieste ontwikkeling voor uw land.'

'Helaas,' zei Idelette,'worden de aanhangers van de nieuwe religie en hun kinderen min of meer gedwongen te vluchten.'

'Frankrijk verliest veel meer dan de kunst van het zijdeweven en andere ambachten,' zei Bernard. 'Gods licht zal ophouden te schijnen in Frankrijk. Met iedere hugenootse familie die het land ontvlucht, met elk leven dat op de brandstapel eindigt en met iedere nieuwe arrestatie schijnt het licht van ons getuigenis zwakker. Ik vrees dat ons land in duisternis zal vallen, als we als natie onze harten blijven verharden tegen het licht der waarheid.' Hij keek ieder van hen aan.'Frankrijk zal weldra ophouden Gods fakkeldrager in Europa te zijn. Ik denk dat Engeland die rol zal overnemen.'

Rachelle, die zeer vaderlandslievend was, voelde een steek in haar hart. Ze had niets tegen Engeland, maar hield van Frankrijk. Ze vreesde dat *cousin* Bernard weleens gelijk zou kunnen hebben.

'Engeland heeft ook jarenlang onder brandstapels en hevige vervolgingen geleden,' zei James Hudson.'Voor Elizabeth was haar zuster Maria koningin. U hebt waarschijnlijk wel gehoord over de talloze dappere martelaren die op bevel van haar in Smithfield zijn verbrand."Bloody Mary" noemen we haar in Engeland. Veel leiders van de reformatie, onder wie Cranmer, Ridley en Tyndale, zijn als ketters op de brandstapel verbrand.'

'Ja, maar nu heeft Engeland het licht gezien en aanvaard,' zei Bernard. 'Engeland ontvangt de vervolgden met open armen en biedt hun een veilig onderkomen. Uw huidige koningin heeft ook veel andere hervormingen doorgevoerd die God welgevallig zijn.'

Terwijl de koningin-moeder, dacht Rachelle, *vervolgingen gebruikt als middel om haar eigen macht te vergroten en Spanje tevreden te houden.*

Bernard zag de sombere gezichten aan tafel en glimlachte. 'Maar het zijdekasteel heeft het licht niet verworpen! We zijn allen getuigen van God, ook al hebben we soms het gevoel dat we er alleen voor staan,' zei hij op bemoedigende toon.

'En onze zijde is een gift van onze hemelse Vader. Zonder Zijn wonderlijke zijderupsen zou er geen Dushane-Macquinetzijde zijn en zouden we geen naam hebben gemaakt als zijdewevers. Jullie, *chères demoiselles*, weten dat we dit geschenk niet voor niets hebben gekregen. Het opent vele deuren voor ons. Arnaut heeft in het verleden veel projecten in Genève en Frankrijk, en nu in Spitalfields en Holland met de opbrengst van de zijdehandel kunnen financieren. Dankzij de Macquinetzijde hebben we overal in Europa onze bijbels en andere literatuur kunnen verspreiden, allemaal gebonden in leer van de beste kwaliteit en verguld op snee. En zo God wil, zullen we dit werk blijven voortzetten. Om het mooi te zeggen: ons getuigenis, onze beproevingen en vervolgingen zijn op zijde gedrukt!'

Rachelles hart sprong op van vreugde, toen ze hoorde dat haar werk eeuwigheidswaarde had. Zelfs met het voeren van moerbeiboombladeren aan zijderupsen droeg zij haar steentje bij aan hun missie.

'God zij alle eer en glorie,' zei madame Claire. 'Het zijdekasteel floreert, zodat wij met ons werk onze Heer kunnen dienen. En hoewel mijn man hier niet is om het begin van de samenwerking tussen de familie Hudson en de familie Dushane-Macquinet te vieren, kan ik u verzekeren, monsieur Hudson, dat wij allebei volledig achter deze zaak staan. We zullen het werk van de wevers in Spitalfields ondersteunen door hen te allen tijde van zijde te voorzien.'

'Zijde en onze ontwerpen, zodat de japonnen ter plaatse genaaid kunnen worden, *maman*,' zei Rachelle, die deze droom al lange tijd koesterde. 'We kunnen een naaiatelier in Spitalfields openen en de japonnen te koop aanbieden in een chique winkel in Regent Street. Confectiekleding in alle soorten en maten, die direct verkocht kan worden aan de klanten. Onze winkel zal uniek zijn in Europa en veel succes hebben, dat weet ik zeker.'

'Dat ben ik helemaal met u eens, *mademoiselle*,' zei sir James Hudson. 'Het is een idee dat de familie Hudson buitengewoon zou interesseren.'

Rachelle zag dat zijn ogen begonnen te glanzen.

Hij draaide zich om naar madame Claire: 'We zouden graag willen dat u en uw dochters naar Londen kwamen om ons te helpen bij het opzetten van onze eerste kledingwinkel. Misschien wanneer de japon van Hare Majesteit af is? Het is niet meer dan normaal dat we het geschenk in uw bijzijn aan Hare Majesteit aanbieden. *Hudson Manor* staat altijd voor u open. Mijn vader zou heel graag kennis willen maken met de zijdedochters, zodat we onze samenwerking verder kunnen uitbreiden.'

Rachelle merkte dat haar moeder nogal lauw reageerde. Ze zag haar dochters niet graag vertrekken uit Frankrijk. De tragische gebeurtenissen in de familie en de dreiging van een burgeroorlog tussen katholieken en protestanten drukten zwaar op haar. Niemand wist precies wat de gevolgen zouden zijn voor het zijdekasteel, dat vanaf de tijd van Rachelles overgrootmoeder Antoinette Dushane een familiebedrijf was geweest.

Rachelle was teleurgesteld. Ze wierp een blik op haar zusje en zag dezelfde reactie bij Idelette. Nog diezelfde morgen had ze Rachelle verteld dat Hudson van plan was hen uit te nodigen in Londen om de banden tussen de Macquinets en zijn familie in Spitalfields aan te halen. Hij verwachtte niet dat ze alledrie zouden komen, maar had dit desondanks aan hun *mère* voorgesteld.

Madame Claire glimlachte minzaam, maar deed geen enkele toezegging.

Rachelle keek Idelette aan. *We geven nog niet op.*

Nadat ze het ontbijt hadden beëindigd, haalde Bernard zijn Franse bijbel tevoorschijn, wreef er met zijn hand over en zei zachtjes, alsof hij tegen zichzelf sprak: 'Gedenkt aan degenen die ons zijn voorgegaan, die grote beproevingen hebben doorstaan om Zijns naams wil.' Toen borg hij de bijbel op in zijn tas en verliet het kasteel om te gaan preken voor de plaatselijke hugenootse gemeente.

Idelette en Avril vertrokken kort daarna, in gezelschap van de sympathieke James Hudson. Terwijl ze de deur uit liepen, riep Avril Rachelle na dat ze een plaats voor haar zou vrijhouden in de kerk.

Madame Claires vermoeide gezicht droeg niet alleen de sporen van de zorg om haar dochter Madeleine, die kort na de geboorte van haar eerste kind haar man had verloren. Rachelle wist dat ze tot na middernacht had gewerkt aan een speciale zijden omslagdoek voor madame Hershey, die deze morgen ook in de kerk zou zijn. Door Hudsons bezoek had ze enige vertraging opgelopen.

Madame Claire liep naar het atelier en Rachelle volgde haar. Ze bleef in de deuropening staan en zag hoe haar moeder de omslagdoek van de plank haalde en toen achterom keek.

'Je hoeft niet op me te wachten, *ma petite*. Ik ben zeker nog een paar minuten bezig. Ik moet de linten nog aan de zoom vastzetten. Madame Hershey zou zo teleurgesteld zijn, als ze dit geschenk niet voor haar dochter zou kunnen meenemen. De reiskoets naar Parijs vertrekt direct na de dienst.'

'*Maman*? Over sir James Hudson en Londen...'

'Nu niet, Rachelle. Ik weet dat je graag naar Londen wilt gaan, maar dit is niet het geschikte moment om daarover te praten. We zullen wachten totdat je *père* uit Genève is teruggekeerd. Haast je nu, anders mis je de voorzang nog.'

Rachelle zuchtte onhoorbaar. Ze had het gevoel dat madame Claire haar nog als een klein meisje zag. Ze was nu volwassen, rijp voor *amour* en een huwelijk – markies Fabien de Vendôme dacht in ieder geval dat ze een vrouw was. Hij had nog niet over een huwelijk gesproken, maar...

'*Oui, maman,*' zei ze gehoorzaam zonder haar moeder tegen te spreken. Ze had te veel respect voor haar om als een klein kind in woede uit te barsten. *Ze had in ieder geval niet 'nee' gezegd.*

Wat zou markies Fabien ervan zeggen, als ze naar Londen ging?

2

Rachelle liep door de tuin van het *château* naar het pad dat tussen de boomgaard en de zijderupskwekerijen liep. Daarvandaan was nog het vijf minuten lopen naar de kerk. Ze keek achterom om zich ervan te vergewissen dat madame Claire haar niet nakeek vanaf het balkon. Toen trok ze de band om haar middel omhoog en legde er een stevige strik in. Vervolgens tilde ze haar zijden rokken op tot boven haar enkels en trok de taille omhoog. Ze had dit als klein meisje al gedaan en was niet van plan deze gewoonte op te geven. Ze glimlachte en rende door de boomgaard naar het pad. Het kon geen kwaad zolang de markies van Vendôme maar niet zag dat ze zich af en toe als een eenvoudig boerenmeisje gedroeg.

Rechts achter de zijderupskwekerijen lag een weg die het terrein rondom het *château* van de Macquinets scheidde van monsieur Lemoines akkers. Lemoine was een hugenoot die een grote schuur had laten bouwen waar de hugenootse gemeente elke zondag samenkwam, omdat de rooms-katholieke kerk protestantse erediensten had verboden.

De wind blies door de *mûreraies,* de moerbeiboomplantage van de Macquinets. Rachelle genoot van de bries die met haar zijden jurk speelde en keek naar de wolken die langs de blauwe hemel dreven. De bladeren van de moerbeibomen in de *mûreraies* werden aan de zijderupsen van het *château* gevoerd die de unieke zijde produceerden waar sir James Hudson zo van onder de indruk was. Rachelle was helemaal niet verbaasd dat de zijde van de Macquinets, die beroemd was bij kleermakers in heel Europa, blijkbaar ook onderwerp van gesprek was aan het Engelse hof.

Rachelle dacht aan de *merveilleuse* japon die Idelette en zij voor de Engelse koningin mochten maken. Dit was een grote eer... maar waartoe zou deze opdracht leiden?

Wat was het goed om weer thuis te zijn, en niet meer aan het hof te leven, temidden van de intriges en in de nabijheid van de listige koningin-moeder. Niets gaf haar zoveel voldoening als met prachtige zilver- en goudkleurige, blauwe, roze, groene en bordeauxrode zijde te werken.

Bordeauxrood. Een glimlach zweefde om haar lippen. Ze herinnerde zich hoe markies Fabien haar had verrast door haar te vragen om een japon van bordeauxrode zijde en goudkleurige stof voor zichzelf te maken, dezelfde als ze voor prinses Marguerite had genaaid.

Rachelle was een paar weken eerder op het *château* van Vendôme aangekomen onder escorte van de *beau* markies Fabien de Vendôme. Een paar dagen later was Fabiens page Gallaudet onverwacht een boodschap aan de markies komen brengen. Hij zei dat één van de Franse 'watergeuzen' hem een brief voor de markies had overhandigd, maar direct daarna weer was vertrokken. Dacht deze Franse zeeman dat hij werd bespioneerd?

Fabien had de boodschap gelezen en die toen in de open haard verbrand. Rachelle had toegekeken en zich afgevraagd wat er in de brief stond. Kort daarna had hij haar naar het zijdekasteel gebracht en was toen in zijn eentje verder gereisd. Tot haar grote ergernis had hij haar niet willen vertellen wat hij ging doen. Hij had haar alleen gezegd dat hij na zijn *rendez-vous* naar het zijdekasteel zou terugkeren om afscheid van haar te nemen en dat hij daarna naar Florida zou vertrekken. Fabien had niets willen loslaten over de aard en het doel van dit *rendez-vous*. Ze was teleurgesteld geweest. Wist hij niet dat hij haar volledig kon vertrouwen? Misschien had hij tijd nodig om haar beter te leren kennen.

Het enige wat ze wist, was dat hij ergens aan de kust een afspraak had met een bondgenoot, een Franse geus, wiens naam hij niet had willen noemen. Dat hij voor zijn vertrek naar Florida langs zou komen om afscheid van haar te nemen, had haar hoopvol gestemd. De markies had nog niet over een huwelijk gesproken. Hij leek zelfs afstand genomen te hebben van het idee en ze wist dat lichamelijke aantrekkingskracht niet genoeg was voor iets wat een leven lang zou duren.

Zijn voorzichtigheid op dat gebied was hem in de jaren die hij aan het hof had doorgebracht van groot voordeel geweest, omdat hij zijn vrijheid en integriteit had weten te bewaren.

De afgelopen twee weken had ze zich grote zorgen over hem gemaakt. Door zijn contacten met watergeuzen – of het nu Fransen, Engelsen of Hollanders waren – liep hij het risico om in ongenade te vallen bij de Franse troon.

Hoog boven zich hoorde ze de grote bladeren in de wind ritselen. Het zonlicht dat door het dichte bladerdek drong, vormde grillige schaduwen op de weg die voor haar lag. Ze verliet het pad en liep in de richting van een dikke haag met roze oleanders.

Eenmaal bij de heg aangekomen, zocht ze naar een opening. Ze zou zich erdoorheen wringen en daarna de weg oversteken. Rachelle zorgde ervoor dat ze de roze bloemen niet aanraakte; ze wist dat ze ondanks hun verleidelijke kleur heel giftig waren.

Aan de andere kant van de hoge heg bleef ze even staan om op adem te komen. Ze kon de kerk niet zwetend en puffend binnenkomen, met haar rokken opgetrokken tot boven haar enkels! Ze moest om zichzelf lachen, trok haar rokken omlaag en streek de plooien glad. Vanuit de grote schuur kwamen de klanken van een gezang haar tegemoet. *Ça alors!* Ze was te laat.

Neef Bernard liet de gemeente *Een vaste burcht is onze God* zingen, het beroemde gezang van Maarten Luther. Ze kon de woorden, die ze uit haar hoofd kende, duidelijk onderscheiden.

Hoe ook de satan woedt, wij staan hem voet voor voet, wij tarten zijn geweld, zijn vonnis is geveld: één woord reeds doet hem vallen!

Ze hoorde iemand door de boomgaard aan komen rennen en keek achterom.

Het was Philippe, de zoon van één van de zijdewevers. Hij was ook te laat voor de dienst. Ze glimlachte naar hem, totdat ze de uitdrukking op zijn gezicht zag.

'Mademoiselle Rachelle, ren voor uw leven! De hertog van Guise komt eraan met een leger soldaten!'

Ze moest hem een poosje niet begrijpend hebben aangestaard, want Philippe trok haar aan haar arm, zijn ogen groot van angst.

'*Mademoiselle!* Jolon heeft me gewaarschuwd! Hij zegt dat we ons moeten verbergen voor het te laat is.'

Ze sloeg haar handen voor haar gezicht. 'Guise! Dat is onmogelijk! Hier? Maar waarom? Weet je het zeker, Philippe? Hij heeft hier niets te zoeken. Zijn *duchy* is in Lorraine.'

'Jolon is zijn vrouw en alle anderen die in de kwekerij aan het werk zijn, gaan waarschuwen. Een spion heeft hem verteld dat de hertog in aantocht is om de ketters in dit dorp te straffen!'

Hier? dacht ze vol ongeloof. Dit was niet Amboise. Waarom was hij helemaal hiernaartoe gereden?

De gemeente was aan het volgende vers van Luthers lied begonnen.

Delf vrouw en kind'ren 't graf, neem goed en bloed ons af, het brengt u geen gewin: wij gaan ten hemel in en erven koninkrijken!

Rachelle draaide zich vliegensvlug om en keek over de velden naar de schuur... *goed en bloed.* 'Ik moet dominee Bernard waarschuwen.'

De jongen klampte zich met smekende ogen aan haar vast. '*Non, mademoiselle,* ren voor uw leven! Luister – hoort u de paarden?'

Rachelle spitste haar oren. Ze hoorde het gedreun van

paardenhoeven op de weg. Ja! Er kwamen ruiters aanstormen.

'Kijk!' zei Philippe ontzet. 'Daar komt de hertog aan met zijn soldaten.'

Rachelle zag een groep ruiters boven de oleanderhaag opdoemen. Ze lieten een grote stofwolk op de weg achter. Als ze nu naar Bernard toe rende, liep ze direct in de armen van de soldaten. Ze durfde het veld niet over te steken.

'We moeten ervoor zorgen dat ze ons niet zien.' Ze trok de jongen naast zich neer en gluurde door de bladeren.

Ze kon de soldaten van de hertog duidelijk zien. De aarde spatte op onder de hoeven van hun paarden. Hun stalen pantsers, die gedeeltelijk met leer waren bedekt, glansden in het zonlicht.

'Ziet u de wapens en paarden van die soldaten?' zei Philippe en Rachelle hoorde de angst in zijn stem. '*Ma mère* is in de kerk. Ze had me teruggestuurd om haar omslagdoek te gaan halen – ze vond het fris in de schuur...'

Rachelle kneep in zijn arm om hem tot bedaren te brengen. 'God is met ons. Wees dapper en bid om haar bewaring.'

De groen met witte banier van de Guises wapperde hooghartig in de wind. Rachelle probeerde de gezichten van de passerende ruiters te onderscheiden, totdat – ja, daar was hij! De hertog in hoogsteigen persoon. Ze zou hem uit duizenden herkennen. Ze voelde hoe al de spieren in haar lichaam zich spanden. Na haar verblijf in Amboise herkende ze dat arrogante gezicht met de hautaine mond en minachtende blik uit duizenden.

De hertog trok aan de teugels, nam zijn zwaard uit zijn schede en hief het hoog boven zijn hoofd. Ze hoorde het onheilspellende geluid van kletterend staal. Rachelle balde haar vuisten. Haar hart bonsde in haar keel. *Non, non...*

'Het zwaard van de Heer!'

De mannen antwoordden met een opgewonden gejoel.

Ze leidden hun paarden de weg af en stormden door het veld in de richting de schuur.

Rachelle kneep nog harder in Philippes arm en voelde hoe hij beefde. Ze wilde niet dat hij getuige zou zijn van de scène die nu zou volgen. 'Ren, Philippe, ren naar madame Claire. Misschien heeft Jolon vergeten haar te waarschuwen. Vraag haar de Franstalige bijbel te verstoppen die Idelette in haar kamer bewaart. Er zijn ook nog andere boeken. Haast je!'

Philippe staarde haar met een lijkbleek en van angst vertrokken gezicht aan. Hij aarzelde en wierp een hevig geschrokken blik naar de schuur, maar ze was onverbiddelijk. 'Doe wat ik zeg! Vlug!'

Hij sprong overeind en rende door de boomgaard terug naar het zijdekasteel.

Rachelle wachtte, totdat de jongen uit het zicht was verdwenen. Toen richtte ze haar aandacht weer op het veld van Lemoine en begon te bidden.

Ze gluurde door de oleanderbladeren en de angst sloeg haar om het hart.

'Doe iets,' zei ze tegen zichzelf. 'Blijf hier niet passief toekijken. Werp jezelf vol overgave in de strijd! Red het leven van je zusters en Bernard!'

Kon ze maar iets doen! Een bittere wanhoop maakte zich van haar meester. Ze balde haar vuisten zo hard dat haar nagels in haar vlees boorden.

Waar kwam deze blinde woede vandaan tegen deze als ketters gebrandmerkte mensen, die geen andere misdaad hadden begaan dan Christus te dienen en Zijn Woord te bestuderen?

Het zingen verstomde en maakte plaats voor de kreten van soldaten, gemengd met de stemmen van hugenoten die hen tot rede probeerden te brengen. *Alsof de persoonlijke inquisitie van Guise voor rede vatbaar zou zijn,* dacht Rachelle.

'Vader in de hemel,' jammerde ze, terwijl ze op haar knieen viel, 'sta Uw arme kinderen bij! Hoe kunnen we ons anders weren tegen deze aanval van satan? Onze vervolgers zijn door haat verblind en door de duivel misleid. Ze hebben Uw genade nodig. O, laat de schellen alstublieft van hun ogen vallen, zodat zij hun dwaling mogen inzien, zoals de apostel Paulus, die de joodse christenen vervolgde, omdat zij Jezus aanbaden. Laat hen – ook de hertog van Guise – de waarheid zien, zoals U die in Uw Woord hebt geopenbaard! Help ons, hemelse Vader, om Jezus' wil!'

In de schuur zwollen de gebeden, het geschrei van de angstige kinderen en de kreten van de soldaten aan tot één grote treurzang.

Kort nadat de woeste kreten van de ruiters en het geluid van de stampende paardenhoeven de kerk was binnengedrongen, hoorde dominee Bernard Macquinet dat de schuur door de soldaten van Guise was omsingeld. Bernard was bedroefd, maar geenszins verrast door de aanval. De fanatieke Guise maakte ook nu gebruik van een beproefde methode.

Voordat de protestanten konden ontsnappen, werden de deuren en ramen van de kerk aan de buitenkant dichtgespijkerd. De weinige mannen die onmiddellijk de kerk waren uitgelopen om poolshoogte te nemen, werden met het zwaard neergehouwen.

Op het moment dat Guise zijn handlangers zou bevelen om het gebouw in brand te steken, zouden ze hem onvoorwaardelijk en zonder enige gewetenswroeging gehoorzamen. Ze zagen zichzelf niet als moordenaars, maar als kruisvaarders, heilige soldaten die Gods kerk beschermden tegen de aanvallen van de verdorven volgelingen van die *diable* Luther. Bernard wist dat hij nooit met Guise aan tafel zou kunnen zitten, met de Bijbel tussen hen in, om te discussiëren over christelijke leerstukken. Integendeel, als hij betrapt zou worden met een Franse bijbel, zou hij direct ter dood worden veroordeeld.

'Vader in de hemel, Uw schapen en Uw lammeren zijn in het nauw gedreven. Ik weet dat U de macht hebt om ons te verlossen. Red ons, o God, zo smeek ik U. Maar net zoals de drie vrienden van Daniël, die in de brandende oven werden geworpen, omdat ze niet voor het gouden beeld wilden buigen, zullen we Uw Woord niet verloochenen om goden of mensen te behagen, zelfs als U zou besluiten om ons niet te verlossen! Schenk ons de moed om voor Uw waarheid te sterven. Geef Uw dienaren de kracht om stand te houden. In de naam van Hem die ons eeuwige verlossing heeft gebracht, de Here Jezus Christus, amen.'

Bernard hoorde iemand bij de deur van de schuur roepen: 'Laat ons gaan, heer Guise, ik smeek het u. Er zijn vrouwen en kinderen in ons midden. Arresteer ons, maar laat hen alstublieft gaan!'

Bernard maande de mannen tot kalmte. Er waren er velen, die schreeuwden, op de deur bonsden en er met hun volle gewicht tegenaan beukten. Met zijn bijbel hoog opgeheven, haastte hij zich zich naar de verhoging, zodat degenen die waren blijven zitten zijn voorbeeld zouden volgen en standvastig blijven in het uur van de dood. Met krachtige stem begon hij Psalm 41 voor te lezen, totdat sir James Hudson, de jonge Engelsman, op hem af kwam.

'Dominee Bernard, elk raam is dichtgespijkerd.'

'Ik weet het, ik weet het, mijn zoon. Ken je Jezus als je persoonlijke Heiland?'

'Ja, *monsieur*.'

'*Bon!*'

'Ik heb een houweel en een paar hooivorken gevonden. Ik zal proberen het raam aan de achterzijde te forceren. Blijf in de buurt met mademoiselle Idelette en Avril, zodat jullie als eersten kunnen ontsnappen.'

'Doe wat je kunt in Zijn naam, James.'

'Dominee Bernard,' riep een ander. 'We zitten als ratten in de val.'

'God weet ervan, *mon ami*.'

'Waarom helpt Hij ons niet?'

'Denk aan wat de profeet Eliza tegen zijn knecht zei: "Vreest niet; want die bij ons zijn, zijn meer dan die bij hen zijn." Kom, gedraag je als mannen en wees sterk. We moeten ons om de kleine kinderen bekommeren.'

Bernard riep opnieuw iedereen tot de orde. Met luide stem vroeg hij de ouders een kring te vormen, elkaar de hand te geven en te bidden. Hoewel zijn hart pijn deed bij het zien van zo veel vrouwen en kinderen, bleef hij rustig.

'Vrouwen en kinderen, verzamel je hier bij mij. Kom! Ouderen, kniel neer en bid! Jongemannen en broeders, probeer dat raam aan de achterzijde open te breken, vlug! Dat jullie de kracht van Simson mogen ontvangen.'

'Het is te laat, dominee Bernard! Er is overal rook.'

'Geef de moed niet op. Laat onze getrouwe God beslissen of het te laat is.'

'Kunnen we niet beter allemaal met de ouderen gaan bidden?' riep iemand anders.

'Bid en werk!' zei Bernard met krachtige stem. 'Zelfs in dit uur worden wij door engelen omringd. Als God deze verblinde mannen wil tegenhouden, dan zal Hij dat zeker doen.'

'Waarom grijpt Hij niet in?' jammerde iemand anders.

'We zijn geroepen om als schapen naar de slachtbank geleid te worden. In dit alles – verdrukking, of benauwdheid, of honger, of naaktheid, of zwaard – zijn wij echter meer dan overwinnaars, door Hem, die ons liefgehad heeft. Niets kan ons van Zijn liefde scheiden, zelfs niet de dood.'

'Ja,' riep monsieur Lemoine, 'misschien weeklagen we in de nacht, maar in de morgen zullen we jubelen van vreugde. Onze morgen zal aanbreken. We zullen opgenomen worden in de schaar van martelaren die voor Christus' troon juicht.'

Bernard verborg zijn Franse bijbel onder zijn toga en

liep steunend op zijn wandelstok naar de huilende kinderen toe, die hun troost hadden gezocht bij een paar oudere vrouwen. Twee jonge moeders knielden met hun baby's in de armen naast de kinderen neer en probeerden te zingen. Een van de baby's werd wakker en begon hartverscheurend te huilen.

Bernard liep naar hen toe en verzamelde de kinderen om zich heen. Als een kloek nam hij de jongste in zijn armen. Hij legde zijn hand op het hoofd van de baby en bad. Hij probeerde de angstige en verwarde jonge moeders te troosten en aaide over hun hoofd. 'Wees sterk, *mes petites*; door Zijn genade zullen we ook deze beproeving doorstaan. Als Zijn kinderen lijden, is Hij het dichtst bij hen. Laten we bidden, kinderen, laten we onze Heiland aanroepen.'

Avril Macquinet verloor haar oudere zuster Idelette uit het oog in de rook en chaos. Evenmin kon ze neef Bernard vinden. Ze trof hem aan temidden van de zingende vrouwen.

'O, neef Bernard. Ik ben zo blij dat *ma mère* en Rachelle hier niet zijn.' Ze kroop tegen hem aan en probeerde haar paniek te onderdrukken. Haar hart bonkte in haar keel, toen ze de kreten van de soldaten hoorde. De rook werd dichter en ze begon te hoesten.

Ze pakte zijn arm beet. 'Zal het erg veel pijn doen?'

'Hij heeft beloofd dat Hij ons zal versterken door Zijn genade, *ma petite*. De vele geloofsvervolgden die ons zijn voorgegaan, zouden daarvan getuigenis kunnen geven, als ze nog in leven waren. Welke gezangen ken je? Zing, *ma chère fille*, en kijk niet om je heen. Herinner je je het verhaal van Petrus die op het water liep? Kijk niet rond, sluit je ogen, zing en bid. Richt je op Jezus. Denk aan Hem in Zijn blinkend witte kleed, met Zijn armen wijd open om je te verwelkomen in Zijn eeuwige woning.'

Avril probeerde te zingen, maar ze kreeg een hoestaanval. Haar ogen prikten en begonnen te tranen. Ze kende de woorden van de psalm die kort daarvoor in het Geneefse psalmboek van 1556 was opgenomen uit haar hoofd en fluisterde:

'Geloofd zij God met diepst ontzag. Hij overlaadt ons dag aan dag met Zijne gunstbewijzen.'

Achter in de schuur was Idelette wanhopig op zoek naar Avril. *Waar is ze, God? Ik dank U dat Rachelle en ma mère hier niet zijn! In Uw goedheid hebt U hen beiden gespaard! Laat hen niet ondergaan in hun verdriet om Avril, Bernard en mij. Help hen met nieuwe moed verder te gaan in de overtuiging dat alles ten goede werkt voor degenen die U liefhebben.*

Ze stuitte op een groep jongemannen die met een houweel en een schop inhakten op een luik en zag James Hudson, de Engelsman. Als hij in de herberg was blijven overnachten, was deze beproeving hem bespaard gebleven. Maar als ze geloofde dat het leven van Gods kinderen door Hem bestuurd werd, was dit dan werkelijk een ongelukkig toeval?

'U maakt goede vooruitgang, *messieurs.* Houd moed, monsieur Hudson!' riep ze. 'Beef niet voor hun geweld. Wees sterk in Zijn genade.'

De jonge Engelsman keek haar aan. 'Blijf hier, *mademoiselle*, misschien kunnen we ontsnappen!'

Hadden ze een kans om te ontsnappen? Idelette bad, terwijl ze zich een weg naar de achterkant van de kerk baande. *Schenk ons Uw vrede in dit lijden.*

De vlammen begonnen vanaf de voorkant van de schuur om zich heen te grijpen. Ze kon amper ademhalen door de rook. Ze bedekte haar mond met een zakdoek, boog zich voorover en kroop op handen en voeten verder. Zelfs al zou ze door het venster kunnen ontsnappen, hoe zou ze ooit Avril kunnen achterlaten? Ze zou het zichzelf nooit vergeven dat ze haar kleine zusje aan haar lot had overgelaten.

Dichter bij de deur was het beter uit te houden, maar haar ogen traanden en ze kon niets zien. De rook maakte haar het spreken onmogelijk, maar haar gebed steeg op tot de Here der Heerscharen. *Ik ga sterven... mijn tijd is gekomen.* De hitte was nu ondraaglijk. De ouden van dagen raakten in ademnood. Ze vielen hoestend op de grond – Idelette probeerde hen te bemoedigen, en was verbaasd dat zij haar aanspoorden om sterk te zijn en op God te vertrouwen.

De oude monsieur Fontaine en zijn vrouw, die bijna vijftig jaar getrouwd waren, knielden naast elkaar neer om te bidden, hun handen verstrengeld als jonge geliefden. Hun zilveren haar deed Idelette aan stralenkransen denken. Het laatste wat ze van hen zag, voordat de rook haar verblindde, was de gelukzalige glimlach op het gerimpelde gezicht van madame Fontaine.

De mannen slaagden erin een van de luiken open te breken. 'Deze kant uit, door het raam, snel!' klonk de hoopvolle boodschap.

'Laat de kinderen eerst naar het raam komen!' schreeuwde Hudson.

Idelette deed wat hij zei. Ze hoopte dat Avril op Hudsons stem zou afkomen.

Idelette kroop naar de plek waar de kinderen door het raam werden geholpen; ze snoof de frisse lucht op die haar als de adem van een engel tegemoet kwam. Met nieuwe kracht, riep ze: 'Avril? Avril!'

Er kwam geen antwoord, maar ze herkende de stem van neef Bernard: 'Deze kant uit! Naar het raam. We moeten een rij vormen met de kinderen voorop!'

Er werd een gezang aangeheven. 'Hoe ook de satan woedt, wij staan hem voet voor voet...'

De mannen die onder het raam stonden, onder wie James Hudson, hesen de vrouwen en kinderen zo snel mogelijk door het raam. 'Ren voor je leven!' kregen ze te horen, zodra ze aan de andere kant waren beland. 'Ren naar de weg en de boomgaard!'

'We gaan proberen om de schuurdeur te forceren,' riep

een van de jonge hugenoten vanaf de andere kant van het raam.

'De soldaten van Guise zullen je de pas afsnijden. Ga hulp halen!' schreeuwde James Hudson terug.

'Idelette!'

Het was Avril. Idelette keek in de richting waar de stem vandaan kwam. Merci, *Vader in de hemel.* Avril kwam aanstrompelen en Idelette sloot haar kleine, bevende zusje in haar armen. Ze klampten zich aan elkaar vast en liepen struikelend naar het raam.

James Hudson zag ze. 'Jullie twee, kom snel hier. Een, twee, drie, daar ga je!'

Hij nam Avril in zijn armen en duwde haar door het raam naar buiten. Toen tilde hij Idelette op, voordat ze de kans kreeg om tegen te stribbelen. 'Naar buiten jij, meiske! Ren voor je leven!'

'Bernard – en u, *monsieur...*' protesteerde Idelette.

'Ik ga naar hem op zoek.'

Idelette viel op de grond. Met diepe teugen ademde ze de frisse buitenlucht in en hoestte om de rook uit haar longen en de mist in haar hoofd te verdrijven. Ze pakte Avril bij haar arm en wees naar de weg en de moerbeibomen die om het terrein van de Macquinets stonden. 'Ren naar die bomen toe en verberg je. Ik – ik kom er zo aan.'

'Maar neef Bernard en monsieur Hudson dan?'

'Hun leven is in Gods hand. Ga nu, zusje – ren.'

Avril begon te huilen. Haar tranen lieten een spoor na op haar met roet bedekte gezichtje. Ze trok aan Idelettes arm en keek haar smekend aan.

'Kom mee, zusje, laat me niet alleen...'

Idelette keek achterom. Het vuur greep om zich heen. Degenen die nog niet door het raam waren ontsnapt, zouden weldra stikken in de rook en de hitte.

Avril hing aan haar arm. 'We kunnen ons in de struiken verbergen. Aan die kant zijn veel minder soldaten.'

Idelette zwichtte. *God zij met jullie, Bernard en James* – au revoir.

Idelette en Avril renden hand in hand in de richting van de bomen en de struiken. Idelette keek om.

De mannen van Guise zwermden als horzels om de schuur heen, sommigen te paard en anderen te voet. Ze vlogen alle kanten op alsof ze bezeten waren. De soldaten te paard reden de hugenoten achterna die als weerloze schapen op de vlucht waren geslagen. Genadeloos hakten ze met hun zwaarden op hen in, sloegen hen tegen de grond en vertrapten hen onder de hoeven van hun paarden.

Avril struikelde over een kluit aarde. Idelette trok haar overeind.

Ze renden verder, maar de zompige aarde vertraagde hun gang. 'Sneller, zusje...'

In de verte hoorden ze paardenhoeven naderen. Idelette draaide zich om zonder Avril los te laten. *Misschien kan een van ons ontsnappen.*

Toen de ruiter vlak bij hen was, gaf Idelette Avril een duw in de richting van de bomen. 'Ren en kijk niet achterom.'

Avril rende naar de beschutting van de moerbeibomen. De tranen stroomden over haar wangen. *Bernard zal sterven in de rook en het vuur – en ook James. Arme James. Hij was zo beau.*

Avril hoorde een ander paard aan komen galopperen. Ze keek opzij. Een kreet ontsnapte haar, toen ze werd getroffen door een harde slag.

Ze sloeg tegen de grond en het bloed gutste over haar gezicht. Ze kon niet denken; ze kon zich niet uit de voeten maken. Met de grootste krachtsinspanning tilde ze haar hoofd op en zag een reusachtig paard met opgeheven benen boven zich. De grote paardenhoeven kwamen in volle vaart op haar neer.

Idelette zag met groot afgrijzen wat er met Avril gebeurde. Ze greep naar haar hoofd en gilde. Toen zakte ze met gebalde vuisten in elkaar. 'Monsters! Moordenaars!'

Iemand greep haar van achteren beet. Een hand bedekte haar mond en een arm sloeg zich ruw om haar middel en sleurde haar naar achteren. Ze schopte en vocht met een woede die haar zelf verbaasde. Ze beet in de vingers die haar mond bedekten en proefde bloed. Ze stootte met haar elleboog in zijn ribben – en hoorde hem weerzinwekkend kreunen, maar tevergeefs. Emotioneel volledig uitgeput, vloeide haar kracht weg en maakte plaats voor een gevoel van wanhoop.

Haar belager sleurde haar door de modder, legde haar toen als een stuk vlees over zijn schouder en voerde haar weg om haar als een prooi te verslinden.

Aan de andere kant van het zandpad hield Rachelle zich, met haar vuisten tegen haar tanden geklemd, schuil tussen de oleanders. Ze dacht dat ze gek werd van machteloosheid toen het helse kabaal losbarstte en maar niet ophield. Wanhopig legde ze haar zwetende handen over haar oren.

Ongetwijfeld geloofde de hertog dat hij God een grote dienst bewees door Lyon van ketters te zuiveren. 'Zij, daarentegen, zijn redeloze wezens, van nature voortgebracht om gevangen en verdelgd te worden,' plachtte hij het de geestelijken na te zeggen die dit vers uit de tweede brief van Petrus citeerden zonder te begrijpen wat er met deze woorden werd bedoeld. Het was hun excuus voor de inquisitie.

Ze herinnerde zich dat Christus had gezegd: 'Ja, de ure komt, dat een ieder, die u doodt, zal menen Gode een heilige dienst te bewijzen.'

Langzaam verstomde het liederlijke geschreeuw. Rachelle opende haar ogen en liet haar handen langs haar lichaam zakken.

Ze hoorde hout kraken; de wind voerde de rook haar richting uit. De bladeren van de moerbeibomen trilden. Een eenzame vogel zette aarzelend een trillend loopje in, maar vloog toen weg, alsof hij de boosheid van de mensen niet langer kon aanzien.

Rachelle gluurde door de oleanders heen en zag grijze rookpluimen uit de schuur opstijgen. Er was geen spoor van de soldaten te bekennen – waren ze ervandoor gegaan?

Langzaam opende ze haar gebalde vuisten; haar handen waren met bloed besmeurd, zo hard had ze met haar nagels in haar handpalmen gedrukt. Wankelend en nat van het zweet kwam ze overeind. Met gebogen rug liep ze langs de oleanders en tuurde over het veld. Haar ogen vernauwden zich tot spleetjes, toen ze overal lichamen zag liggen. Ze begon te beven en kreeg het ijskoud.

Hoeveel doden waren er gevallen – *non,* vermoord? Hoeveel waren er met touwen vastgebonden en afgevoerd naar de kerkers om later verbrand te worden?

Ze kwam overeind en hoorde de wind door de bomen ruisen. Wat eerder een loflied had geleken, kwam haar nu voor als een treurzang.

Sta mij bij, God. Ze moest onmiddellijk naar het veld gaan, voor het geval er nog overlevenden waren. Misschien haar eigen zusters en neef Bernard. En de arme James Hudson.

Rachelle wrong zich tussen de oleanders door en stak de weg over. Ze wilde rennen, maar het leek alsof er lood in haar schoenen zat.

De angst sloeg haar om het hart, toen ze het veld inliep en de rook haar tegemoet kwam. De lange grashalmen ruisten in de wind. Ze bleef temidden van de chaos en verschrikking staan. Met grote ontzetting keek ze naar de vele doden, onder wie zelfs kinderen. Even bleef ze aan de grond genageld naar het bloedbad staren. Ze voelde zich misselijk worden, toen ze vrienden herkende die ze sinds haar kinderjaren had gekend, allen leden van deze gemeente. Hoe kon dit zomaar gebeuren?

Rachelle hief haar betraande gezicht op naar de hemel en voelde de warme zon op haar vochtige wangen. *Ik wil me wreken. Ik haat ze!*

Misschien verwachtte ze een antwoord uit de hemel, maar het bleef stil. God strafte haar niet voor haar woede en frustratie. Op slag was haar opstandigheid verdwenen. *O, Vader,* bad ze, vol angst. De tranen stroomden over haar wangen. Ze viel op haar knieën en langzaam ontspanden haar gebalde vuisten zich.

Wees sterk, ja, wees sterk.

Ze onderdrukte de neiging om hard weg te lopen. Ze rende van het ene lichaam naar het andere om te zien of er overlevenden waren. Ze bleef zoeken, vol angst en beven wie ze onder de doden zou aantreffen.

Daar lag monsieur Lemoine, die aan Bernard had gevraagd om voor zijn kudde te preken. Hij had iets gevonden in het leven dat kostbaarder was dan het goud van rijken en machtigen. Vanwege zijn geloof in de Schrift als de hoogste bron van goddelijk gezag hadden ze zijn hart met een zwaard doorstoken; zijn zondagse hemd was rood gekleurd. De bijbel was uit zijn handen gerukt. Er waren bladeren uitgescheurd die versnipperd en vertrapt om zijn levenloze lichaam lagen.

Ze rende verder.

Daar lag madame Hershey…

Ze zou haar dochter vandaag niet verrassen met de zilverkleurige shawl als geschenk voor de geboorte van haar eerste kleinzoon. Haar dochter zou weldra over het verlies van haar moeder treuren.

Rachelle liep struikelend verder; de zoom van haar jurk was met bloed besmeurd. Ze zag een paar kleine kinderen liggen, die zonder genade waren vermoord.

Een eenzame baby huilde in de beschermende armen van haar moeder. Madame Scully had haar dochtertje tegen zich aangeklemd voordat ze was gestorven. Rachelle boog voorover en probeerde het kindje uit de omhelzing van haar moeder los te maken. Het was moeilijk, omdat madame Scully het kind stijf tegen zich had aangedrukt en Rachelle slikte haar tranen in. Toen het haar eindelijk gelukt was om de baby te bevrijden, legde ze haar in de schaduw van een boom neer. Ze herinnerde zich hoe de geboorte van het kindje een aantal maanden daarvoor in de kerk was aange-kondigd.

'Ik kom je straks halen.'

Rachelle liep verder en kwam in de buurt van de uitge-brande schuur. Toen zag ze haar liggen – jammerend liep ze naar haar toe en viel op haar knieën naast de vertrouwde zijden jurk met de kleur van een aprilkrokus. Het witte alen-çonkant stond stijf van het geronnen bloed. Het was Avril. Avril, twaalf lentes jong, haar eens lachende gezichtje nu koud en verminkt.

Rachelle viel naast haar levenloze lichaam neer en huilde hartverscheurend.

De zon hield zich verscholen achter de moerbeibomen in de boomgaard. De wind zong een droevig lied door de hoge bomen.

Verdwaasd zat Rachelle naast het lichaam van haar zusje. Ze staarde naar een tere, blauwe bloem, die op de een of andere manier was ontsnapt aan het brute geweld van de moordende hoeven en laarzen. Ze kon zich er niet van los-rukken. Wat betekende dit? Wat wilde de Heer haar hiermee zeggen? De groene steel was ongeschonden en de bloem stond in volle bloei. De groene en blauwe blaadjes wiegden zachtjes in de wind. Hoe had de bloem dit bloedbad over-leefd?

Rachelle schrok op, toen ze een hand op haar schouder

voelde. Ze opende haar ogen, die gezwollen waren van de rook, het stof en haar tranen. Idelette keek haar aan. Rachelles adem stokte. Idelette?

Idelettes haar, dat normaal gesproken keurig was opgestoken, hing los over haar schouders. Haar lichtblauwe ogen staarden Rachelle wezenloos aan. Er liep een straaltje bloed uit haar mond. Ze had beurse plekken op haar nek en haar met roet, zweet en bloed besmeurde gezicht. Haar zondagse jurk, vroeger zo *belle*, was gescheurd en vertelde Rachelle de brute feiten.

Rachelle kermde en stak beide armen naar haar uit. 'Mijn arme zusje...'

Idelette sloeg haar armen om Rachelle heen en ze huilden zoals alleen zusjes kunnen huilen die elkaar zonder woorden begrijpen.

'Avril – ik heb gezien wat er gebeurd is – en toen greep die soldaat me beet...'

Rachelle vermande zich. Ze moest sterk blijven voor hen beiden. Ze trok haar zusters hoofd tegen haar schouder aan.

'Hij heeft zich als een beest gedragen. Jouw ziel blijft ongeschonden.'

'*Non*,' fluisterde Idelette, 'het zal nooit meer goed komen. En Avril...'

Het zou wreed zijn om haar nu tegen te spreken. Idelette had behoefte aan een schouder om op te huilen, niet aan woorden. Anders zou ze slechts zout op de wonden strooien. Morgen zouden ze met elkaar praten.

Zo bleven ze staan, totdat ze enigszins waren bedaard. De kille lentewind waaide door hun kleren. Rachelle voelde dat Idelette rilde van de kou en schrok. Ze moest haar zo vlug mogelijk naar hun *mère* in het *château* brengen. Idelette was normaal gesproken degene die standvastig in het geloof was. *Nu moet ik sterk zijn.*

Vanuit haar ene ooghoek zag Rachelle iets bewegen in de struiken. *Non,* niet iets, maar iemand.

Rachelle draaide haar hoofd iets opzij. Sir James Hudson kwam achter de laaghangende takken tevoorschijn. Hij probeerde overeind te komen, maar viel neer.

'James!' Rachelle liet Idelette los en rende naar hem toe. Ze hurkte naast hem neer. 'Monsieur Hudson!'

De jonge couturier uit Londen had brandwonden en kneuzingen opgelopen. Zijn hemd was gescheurd en zat onder het bloed.

'Het gaat wel – alleen mijn been; daarginds – ligt dominee Macquinet...'

'Bernard!' Rachelle sprong overeind en baande zich een weg door het struikgewas. Daar lag hij. Gelukkig leefde hij nog.

Rachelle haastte zich naar hem toe. Hij lag onder een boom, gewond en bewusteloos, maar ze zag hem ademen. Hij knipperde met zijn ogen en probeerde zijn hand op te tillen. 'Avril... Idelette...?'

De tranen sprongen in haar ogen. 'Blijf rustig liggen, neef Bernard, vermoeit u zich alstublieft niet onnodig. Ik zal voor een koets zorgen.' Ze maakte aanstalten om te gaan, maar hij sloot zijn vingers om haar hand. Ze keek hem aan en zag de ongerustheid in zijn ogen. Ze slikte, want haar keel voelde droog aan.

'Idelette heeft het bloedbad overleefd, maar Avril niet.'

Zijn greep verslapte. Hij sloot zijn ogen. Toen knikte hij zachtjes. 'Er is een einde gekomen aan – haar lijden op aarde...'

Rachelle kneep in zijn hand en liep snel weg. Toen ze terugkwam op de plek waar ze James had achtergelaten, zag ze dat deze was gaan zitten.

'Maak je over mij geen zorgen,' zei hij, terwijl hij over zijn been wreef. 'Het zijn alleen maar wat blauwe plekken.'

Rachelle wist dat zijn verwondingen ernstiger waren dan hij deed voorkomen. 'U bent zeer dapper geweest, *monsieur*. Hoe kunnen we u ooit bedanken?'

Hij keek de andere kant uit en wees naar de weg die langs het veld liep. 'Ruiters!' Hij probeerde overeind te komen, maar Rachelle hield hem tegen.

Ze stond op en tuurde naar de kleine groep ruiters die naderbij kwam.

Haar ogen vernauwden zich en ze siste: 'Hebben de monsters niet genoeg ravage aangericht?'

Rachelle deed een stap opzij en keek naar Idelette, die er verloren bij zat. Ze had haar armen om haar knieën geslagen en haar hoofd in haar schoot verborgen.

Rachelle bleef stokstijf staan, toen het geluid van de naderende ruiters de onwezenlijke stilte verbrak.

De stemming van de overlevenden om haar heen sloeg om van ontzetting in boosheid.

'Zijn ze teruggekomen om de rest van ons af te slachten?' riep iemand.

De ruiters kwamen steeds dichterbij.

Was het…? Markies Fabien kwam langzaam aanrijden met een aantal mannen die ze eerder op zijn *château* had gezien.

De wind speelde met de witte pluim op zijn breedgerande hoed en zijn hemd met lange mouwen waarover hij een gilet en een overjas van goudkleurig fluweel droeg. Zijn paard begon rusteloos met zijn hoofd te schudden en sperde zijn neusgaten wijd open, toen hij de geur van dood en verderf rook.

Rachelle zag hoe Fabien de chaos langzaam in zich opnam. Hij bleef roerloos op zijn paard zitten en maakte geen aanstalten om af te stappen. De knokkels van zijn handen waarin hij de teugels hield geklemd werden wit en hij spande zijn kaken.

Zijn eerste page, Gallaudet, draaide zijn blonde hoofd om naar Fabien en keek hem ontzet aan.

Rachelle bleef zwijgend wachten en een eindeloos ogenblik lang leek het alsof de tijd stilstond, gevangen in de rui-

sende wind, de geur van verkoold hout, het rusteloze ge-
hinnik van de paarden en het kraken van leren zadels. Toen
was het moment voorbij. Ze hoorde de mannen schreeuwen
van woede en de hoeven van hun paarden stampen op de
grond.

Markies Fabien sprong van zijn paard af. Zijn laarzen land-
den met een plof op de grond. Rachelle hoorde hoe hij
zijn adem inhield en een kreet van ontzetting slaakte. Toen
voelde ze hoe zijn vingers zich beschermend en teder om
haar arm sloten. Het was als balsem op haar gewonde hart.
Hij trok haar naar zich toe. 'Je bent ongedeerd, *belle amie*? Je
bent ontkomen aan het bloedbad?'

'O, Fabien, wat ben ik blij dat je er bent...'

Hij drukte haar zo stevig tegen zich aan dat ze amper kon
ademhalen. 'Ik moet er niet aan denken als jou iets zou zijn
overkomen...' fluisterde hij.

Hij legde haar hoofd tegen zijn borst en streelde over haar
hoofd. Hij probeerde haar te kalmeren, maar ze hoorde de
woede in zijn stem.

'Kom, Gallaudet zal je naar het *château* brengen. Ik zal verder zoeken naar overlevenden. Waar zijn je zusters?'

Ze klemde zich aan hem vast en draaide haar hoofd in
de richting van Idelette die naast Avrils lichaam zat neerge-
hurkt. Ze voelde hoe hij verstijfde, toen hij hen herkende.

Rachelle keek hem aan en zag dat zijn ogen vuur schoten,
toen hij Avrils verminkte lichaam en het bloed op Idelettes
zijden jurk zag.

'*Wie* heeft dit op zijn geweten,' siste hij. '*Wie* heeft dit gedaan?'

Rachelle beefde. Ze haatte de hertog van Guise met zo'n
diepe haat dat ze zijn naam het liefst als vergif had uitge-
braakt; maar omdat ze van Fabien hield, zweeg ze. Wat als
hij de hertog en zijn soldaten achterna zou gaan? Haar haat
voor Guise zou hem aansporen om de hertog van het leven
te beroven.

Ze voelde zich misselijk en uitgeput, toen ze aan de mogelijke gevolgen dacht.

Als Fabien de hertog met het zwaard zou ombrengen, zou hij zich de toorn van het hele huis van Guise en hun machtige bondgenoten op de hals halen.

Rachelle drukte haar voorhoofd tegen zijn borst en klampte zich aan hem vast.

'Ga hen niet achterna. Alsjeblieft. Blijf bij me! Alsjeblieft, Fabien!'

Hij tilde haar kin op. Vol liefde zochten zijn ogen de hare en hij kuste haar geruststellend op haar voorhoofd.

'Wie was de aanvoerder van de aanval op de hugenoten, Rachelle?' vroeg hij zachtjes.

Ze schudde haar hoofd. Ze wist dat Fabien ervan overtuigd was dat zijn vader was vermoord op bevel van de hertog van Guise tijdens een veldslag in de buurt van Calais. Fabien was nog maar twaalf geweest.

Een aantal andere mensen wist dat Guise de aanvoerder was geweest: Idelette, Hudson, Bernard, Jolon de tuinman en de jonge Philippe, die zijn moeder had verloren. Philippe had zijn naam waarschijnlijk ook aan madame Claire genoemd. Gelukkig had Guise zijn mannen geen opdracht gegeven om het zijdekasteel te bestormen! Hij wist dat de Macquinets de eigenaren van het *château* waren. Had hij hen daarom met rust gelaten? Had hij misschien niet geweten dat ze in de schuur waren en gedacht dat er zich slechts eenvoudige boeren en ketters in de kerk bevonden?

Het zou onmogelijk zijn om de naam van Guise lang voor de markies verborgen te houden.

Maar als – als ik het een paar uur kan vertragen – dan gaat hij de hertog misschien niet achterna…

Rachelle sloot haar ogen en schudde opnieuw haar hoofd. Haar lippen waren verzegeld.

In een gebaar van machteloze woede stak Gallaudet, die vlak bij hen stond, zijn zwaard in de grond. 'We mogen deze terreur niet langer lijdelijk aanzien, *monseigneur*. De tijd is rijp voor een oorlog in Frankrijk! Prins De Condé, uw Bourbonse neef, heeft gelijk. Guise en zijn kornuiten, en de koningin-moeder hebben alleen ontzag voor geweld.'

'Mogen degenen die het zwaard tegen anderen opheffen zelf door het zwaard omkomen,' klonk een zwakke stem achter hen.

Ze draaiden zich allemaal om en zagen Bernard gebogen voor hen staan. Zijn ene arm hing krachteloos en bebloed langs zijn lichaam. Hij was erin geslaagd om het struikgewas uit te kruipen en nam nog enkele, wankele stappen.

Rachelle vloog op hem af en hurkte naast hem neer. 'Neef Bernard, u had daar moeten blijven liggen. U bloedt.'

Markies Fabien sloeg zijn arm om hem heen en gebaarde Gallaudet om water voor hem te gaan halen.

'En deze hulpeloze schapen, dominee Bernard? Ze hebben het zwaard niet opgenomen, maar zijn desondanks door het zwaard omgekomen,' zei de markies kalm.

'Christus heeft ons niet opgeroepen om te vechten, maar om stand te houden... deze daden zullen niet ongestraft blijven... de Heer heeft Zijn eigen zwaard: het zwaard der gerechtigheid.'

Fabien nam een leren waterzak van Gallaudet aan en hield deze aan Bernards lippen, terwijl Rachelle zijn hoofd ondersteunde.

'Dat zijn wijze woorden, dominee Bernard.' De markies draaide zich om naar Gallaudet. 'Haast je naar het *château* en regel een koets voor de dominee en de *demoiselles*. Zeg niets tegen madame Macquinet.'

'Ik ga direct, *monseigneur*.'

'Er zijn nog meer gewonden', protesteerde Bernard met hese stem.

Rachelle keek naar Idelette. Ze wisten nog niet wat er met haar was gebeurd. Rachelle dacht dat haar zuster het liever geheim zou willen houden, hoewel Idelette misschien zo geschokt was dat het haar niet veel kon schelen. Toen Bernard genoeg had gedronken, nam Rachelle de waterzak en haastte zich naar de plek waar haar zuster zoals Job op de mesthoop zat.

'Ik zal je zo gauw mogelijk naar huis brengen, lieve, dappere zus,' fluisterde Rachelle in haar oor. 'Alles zal goed komen, dat beloof ik je.'

Idelette probeerde een slokje water te drinken, maar haar gekneusde mond was te opgezwollen. Rachelle klemde haar kiezen op elkaar om niet opnieuw in tranen uit te barsten. Voorzichtig goot ze een paar druppels water in de mond van haar zuster.

'Waar is James Hudson?' hoorde ze Bernard vragen. 'God heeft die jonge *messire* gebruikt om me uit de vlammen te redden. Hij is gewond.'

Rachelle was Hudson helemaal vergeten. Ze keek rond en zag hem liggen op de plek waar ze hem had achtergelaten.

Hij had Bernard waarschijnlijk gehoord, want hij riep met zwakke stem. 'Ik ben hier, beste man.' Hij kreunde, toen hij overeind probeerde te komen. 'Het is niets. Ik denk dat ik mijn been heb bezeerd. Ik zal zo weer de oude zijn. Maakt u zich geen zorgen over mij. Lady Rachelle heeft goed voor me gezorgd. Maar lady' – hij wees naar Idelette – 'lady Idelette heeft een arts nodig.'

Markies Fabien nam James Hudson op met een waarderende blik; toen zochten zijn ogen die van Rachelle. Ze wist wat hij dacht en keek verlegen de andere kant uit.

Fabien liep naar Idelette toe en wierp even een blik op haar. Toen trok hij zijn overjas uit en legde die over haar schouders. 'Mijn page is een koets gaan halen, *mademoiselle*,' zei hij zachtjes, 'en *le docteur* is onderweg.'

Idelette knikte, maar zei geen woord. Ze hield haar beurse gezicht van hem afgewend en vermeed zijn ogen. Maar Rachelle wist dat de markies vermoedde wat er was gebeurd. Ze zag de woede in zijn ogen smeulen.

Fabien keek Rachelle indringend aan, alsof hij naar een bevestiging van de gruwelijke waarheid in haar ogen zocht. De tranen rolden over haar wangen.

Hij spande zijn kaken; hij had het begrepen. Hij liet zijn blik opnieuw over Idelette glijden. 'Arme *mademoiselle*. Ik zal het monster vinden, dat beloof ik u. Ik weet niet wanneer en hoe, maar als ik hem vind, dan zal ik het hem drievoudig betaald zetten.'

Hij draaide zich om en wilde gaan, maar zag Avril liggen en bleef staan. Hij gebood een van zijn mannen om zijn cape te halen. Fabien wikkelde de kleine *demoiselle* in zijn prachtige mantel en liet haar naar de kant van de weg dragen om op de koets te wachten.

Rachelle kwam overeind en voelde hoe de bries met haar haren speelde. Haar gedachten gingen terug op de wind door de boomgaard en over de muur, langs de rozen en door het open raam de *salle* binnen waar ze diezelfde ochtend samen hadden ontbeten. Ze dacht aan wat neef Bernard had gezegd, voordat hij naar de schuilkerk was vertrokken en kreeg een brok in haar keel.

'Gedenkt degenen die ons zijn voorgegaan, die grote beproevingen hebben doorstaan om Zijns naams wil.'

Ze hadden niet geweten hoe profetisch die woorden waren geweest. De zondag die als de mooiste dag van de week was begonnen was in een tragedie geëindigd. Zelfs markies Fabien was door zijn onaangekondigde bezoek bij deze schokkende gebeurtenissen betrokken geraakt, met verreikende gevolgen voor hem en zijn mannen.

Hun leven was in korte tijd dramatisch veranderd en niets zou meer als vroeger zijn.

De baby begon te huilen. Rachelle liep zachtjes op het geluid af en tilde het bundeltje op. Ze wiegde het kindje in haar armen en fluisterde zachte woordjes in haar oor. *Misschien is je vader nog in leven, kleintje.*

De koets arriveerde en kwam met een schok tot stilstand voor de boomgaard. Madame Claire stapte uit en keek het veld in. Haar zwarte rokken en witte, kanten kraag stonden bol in de wind.

Rachelle voelde een steek in haar hart. *O, maman, dit is nog veel verschrikkelijker voor u dan voor ons.*

Had God er in Zijn voorzienigheid voor gezorgd dat madame Claire uit Genève was teruggekeerd op een moment dat haar gezin, en vooral Idelette, haar het hardst nodig hadden? Als ze geen vertraging hadden opgelopen bij het drukken van de bijbels in Genève en als ze Bernard niet in de stad had aangetroffen, dan was haar *mère* bij vader Arnaut gebleven.

Rachelle fluisterde tegen Idelette dat hun *mère* er was. Voor het eerst zag ze Idelette bewegen, een teken dat deze wist wat er om haar heen gebeurde. Tot Rachelles verbazing, slaagde Idelette erin om op te staan. Ze liep het veld in.

Markies Fabien snelde haar vooruit om iets tegen madame Claire te zeggen. Hij pakte haar arm beet, alsof hij vreesde dat ze in elkaar zou storten door de onheilstijding die hij haar bracht. Maar madame Claire bleef als een koningin kaarsrecht overeind staan. Ze was een sterke vrouw, die het geloof bezat dat ze met haar mond beleed. Met grote waardigheid liep ze het veld in, naar Idelette die op haar af kwam lopen.

Rachelle keek met groot respect toe. Ze kon zien dat de markies madame Claire ook bewonderde. Haar waardigheid was een aansporing voor Rachelle om het hoofd hoog te houden. *Wij zullen niet ondergaan in deze vurige beproeving. Niets kan ons deren, als we in Christus geborgen zijn.*

Rachelle had naar hen toe willen lopen, maar ze bleef staan en sloeg het tafereel van een afstand gade.

De twee blonde vrouwen die qua uiterlijk en karakter zo op elkaar leken, liepen tussen de wuivende grashalmen op elkaar af. Madame Claire bleef staan en strekte haar armen liefdevol naar haar dochter uit. Idelette deed nog een paar wankele stappen en viel toen in de beschermende armen van haar moeder.

Rachelle keek met betraande ogen toe. De twee vrouwen bleven in een stille omhelzing staan, als een standbeeld van Michelangelo, een eerbetoon aan alle hugenootse vrouwen.

Sta hen bij, God, want er zullen vele moeilijke dagen en nachten volgen.

Rachelle merkte dat er andere mensen over het veld liepen. Ze hoorde hun stemmen als golven aanzwellen en wegebben. Jammerende stemmen met een ondertoon van woede. Iemand prevelde een gebed en een ander citeerde op eerbiedige toon een Bijbelvers.

Een voor een werden de levenden en de doden verenigd met hun families en vrienden. Rachelle, die nog steeds met de baby in haar armen stond, voelde zich vreemd opgelucht, toen ze monsieur Scully op haar af zag komen. Dit kind zou in ieder geval niet beide ouders hoeven missen.

'*Monsieur*,' zei ze zachtjes, 'mijn moeder en ik staan geheel tot uw beschikking, als u onze hulp nodig hebt.'

'*Merci, mademoiselle*,' zei hij hees, terwijl de tranen over zijn tanige, bruine gezicht liepen. Met trillende handen nam hij het kind van haar aan. Biddend keek ze hem na.

Kort daarna werden de doden opgehaald om begraven te worden. Van de schuur was niets overgebleven dan een zwartgeblakerde ruïne die grimmig afstak tegen de blauwe lentehemel.

Neef Bernard en sir James Hudson werden de koets in geholpen en markies Fabien liep met zijn paard aan de teugel op Rachelle af. Hij bleef met zijn mannelijke, gespierde postuur en goudblonde haren voor haar staan.

Zijn ogen kregen een zachte uitdrukking, toen hij haar aankeek. 'Je ziet er zeer ontdaan uit, *chérie*. Sta me toe je naar het *château* te brengen – de koets is met de gewonden vertrokken.'

Hij leidde haar naar zijn paard, maar plotseling bleef ze staan, liep op de kleine, blauwe bloem af en plukte hem voorzichtig. *Deze zal ik tussen de bladeren van mijn bijbel drogen en bewaren als herinnering aan Avril.*

De markies bleef geduldig op haar wachten. Hij tilde haar op het paard en ging voor haar in het zadel zitten.

De wind blies over de akkers van Lemoine. De biddende en boze stemmen waren verstomd. Er kwam een vogel aanvliegen. Hij ging op de tak van een boom zitten en begon te zingen. De lente had zijn normale gang hernomen.

Op een dag zouden alle sporen uitgewist zijn van de tragedie die zich hier had afgespeeld. Nieuwe generaties zouden komen en gaan. Het gras zou weer groen worden, de bloemen zouden bloeien en wie zou nog weten wat zich hier had afgespeeld behalve God?

Ze staken de weg over en reden terug naar het zijdekasteel. Rachelle keek naar de bloem en vroeg zich af wat hen de komende dagen en maanden nog te wachten stond.

3

Geschokt en verward keerde Rachelle met markies Fabien naar het *château* terug. Wat zouden de gevolgen zijn van de verschrikkelijke gebeurtenissen die zich in zo'n korte tijd hadden voltrokken? Waarom stelde de Heer hen zo pijnlijk op de proef? Wat hadden ze verkeerd gedaan? Waarom werden ze zo zwaar gekastijd? Waren deze beproevingen het werk van satan? Moedeloos constateerde ze dat er geen simpel antwoord was op deze vragen.

Rachelle stond in de rozentuin te peinzen, toen markies Fabien naar haar toe kwam lopen. Hij bleef staan en keek haar aan, terwijl de wijde mouwen van zijn linnen hemd en de witte pluim op zijn hoed in de wind bewogen.

'De rozen bloeien gewoon door en hun blaadjes zijn nog steeds groen,' mompelde ze. 'Ik had verwacht dat ze allemaal zouden verwelken na zo veel leed en pijn, maar het leven gaat gewoon verder.'

'Daar hoef je je nu niet het hoofd over te breken. Het zal enige tijd duren, voordat je in het reine komt met de verschrikkelijke gebeurtenissen van deze morgen. Alles heeft zijn tijd nodig.'

Hij kwam naar haar toe, legde zijn warme, sterke handen om haar gezicht en keek haar teder aan. Haar hart kwam weer tot leven bij zijn aanraking. Toen ze hem aankeek, zag ze echter nog iets anders in zijn blauwe ogen. Zijn blik was ernstig en afwezig.

'Wat is er aan de hand, Fabien?'

Een flauwe glimlach speelde om zijn lippen. 'Ik moet je een tijdje alleen laten.'

'O, maar...'

'Ik kom vanavond weer langs. *Le docteur* is er en ik denk

dat dominee Bernard zal herstellen. Ik heb ergere wonden gezien. En het been van de Engelsman zal ook genezen.'

Hij bracht haar vingers naar zijn lippen, draaide zich om en liep de treden van het bordes af. Vanaf de andere kant van het *château* kwam Gallaudet met twee paarden aanlopen en samen reden ze weg. De andere soldaten van de markies en zijn livreiknechten waren in de stallen achtergebleven. Wat was hij van plan?

Met een grimmige uitdrukking op zijn gezicht en stijf opeengeperste lippen, onderzocht en behandelde de dokter, *maître* Pierre Lancre, de gewonden. Neef Bernard had een schotwond aan zijn arm, een aantal brandwonden en talrijke kneuzingen en de dokter was het langst met hem bezig. Ook James had verschillende brandwonden en een verwonding aan zijn been, zodat hij langer op het *château* zou moeten blijven dan hij van plan was geweest. Vlug onderzocht de dokter Idelette, die onder de blauwe plekken zat en in shocktoestand verkeerde. Voordat hij haar verder onderzocht, liet hij haar een glas wijn drinken en stuurde haar naar bed.

'Ik ben bang dat u uw handen vol zult hebben aan alle gewonden, madame Macquinet,' zei hij even later tegen Claire. 'De *messieurs* moeten voorlopig rust houden.'

'Het geeft niet, dokter Lancre; ons huis staat altijd open in tijden van nood. Bovendien is Bernard familie van ons. En monsieur Hudson mag zo lang blijven als hij wil.'

Samen met madame Claire en Rachelle liep Pierre Lancre door de gang naar de kamer van Idelette.

Terwijl de dokter Idelette onderzocht, bleven Rachelle en haar moeder voor de deur van Idelettes kamer wachten. Ze hoorden haar met zachte, doffe stem antwoorden op zijn vragen. Rachelle keek naar haar moeder en zag hoe bleek en bezorgd deze eruit zag. Rachelle verwonderde zich erover hoe rustig ze het nieuws van Avrils overlijden had opgenomen. Misschien kwam het, omdat er nog steeds sprake was van een crisissituatie waarin ze zich niet kon permitteren om in te storten. Idelette had al haar liefde en aandacht nodig.

Madame Claire liep met prevelende lippen over het ge-bloemde tapijt, alsof ze in stilte voor Idelette bad. Rachelle was ook ongedurig en dacht aan Idelette, neef Bernard en markies Fabien. Hij was een rots in de branding voor hen geweest, een toonbeeld van medeleven en kracht, en had Claire direct zijn hulp aangeboden. Hij had voorgesteld om een aantal van zijn mannen naar Rachelles vader, Arnaut, in Genève te sturen. Madame Claire had hem geantwoord dat ze vanavond nog een brief aan haar man zou schrijven. Misschien had Fabien zich zo voorbeeldig en behulpzaam gedragen, omdat haar ouders wisten dat hij katholiek was. Madame Claire was in ieder geval op de hoogte geweest van Rachelles gevoelens voor de markies, maar had een relatie met hem van de hand gewezen. Meer dan eens had ze tegen Rachelle gezegd: 'Je mag alleen met een hugenoot trouwen; je weet dat je vader een huwelijk met iemand van een ander geloof nooit zou toestaan, *ma chère fille.*'

Ze liep naar het raam en keek naar beneden. Markies Fa-bien had gezegd dat hij een afspraak had met iemand in de herberg van het dorp. Zoals gewoonlijk had hij haar niet verteld waar het precies om ging. *Hij kan goed geheimen bewa-ren,* dacht ze ironisch. *Guise zou hij in ieder geval niet meer zo snel kunnen inhalen – tenzij,* dacht ze met schrik – *de hertog had besloten om zijn kamp vroeg op te slaan voor de nacht!*

Rachelle draaide zich om, toen dokter Lancre weer naar buiten kwam. Met zijn korte gestalte, triest neerhangende snor en glanzende voorhoofd zag hij er allerminst vrolijk uit na het bezoek aan haar zuster.

Uiterlijk onbewogen vroeg madame Claire: '*Messire?*'

Hij haalde diep adem. '*Madame,* het is zoals ze ons heeft verteld... en zoals we hadden gevreesd. Maar ik wil er met klem op wijzen dat ze afgezien hiervan een gezonde *made-moiselle* is die van deze traumatische gebeurtenis zal herstel-len, zowel lichamelijk als geestelijk.'

Rachelle zag dat haar moeder haar schouders een eindje liet zakken. Ze had gehoopt dat Idelette zich 'vergist' had. Rachelle had dit geen seconde gedacht, maar hun *mère* zag hen nog als kleine meisjes.

'Ik begrijp het,' mompelde ze, terwijl ze mismoedig naar de grond staarde.

Rachelle had de neiging haar moeder te omhelzen, maar ze hield zich in en bleef uiterlijk onbewogen staan. In intieme of pijnlijke situaties had madame Claire haar dochters geleerd geen emoties te tonen.

'Madame Macquinet,' zei de dokter, 'zoals u weet ben ik een overtuigd katholiek. Maar juist als katholiek ben ik met afschuw vervuld over het lot dat mijn vrienden en buren van de 'nieuwe religie' getroffen heeft.'

Madame Claire knikte als teken dat ze zijn blijk van medeleven had begrepen.

'Dit soort gedrag, *madame*,' hij hief zijn hand op, 'is je reinste barbarij. De hertog van Guise heeft geen enkel religieus excuus om zich zo te gedragen. Zijn geloofsijver is ontaard in godsdienstwaanzin. Ik heb er geen goed woord voor over! God keurt het niet goed dat Zijn dienaren dit soort misdaden bedrijven, zelfs niet tegen ketters. En *petite* Avril...' Het werd de gewoonlijk zeer gereserveerde dokter Lancre plotseling te veel.

Hij schudde zijn hoofd, verontschuldigde zich en hervond zijn kalmte. Hij vertelde madame Claire hoe ze Idelettes shocktoestand moest behandelen. Idelette moest de komende tijd rust houden en in bed blijven. Over een paar dagen zou hij weer langskomen. Ondertussen zou hij haar een kalmerend drankje geven.

'En u, madame Claire,' zei hij zakelijk, terwijl hij haar over de rand van zijn bril aankeek, 'zal ik ook een slaapdrankje geven.'

'Liever niet, dokter Lancre, ik moet helder blijven. Er moeten nog veel brieven geschreven worden en ik moet ervoor zorgen dat mijn man naar huis komt, zodra hij...' Ze zweeg abrupt.

Rachelle keek haar steels aan. Madame Claire had bijna verraden met wat voor werk Arnaut in Genève bezig was. Dit zou voldoende aanleiding zijn om hem te arresteren en zelfs tot de brandstapel kunnen leiden, als hij zijn geloof niet zou willen afzweren. Rachelle keek naar de *docteur* en zag dat hij niets in de gaten had, maar druk bezig was met het uitschrijven van een recept voor Idelette en madame Claire. Rachelle betwijfelde het of haar moeder inderdaad een slaapdrankje zou innemen.

Rachelle wist dat het gesprek ten einde liep en glipte discreet weg.

De lampen in de gang van het zijdekasteel brandden, want zelfs overdag was het er schemerig. Het *château* was *beau,* maar nogal kil in de winter en lente. Ze voelde de wind om haar enkels tochten, terwijl ze met vermoeide tred over de lange loper liep, die op sommige plaatsen tot op de draad versleten was. De verweerde tapijten en meubelen maakten het *château* nog dierbaarder voor Rachelle, omdat ze de stille getuigen waren van de generaties voor haar die het zijdekasteel tot een bloeiende onderneming hadden gemaakt.

Ze liep langs neef Bernards kamer, maar wilde hem nu niet storen. Ze zou hem tijdens het *dîner* zien. Sir James Hudson kon ze ook niet opzoeken, want een jongedame kon niet zomaar in haar eentje de slaapkamer van een jongeman binnengaan, ook al had Hudson zich als een oprecht christen en echte gentleman gedragen.

Rachelle moest weer aan de hertog denken. Veel mensen beweerden christenen te zijn. Ze baden, namen deel aan religieuze rituelen en zegden de geloofsbelijdenis op, maar wat voor waarde had dit, als hun hart koud bleef en ze uit naam van hun geloof dood en verderf zaaiden?

Nadat dokter Lancre was vertrokken en Idelette in slaap gevallen, ging Rachelle naar de grote zaal van het *château* om op madame Claire te wachten. Na een poosje kwam haar moeder met een bleek en vertrokken gezicht de trap aflopen en ging zitten in een met rood fluweel beklede stoel. Achter haar hingen een aantal prachtige wandtapijten met voorstellingen uit de tuinen van het *palais-château* van Fontainebleau.

Rachelle knielde naast haar moeder neer en leunde tegen haar schouder aan, terwijl ze zich koesterde in haar warmte.

'Ik zou u moeten ondersteunen in plaats van troost bij u te zoeken... er is al zo veel van uw krachten gevergd...'

'Sst, het geeft niet. Je aanwezigheid geeft me troost. We hoeven ons niet voor onze tranen en onze behoefte aan vertroosting te schamen. Hoe zou het mogelijk zijn om droge ogen te houden na alles wat is gebeurd? Mijn jongste dochter, jouw *petite* zusje, ligt in de voorkamer opgebaard, gekleed in wit linnen; en Idelette, mijn lelie, zo ernstig, zo ijverig, is...'

'O, *maman*... ik maak me vooral zorgen over Idelette.'

'Ja. Ze zal door een diep dal gaan, voordat ze de groene weiden weer zal zien.' Ze keek peinzend voor zich uit.

Ze zwegen. Rachelle had verwacht dat haar moeder haar zou geruststellen, maar nu wist ze dat haar moeder ook zeer bezorgd was over Idelettes toestand. Op tafel brandden grote kaarsen. Af en toe werd het een van de bedienden te veel en hoorden ze iemand in snikken uitbarsten in de keuken of een ander deel van het huis. Ze werkten al zo lang voor de familie dat ze intens met hen meeleefden.

'Vanavond zijn we als Job,' verbrak madame Claire na lange tijd de stilte. 'De Here heeft gegeven en de Here heeft genomen. Hij heeft door haat verblinde en meedogenloze lieden gebruikt om wat ons lief en dierbaar was van ons weg te nemen.'

'Het was precies zoals de *docteur* zei, *maman*. Het was zinloos en bruut geweld.' *En ik haat de hertog van Guise*, dacht ze, maar ze durfde dit niet hardop te zeggen tegen haar moeder.

'Zinloos voor ons beperkte verstand, Rachelle, maar niet zinloos voor onze grote en wijze God. Dat begrijp je toch wel?'

Rachelle begreep het, maar ze kon er niet zo gemakkelijk in berusten als haar moeder. Aan de andere kant wilde ze haar niet nodeloos kwetsen.

'Ja, *maman*.'

'Dit zou nooit gebeurd zijn, als God satan niet de ruimte had gegeven om ons aan te vallen.'

'Ja, maar waarom?'

'Als we het antwoord op die vraag wisten, *ma petite*, dan zouden we niet langer in geloof en vertrouwen hoeven te leven. We worden op de proef gesteld, en zo God wil, zullen we als overwinnaars uit de strijd tevoorschijn komen, net zoals Job. We mogen het Job daarom ook nazeggen: "De naam van de Heer zij geprezen." Vergeet niet dat Hij de Getrouwe en Waarachtige wordt genoemd.'

Rachelle luisterde met droge ogen naar haar. Ze had geen tranen meer om te huilen, zelfs al zou haar hart nu uit haar lichaam worden gerukt. Er zouden nooit genoeg tranen zijn om het verlies van Avril en het lot van Idelette te bewenen.

'We weten waar Avril nu is – en dat geeft ons kracht om verder te gaan,' zei Claire, terwijl ze in Rachelles hand kneep.

'Ja, maar we missen haar verschrikkelijk.'

'Hier op aarde zal dit gemis nooit overgaan. Daarom is de hemel ons nu dierbaarder geworden, Rachelle. En zo wil God het.'

Die woorden – *de hemel is ons dierbaarder geworden* – troffen Rachelle diep. Ze keek op en zag verdriet in de ogen van haar moeder, maar het was gemengd met hoop, en een rotsvast vertrouwen. Rachelle voelde de hoop van Gods beloften in haar hart groeien. Ja, de hemel *was* haar dierbaarder geworden!

Madame Claire keek haar aandachtig aan en moest iets in

haar ogen gezien hebben wat er eerder niet was geweest. Er zweefde een glimlach om haar lippen.

Dankbaar voor haar moeders bemoedigende woorden, sloeg Rachelle haar armen om madame Claire heen.

Samen baden ze het avondgebed, zoals de gewoonte was in het gezin. Daarna ging madame Claire naar boven om aan vader Arnaut te schrijven wat er tijdens zijn afwezigheid in zijn gezin was gebeurd. Rachelle zou Grandmère en Madeleine schrijven. Ook zij zette zich met nieuwe hoop in haar hart aan deze moeilijke taak.

'Geef dat ik anderen tot bemoediging mag zijn, Vader,' bad ze. 'Dat ik in de harten van anderen een licht van hoop mag ontsteken temidden van de duisternis van vrees en twijfel.'

Rachelle verschoof de kandelaar op het bureau van haar vader, haalde haar schrijfgerei voor de dag, en doopte haar pen in de inktpot. Na even nagedacht te hebben vond ze de juiste woorden om aan haar *grandmère* en Madeleine te schrijven.

De zon ging onder en de schemering kondigde het einde van een lange dag aan. Boven de *mûreraies* hingen dikke, lavendelkleurige wolken.

Rachelle had haar brief geschreven. De envelop lag op de gladde mahoniehouten tafel in de hal gereed om naar Parijs te worden gebracht.

Het begon donker te worden. Waar was markies Fabien?

Ze liep naar het raam om de bordeauxrode gordijnen dicht te trekken en schrok, toen ze een paar kiezelsteentjes tegen het glas hoorde ketsen.

De *salle* waarin ze stond, bevond zich op de begane grond en ze had een goed uitzicht op de hoge heg aan de voorkant van het kasteel. Er waren geen ridders of paarden te zien, maar een beweging onder de struiken trok haar aandacht. Een man probeerde achter de heg weg te duiken. Haar blik bleef haken in de zijne. Ze verstijfde; hij stak zijn hand in zijn mantel, haalde er een donker boek uit en hield het aan zijn lippen. Toen sloeg hij een kruis en gebaarde dat hij om het *château* heen zou lopen. Vervolgens maakte hij zich uit de voeten en verdween uit het zicht.

Was het boek in zijn hand een bijbel? Waarschijnlijk wel. Wie was hij en wat wilde hij? Ze trok de gordijnen dicht, en na een moment geaarzeld te hebben, liep ze snel de kamer uit en haastte zich naar de achteringang van het kasteel.

Rachelle stapte het balkon op en rilde in de kille avondbries. Vanaf de zijkant van het balkon leidde een trap naar de kruidentuin. Ze leunde tegen de balustrade en keek de schemerige tuin in. Toen hoorde ze aarzelende voetstappen op het pad naderen. Ze wachtte. Uit het duister dook een man op en rende naar haar toe.

Rachelle deed voorzichtig een stap naar achteren.

'Duizend maal mijn excuses, *mademoiselle*,' hijgde hij, 'de genade van de Heer zij met u! Vergeef me dat ik u op deze manier overval, maar in de herberg werd ik door twee mannen in de gaten gehouden. Gelukkig ben ik erin geslaagd om ongezien weg te glippen, maar ik wilde geen enkel risico nemen.' Hij maakte snel een buiging voor haar. 'Ik ben Matthieu; ik studeer theologie in Genève bij monsieur Calvijn.'

Ze herkende de typische sobere hugenootse kledij van de student. Talrijke studenten uit Genève, op doorreis naar een geheime bijeenkomst ergens in Frankrijk, hadden door de jaren heen een veilig onderkomen voor de nacht gevonden op het *château*.

Rachelle tuurde de tuin in en zag dat de student niet was gevolgd. Ze deed een stap naar achteren. 'Komt u binnen, *monsieur*.'

Hij klauterde de trap op en dook buiten adem de kamer in.

Zachtjes deed Rachelle de deur achter hem dicht en vergrendelde die. Ze stak een olielamp aan. Nu ze oog in oog met de student stond, zag ze dat zijn kleding vuil was en nat van het zweet. Hij was naar het zijdekasteel toegerend en had zich onderweg verscheidene malen moeten verbergen.

'U komt hier op een gevaarlijk tijdstip aan, monsieur Matthieu. Het *château* wordt mogelijk in de gaten gehouden door de soldaten van de hertog van Guise. Ze hebben deze morgen een aanval uitgevoerd op de hugenootse gemeente.'

'Er zat weinig anders voor me op, *mademoiselle.* Ik had me in de herberg net buiten het dorp geïnstalleerd om er de nacht door te brengen, en zou net wat te eten bestellen, toen er twee mannen binnenkwamen en achterin de herberg aan een tafel plaatsnamen. Al snel voerden ze het hoogste woord. Ze begonnen tegen elkaar op te scheppen over hoe ze een groep 'ketters' hadden aangevallen die volgens hen de duivel aanbaden.

Toen ze de naam van het zijdekasteel en de Macquinets lieten vallen, was ik zo verontwaardigd dat ik bijna mijn mond had opengedaan. Monsieur Arnaut Macquinet heeft me hiernaartoe gestuurd met een brief voor zijn neef, Bernard.'

Een brief van haar vader!

'Ik heb het aan Gods genade te danken dat ik de herberg uit kon vluchten, voordat die twee soldaten me in de gaten kregen. Op een gegeven moment kwam er een vreemdeling binnen, die direct op de mannen afstapte en hen vroeg waar de *duc* zijn kamp had opgeslagen. Terwijl de vreemdeling met de mannen slaags raakte, kon ik me ongemerkt uit de voeten maken.'

Een angstig vermoeden bekroop haar. 'Hebt u toevallig de naam van deze vreemdeling gehoord?' vroeg ze op scherpe toon.

'Nee, maar hij had een andere man bij zich die hem markies noemde.'

Fabien! Hij was met Gallaudet naar de herberg gereden. Was hij van plan geweest om de hertog uit te dagen? Ze werd steeds ongeruster.

Matthieu haalde een opgerolde brief uit zijn zak. In het schijnsel van de lamp herkende ze het handschrift van haar vader.

'*Mademoiselle*, ik moet deze brief aan dominee Bernard geven.'

'*Oui, bien sûr,* maar hij is deze morgen gewond geraakt. Hij wilde net met de dienst beginnen, toen er een verrassings- aanval op onze schuilkerk werd uitgevoerd. Ik kan u niet beloven dat hij het bericht van mijn vader vanavond nog kan lezen, want de dokter heeft hem een slaapmiddel gegeven.'

Matthieu's jonge gezicht betrok.

'Is dominee Bernard ernstig gewond geraakt?'

'We denken dat hij na verloop van tijd weer zal herstel- len.'

'Gelukkig! Ik zal vanavond voor dominee Bernard bidden. Omdat u de dochter van monsieur Macquinet bent, wil ik u wel zeggen dat de boodschap van uw vader heel belangrijk is.' Hij keek schichtig om zich heen. 'De bijbels die dominee Bernard uit Frankrijk wil smokkelen, liggen klaar om naar Engeland verscheept te worden. Hij moet onmiddellijk actie ondernemen.'

In deze omstandigheden? Wat zonder de gebeurtenissen van deze morgen een *bonne nouvelle* zou zijn geweest, plaatste hen nu voor een groot probleem. Bernard moest voorlopig rust houden.

Ze was verbaasd dat de bijbels al gedrukt waren. Nog die- zelfde morgen had Bernard hun verteld dat haar vader waar- schijnlijk nog een maand langer in Genève zou blijven.

'Matthieu, weet je het zeker? Bernard verwacht de bijbels nog niet.'

'Monsieur Macquinet is erin geslaagd een andere druk- ker in Genève te vinden die bereid was om het werk met grote spoed uit te voeren. De bijbels liggen nu ergens in een particuliere opslagruimte in Calais opgeslagen, waar ze door monsieur Macquinet worden bewaakt...'

'Calais? Maar hij zou ze naar Lyon brengen.'

'Dat was inderdaad de bedoeling, *mademoiselle*, totdat hem ter ore kwam dat de hertog waarschijnlijk op de hoogte was van het werk van de Macquinets in Genève. Daarop besloot hij dat het te gevaarlijk was om ze naar het zijdekasteel te transporteren. Helaas heeft de hertog hier alsnog toegeslagen.'

'In dat geval... wil je daarmee zeggen dat mijn *père* hier een aanval verwachtte?'

'Misschien vreesde hij hiervoor. Hij heeft vervolgens zijn plannen gewijzigd: eerst zijn de bijbels naar Châtillon gesmokkeld, en vervolgens naar Calais. Daar ligt nu een schip te wachten om met de dominee en de bijbels naar Engeland over te steken.'

'Weet je zeker dat mijn *père* nu in Calais is?'

'Ja, en daarom is het zo belangrijk dat dominee Bernard direct naar Calais vertrekt. De bijbels moeten naar Engeland worden verscheept, voordat iemand ze ontdekt.'

Rachelle legde haar hand op haar voorhoofd. Haar vaders leven stond op het spel in Calais. Het krioelde van de mensen in de haven. Vroeg of laat zou iemand erachter komen dat er grote kisten met bijbels lagen opgeslagen in het pakhuis dat door haar vader werd bewaakt.

'Maar dominee Bernard kan momenteel onmogelijk reizen. Het kan enige weken duren voordat hij weer op de been is, misschien zelfs langer.'

'*Mademoiselle,* nu u me hebt verteld wat er deze morgen is gebeurd, deel ik uw vrees. Als ik iets voor u kan doen – dan sta ik geheel tot uw en dominee Bernards beschikking. Misschien, *mademoiselle,* doet u er goed aan om de brief zelf te lezen, nu dominee Bernard niet in staat is er kennis van te nemen.'

Hij overhandigde haar de brief.

Rachelle aarzelde even, maar zette zich over haar schroom heen. Als haar vader Bernard vroeg om in allerijl naar Calais te komen, dan moest ze dit weten.

Matthieu zag er uitgeput uit en ze kreeg medelijden met hem. Hij had een lange reis achter de rug om het bericht van haar vader hier af te leveren. Als iemand de brief had ontdekt, was hij onmiddellijk gearresteerd. Gelukkig was de markies net op tijd de herberg binnengekomen; anders hadden de twee soldaten hem ongetwijfeld meteen herkend aan zijn hugenootse kleding.

'Kom, morgenochtend praten we verder. Ik zal u eerst naar uw kamer brengen.'

'De Heer zegene u, *mademoiselle*. De studenten aan de universiteit spreken allemaal over de goedheid van de Macquinets. De fijne linnen hemden die u ons hebt gestuurd zijn zeer geliefd, zowel bij studenten als docenten.'

'Voor de hemden moet u mijn zuster Idelette bedanken,' zei ze met een glimlach, terwijl ze met pijn in haar hart aan haar zusje dacht.

Rachelle bracht Matthieu via de kamer van de kok naar een kleine ruimte waarin een trap naar een vertrek op de eerste verdieping leidde dat ze liefkozend 'de profetenhoek' noemden. De familie had deze ruimte aan het begin van de vijftiende eeuw laten bouwen, toen de vervolgingen tegen de eerste Franse hervormers in alle hevigheid waren losgebarsten. Het vertrek deed nu dienst als logeerkamer voor reizende *pasteurs* en theologiestudenten uit Genève. Er stond een kast in de kamer die vol hing met hemden, jassen en broeken in allerlei soorten en maten, en bij hun vertrek kregen de reizigers zakgeld voor onderweg mee.

Rachelle zei tegen Matthieu dat ze snel warm water, schone handdoeken en een warme maaltijd naar boven zou laten brengen.

'*Merci mille fois, mademoiselle.*'

'Eet wat, *monsieur*, en ga vanavond vroeg slapen. Uw werk zit erop. Laat de rest maar aan mij over,' zei Rachelle, terwijl ze zich heimelijk afvroeg wat ze zou kunnen doen.

Ze liet Matthieu in de kamer achter en liep met gefronste

wenkbrauwen naar beneden. Onderaan de trap zette ze de kandelaar op de vensterbank en opende de brief. Bij kaarslicht las ze de korte boodschap van haar vader:

Ik ben in Calais aangekomen met de lading en wacht daar op je. We hebben een aantal problemen. Monsieur B. vreest dat hij wordt geschaduwd. Het is te gevaarlijk voor hem om de lading te verschepen, zoals we hadden gepland. We moeten een andere oplossing vinden. Bovendien kan monsieur D.'s magazijn slechts voor korte tijd gebruikt worden vanwege onverwachte inspecties. Kom zo snel mogelijk hiernaartoe. Zeg niets tegen Claire.

A.M.

Rachelle vouwde de brief dicht en staarde peinzend voor zich uit. Wat nu? Bernard kon niet naar Calais reizen. Als ze Matthieu naar Calais zou sturen om haar vader het slechte nieuws uit Lyon te vertellen, zouden de problemen zich alleen maar opstapelen voor hem.

Terwijl ze erover nadacht wat ze het beste kon doen, hoorde ze een bediende de voordeur openen, gevolgd door voetstappen en Fabiens vragende stem in de *salle*. Met ruisende rokken haastte ze zich over de glimmend geboende vloer naar de zaal en bleef in het met lichtblauwe en gele tegeltjes bedekte voorportaal staan.

De *grande salle* met zijn gewelfde plafond en kroonluchters, waarvan er nu slechts een aantal brandde, was het grootste vertrek van het *château*. Aan de crèmekleurige muur tegenover de boogvormige ingang hingen grote Florentijnse wandtapijten.

Fabien stond op haar te wachten. Hij was een opvallende verschijning in zijn ruige wollen en leren kleding. Hij droeg lange laarzen en aan zijn middel hing een met edelstenen versierd zwaard. De hoed die hij droeg was groot en breedgerand. *Was hij gekleed voor een lange reis?*

Een gevoel van grote opluchting maakte zich van Rachelle meester, toen ze de lamp op tafel zette. Hij was veilig teruggekeerd! Maar toen hij zich omdraaide en haar aankeek, kreeg ze een bang vermoeden. Het werd sterker, toen ze naar hem toe liep, want ze voelde hoe hij aarzelde.

Ze bleef staan en onderdrukte de neiging om op hem af te vliegen en zich te nestelen in zijn veilige, sterke armen. In Vendôme, misschien zelfs al daarvoor, had hij haar verteld dat hij van plan was een lange zeereis te maken. Hij wachtte op een geheime boodschap van een aantal Franse zeelieden. Wie deze 'watergeuzen' precies waren, had hij haar nooit verteld, maar ze wist dat hij twee weken geleden een ontmoeting met één van hen had gehad en ze was ervan overtuigd dat zijn afspraak op deze avond hiermee in verband stond.

Ze rechtte haar rug en liep glimlachend op hem af, vastbesloten om hem niet te verliezen; niet nu ze eindelijk zijn hart had veroverd. Ze wist dat dit nog geen enkele vrouw voor haar was gelukt. Ze was de eerste geweest en ze zou hem niet zomaar laten gaan.

'Fabien.' Ze snelde op hem af en klampte zich aan zijn grove hemd vast, alsof ze hem nooit meer zou loslaten. 'Gelukkig ben je niet gewond geraakt. Wat ging je in die herberg doen? Ik was zo ongerust.'

'Heb je vandaag niet genoeg meegemaakt om je daarover ook nog zorgen te maken?' vroeg hij teder.

'Maar jij en Gallaudet – was het echt nodig om naar die herberg te gaan? Het zal de hertog van Guise ongetwijfeld ter ore komen. Als hij erachter komt...'

'Als hij erachter komt en zich voor zijn boosaardige daden wenst te verantwoorden, dan weet hij bij wie hij moet zijn.'

Ze keek hem met groeiende frustratie aan. *Ze moest er niet aan denken dat hem iets zou zijn overkomen...*

'Maar om zomaar twee soldaten van de hertog uit te dagen! De man is niet goed bij zijn verstand. Waarom zou hij anders zo'n bloedige bestorming uitvoeren op een samenkomst van hugenoten? Hij jaagt op hugenoten, zoals de koning op konijnen jaagt!'

'Hij is niet gek. Hij weet precies wat hij doet en handelt in opdracht van Spanje en het Vaticaan. Wie heeft je trouwens verteld dat ik in die herberg was?'

Rachelle zag even iets van ergernis in zijn donkerblauwe ogen opflikkeren.

'Matthieu, een theologiestudent uit Genève. Hij is hier kort geleden aangekomen met een boodschap van Arnaut, mijn vader, voor Bernard. Hij heeft je gezien. Fabien, begrijp je het niet?' Ze pakte hem opnieuw beet bij de ruwe wollen mouwen van zijn hemd, alsof ze vastbesloten was hem nooit meer te laten gaan. 'Guise zal je nu nog meer naar het leven staan.'

Zijn ontembare geest dreef haar tot wanhoop. Hij antwoordde kalm: 'Wilde je me daarom niet vertellen dat de mannen van Guise de aanvallers waren?'

'Ik was bang dat je ze achterna zou gaan. En zoals ik had gevreesd, ben je inderdaad naar hem op zoek gegaan. Hij had je kunnen verwonden of gevangennemen.'

Hij leek zich te verbazen over haar emotionele reactie. 'Rachelle, *ma chérie* – alsjeblieft. Hij is mijn vijand, maar dat was al zo, voordat ik jou in Chambord ontmoette. Hij is degene die opdracht heeft gegeven om mijn vader, Jean-Louis, te vermoorden,' zei Fabien. 'Nu heeft hij nog veel meer moorden op zijn geweten, als hij dat al heeft.' Zachtjes maakte hij haar vingers los en bracht ze naar zijn lippen. Iets in zijn scherpe blik maakte haar, in haar huidige emotionele toestand, nog ongeruster en onzekerder. Vond hij dat ze te veel beslag op hem legde?

'Gallaudet was erachter gekomen dat twee soldaten van Guise in de herberg waren. Ik ben ernaartoe gereden om hen te vragen waar de *duc* zijn kamp had opgeslagen. Het bleek dat Guise direct na de aanval op de hugenoten met zijn lijfwacht naar zijn vrouw is vertrokken. Hij en zijn zoon verblijven momenteel in het *palais* van de bisschop op de weg naar Parijs. Het zou zeer onverstandig van me zijn om daar nu naartoe te rijden. Hij zou de bisschop onmiddellijk vragen om me te arresteren. Wat er verder in de herberg is voorgevallen tussen de soldaten van Guise en Gallaudet en mij was absoluut niet gepland. Ze trokken als eersten hun zwaard. Er zijn verschillende getuigen die dit kunnen bevestigen.'

Zijn blik werd zachter en hij pakte haar bij haar schouders. 'Je hebt vandaag iets verschrikkelijks meegemaakt, *chérie*; je bent van streek en aan het einde van je latijn. Dat is heel normaal. Ik zou er veel voor geven om je niet te moeten teleurstellen met het nieuws dat ik op reis ga, maar...'

Ze deed een stap naar achteren en keek hem geschrokken aan. 'Je gaat op reis? Maar Fabien!'

'Rachelle, ik heb geen keus. De geuzen staan op het punt om uit te varen en ik zal ze vergezellen.'

'Je kunt niet zomaar vertrekken!' Ze klampte zich aan hem vast.

Hij maakte zich rustig uit haar omhelzing los en liep bij haar vandaan. Toen draaide hij zich om en keek haar vastberaden aan.

'Mijn schip ligt in Calais. Als ik het nu laat afweten, dan breng ik de kapitein en zijn bemanning in grote problemen.'

'Maar toen je me naar het zijdekasteel bracht, heb je me beloofd dat je in Vendôme zou blijven, totdat mijn vader uit Genève zou zijn teruggekeerd, omdat je kennis met hem wilde maken.'

'Ja, dat was mijn bedoeling, maar de zaken staan er nu anders voor.'

'Anders? Zijn je gevoelens voor mij veranderd?'

Met twee stappen was hij weer bij haar. '*Mon amour*, natuurlijk niet.' Hij sloeg zijn armen om haar heen en keek haar aan. Hij fronste zijn wenkbrauwen. 'Door jou is het heel moeilijk voor me om te gaan.'

Dat was precies wat Rachelle wilde horen. Ze zou zich niet zomaar bij de situatie neerleggen. Ze sloeg haar armen om zijn hals. 'Je hebt me niet meer gekust sinds je geheime ontmoeting met de geuzen.'

Zijn ogen kregen een warme uitdrukking. Hij aarzelde even en kuste haar toen.

'Fabien,' fluisterde ze, 'blijf alsjeblieft hier.'

'Lieve help, je maakt het mij wel heel moeilijk. Ik wist niet dat je zo geraffineerd kon zijn, *chérie*. Denk je dat ík het leuk vind om je hier achter te laten?'

'Geraffineerd?'

'*Précisément.* Heb ik je niet in Chambord al verteld dat ik Frankrijk voor een tijd zou verlaten? Ik ben volkomen eerlijk tegen je geweest. Mijn vertrek kan toch niet als een volslagen verrassing komen? Luister, Rachelle...' Hij pakte haar bij haar arm – 'ik heb vandaag gehoord dat er een schip op me ligt te wachten in de haven van Calais. Ik heb een afspraak met de watergeuzen over een mogelijke aanval op een aantal Spaanse galjoenen die op weg zijn naar de Lage Landen om de hertog Alva van wapens te voorzien.'

Rachelle had geweten dat het moment zou komen, maar ze had zichzelf wijsgemaakt dat hij uit liefde voor haar van gedachten zou veranderen. Ze had niet verwacht dat hij op deze avond zijn vertrek zou aankondigen, laat staan dat hij onmiddellijk zou vertrekken.

Ze duwde hem van zich af. 'Ik had het kunnen weten. Je bent net als de rest. Mannen beloven je van alles, maar doen vervolgens precies het tegenovergestelde.'

'Ik heb je niet misleid. Jíj begint te klinken als *de rest* door allerlei dingen te suggereren die ik nooit heb gezegd, laat staan beloofd.'

Haar adem stokte. Ze kon nauwelijks geloven wat ze hoorde en was volledig over haar toeren. Het enige waar ze op dat moment aan kon denken, was dat zij en haar familie een grote tragedie hadden meegemaakt en dat hij haar in de steek liet nu ze hem zo hard nodig had.

'Rachelle, geloof me, als ik de kans had om mijn vertrek uit te stellen, zou ik die onmiddellijk aangrijpen. Helaas dwingen de omstandigheden me ertoe om nu te vertrekken, maar...'

'De omstandigheden! Het is je eigen beslissing!'

'Ja, *mademoiselle*. Mijn vrienden en ik hebben deze missie vele maanden lang met de grootste zorg voorbereid. Met onze actie zullen we de levens van vele Nederlandse protestanten redden. En uit naam van de duizenden die voor de Spaanse inquisitie dreigen te worden gesleept, bid ik vurig om Gods hulp en bijstand.'

Ze keek hem aan en besefte dat ze te ver was gegaan. 'O,' zei ze gelaten en beet op haar lip. Ze draaide zich om.

Hij kwam naar haar toe en nam haar in zijn armen. '*Mon amour*,' fluisterde hij zachtjes in haar haren en streelde haar. Hij kuste haar op haar lippen en in haar nek. 'Je hebt er geen idee van hoe zwaar dit afscheid me valt na de tragedie van deze morgen. Door me echter te smeken om niet te gaan, maak je het alleen maar moeilijker voor me! Als ik deze afspraak niet nakom, zet ik het leven van honderden mensen op het spel. Ik laat je in goede handen achter bij madame Claire en dominee Bernard. Zonder mij kan de bemanning deze missie niet uitvoeren. Velen van hen zijn trouwe hugenoten die er alles voor over hebben om hun broeders in de Lage Landen te helpen. Deze mannen weten dat als we de galjoenen van Filips tot zinken brengen, de hertog Alva zonder soldaten en wapens komt te zitten. Tegelijkertijd is het onze bedoeling om de Nederlandse protestanten die tegen hem in opstand zijn gekomen een hart onder de riem te steken. De aanval die Guise hier vandaag op de hugenoten heeft uitgevoerd is vergelijkbaar met de terreur die momenteel in de Lage Landen woedt. Deze zaak zou je na aan het hart moeten liggen. Mijn expeditie kan je toch niet onverschillig laten? Ik wil graag dat je achter mijn plannen staat.'

'Natuurlijk is dit een belangrijke missie, maar kan een ander je plaats niet innemen? Je vertrekt op een uiterst ongelegen moment. Ik had erop gerekend dat je hier zou blijven om met *mon père* te spreken over ons, zoals je me in Vendôme had beloofd.'

Er viel een gespannen stilte.

'Ik heb ervoor gezorgd dat het zijdekasteel tijdens mijn afwezigheid zal worden bewaakt,' zei Fabien ten slotte. 'De soldaten hebben hun soldij al ontvangen. Als dominee Bernard volledig bij bewustzijn was geweest, dan had ik dit met hem besproken, maar ik heb geen tijd om te wachten totdat hij zich beter voelt.'

'Ik waardeer je zorg om ons.' Vechtend tegen haar tranen, draaide ze zich om. Dit was een verschrikkelijke dag geweest en Fabiens vertrek was de druppel die de emmer deed overlopen. Ondanks haar goede opvoeding, barstte ze, geestelijk en lichamelijk volledig uitgeput, in snikken uit, pakte een vaas met lenteviooltjes en smeet deze op de grond.

Fabien nam haar in zijn armen en drukte haar tegen zich aan. Hij aaide haar over haar verwarde haren en sprak haar sussend toe. Hoewel hij erin slaagde haar te kalmeren, hoorde ze de woorden niet die ze zo wanhopig graag wilde horen, namelijk dat hij te veel van haar hield om haar alleen achter te laten en dat hij op haar vader zou wachten om hem om haar hand te vragen.

Ze keek hem aan. 'Houd je van me, Fabien?'

Deze vraag was ronduit schokkend, zelfs afkeurenswaardig, in de cultuur van de hugenoten. Haar zusje Idelette zou haar oren niet hebben geloofd, maar dat kon Rachelle nu helemaal niets schelen. Misschien had ze hem beter niet kunnen stellen, want de markies zag haar nu op haar zwakst. Ze wilde zeker zijn van zijn liefde en toewijding.

Een ongemakkelijke stilte volgde.

Toen zei hij: 'Als ik niet om je gaf, dan was het niet zo belangrijk voor me dat je achter mijn missie staat.'

'Je *geeft om me*?'

'Heb ik je niet in Chambord verklaard dat het liefde op het eerste gezicht was? Ik herinner me ook dat ik je daar heb gezegd dat we tijd nodig hebben om te zien of onze gevoelens voor elkaar blijvend zijn. Laten we de feiten onder ogen zien. We weten beiden dat mijn godsdienst voor dominee Bernard en madame Claire een belangrijk struikelblok is, of niet soms? Ik heb geen reden om aan te nemen dat monsieur Arnaut de katholieke markies van Vendôme graag als zijn toekomstige schoonzoon ziet.'

Rachelle had het gevoel dat iemand een plens koud water in haar gezicht had gegooid.

Madame Claire had inderdaad haar twijfels over de interesse van haar dochter in de markies, al had ze dit niet in zulke sterke bewoordingen uitgedrukt. Rachelle wist niet wat Bernard dacht, want ze had er niet met hem over gesproken. Bovendien was ze er zeker van dat ze haar *père* zou kunnen overtuigen met een huwelijk in te stemmen.

Ze sloeg haar armen om hem heen. 'Ik zal mijn ouders overtuigen.'

'Wanneer – of indien – ik denk dat de tijd daar rijp voor is, dan geef ik er de voorkeur aan dit zelf te doen.'

Zijn zachte terechtwijzing miste zijn uitwerking niet en ze deed een stap naar achteren. 'Je kunt altijd van godsdienst veranderen,' stelde ze voor.

'Een schijnheilige oplossing. Is het veranderen van godsdienst werkelijk zo gemakkelijk als het aantrekken van een ander kledingstuk, *chérie*? Een koning zou dit gedrag verachtelijk vinden van zijn onderdanen, laat staan de Koning, die zichzelf de Weg, de Waarheid en het Leven heeft genoemd.'

Ze was er altijd trots op geweest de waarheid te kennen, maar nu had hij haar met zijn rustige antwoord beschaamd.

Ze maakte vanavond de ene fout na de andere. Haar hoofd

bonkte, haar hart treurde over de dood van Avril en zo veel andere vrienden, en over de verwondingen die Bernard en sir James Hudson hadden opgelopen.

Hij bleef haar ernstig aankijken. Ze huiverde, toen ze iets van ergernis, gemengd met deernis, in zijn ogen meende te ontwaren. Ze had nooit gedroomd zo door de markies bekeken te worden. Deze blik snoerde haar de mond. Een ogenblik lang namen ze elkaar op, alsof ze elkaar voor het eerst zagen.

'Rachelle,' zei hij zachtjes, 'we hebben tijd nodig; ik voor mijn missie, en jij om te herstellen van de schok. We mogen zo'n uiterst belangrijke beslissing niet nemen zolang we allebei nog een trauma te verwerken hebben. Misschien biedt jouw voorstel ons onmiddellijk zekerheid en bescherming, maar het zou onverstandig zijn overhaast te trouwen in de huidige noodtoestand.'

Hij denkt dat ik hem probeer te manipuleren en tot een huwelijk te dwingen. Heeft hij gelijk?

Ze schaamde zich. In een moment van zwakte had ze om haar zin door te drijven gesuggereerd dat het er niet toe deed wat hij geloofde; dat het voldoende was om Christus met de mond te belijden, en niet met het hart.

'Ik denk dat we hier beter na mijn terugkeer over kunnen spreken.'

Ze was moe, lichamelijk en geestelijk. Ze besefte dat ze behalve de paar minuten die ze in haar slaapkamer had doorgebracht om haar met bloed besmeurde jurk uit te trekken en een donkere jurk aan te trekken, geen seconde rust had gehad. Ze had te veel moeten regelen en aan te veel moeten denken; en denken betekende voelen.

'Waar ligt je schip?' vroeg ze met doffe stem.

'Calais.' Hij staarde naar het vuur in de haard en fronste zijn wenkbrauwen. 'Ik heb niet veel tijd. Gallaudet is bezig de paarden te zadelen.'

Calais... De naam van de havenstad die de Fransen kort

daarvoor op de Spanjaarden hadden veroverd, drong langzaam tot haar door. Hij had Calais eerder genoemd, maar nu veerde ze op. Vader Arnaut was daar met zijn bijbels.

'Fabien, neem me met je mee.'

Even keek hij haar boos aan, maar toen moest hij ondanks zichzelf even glimlachen. Het was een tedere, maar ironische glimlach. Ze had het gevoel dat hij haar niet serieus nam. 'Je wilt dus als mijn bemanningslid het zeegat kiezen?'

'Ik meen het, Fabien.' Ze liep naar hem toe.

'Ik ook.'

'Weet je nog dat ik je over de boodschap heb verteld die Matthieu, de student uit Genève, hier vanavond aan Bernard kwam brengen? Deze is afkomstig van mijn *père*, die nu in Calais is. Bernard kan in zijn huidige toestand onmogelijk naar hem toe reizen, maar ik kan dat wel.'

'Is je vader in Calais? Ik had begrepen dat hij voorlopig genoeg werk had in Genève.'

'Dat dachten wij ook.' Vlug zocht ze naar de brief van haar vader, die ze in haar haast had laten vallen. Ze raapte hem op en overhandigde hem aan Fabien.

'Fabien, je moet ons helpen. Je schip ligt in de haven van Calais; jij zou ons naar Engeland kunnen brengen, naar Spitalfields, waar we de bijbels moeten afleveren.'

'Bijbels? Dat meen je niet.'

'Op die manier heb je ook de gelegenheid om kennis te maken met mijn vader. Door hem te helpen laat je hem zien dat je een oprecht christen bent. Zie je het niet? Het is een perfect plan.'

Rachelle wachtte vol ongeduld, terwijl hij de brief tweemaal tergend langzaam doorlas. Ze zag hoe zijn kaken zich spanden.

'Nee.' Hij gaf haar de brief terug.

'Nee? Maar hij heeft je hulp nodig. Hij loopt groot gevaar.'

'Ja, dat denk ik ook.'

'Maar je hebt een schip,' zei ze met haar kiezen op elkaar geklemd.

Zijn ogen kregen een harde uitdrukking. 'Geen sprake van, Rachelle.'

'Maar je hebt toch zeker wel een andere *ami* met een schip? Een geus, zoals je hem noemt, een *monsieur* die Spanje en Rome haat – iemand die de hugenoten graag wil helpen. Je hebt zelf gezegd dat het doel van je missie is om wraak te nemen op de Spanjaarden!'

'Dat klopt, maar het antwoord is nee.'

Hij was onverbiddelijk en leek ongevoelig voor al haar wensen en verlangens. Ze wilde dat hij bleef, maar hij liet haar in de steek. Ze wilde dat hij haar zou meenemen naar Calais om haar vader te helpen, maar dat weigerde hij ook. Haar frustratie sloeg om in woede.

'Je vraagt het onmogelijke van me,' zei hij.

Ze draaide zich om en keek hem met tranen in haar ogen aan.

'Een bevriende Engelse watergeus heeft me verteld dat de hertog van Alva binnenkort zelf zal uitvaren op een Spaans galjoen. Weet je wie deze man is? Hij is de leider van de inquisitie in de Lage Landen. Het schijnt dat protestanten in verschillende Hollandse dorpen en steden zich van het leven hebben beroofd, toen ze hoorden dat hij met zijn leger in aantocht was. Als ik jouw *père* met de bijbels help, kan ik de galjoenen niet onderscheppen. Ik kan namelijk geen enkel risico nemen,' zei hij rustig. Zijn blik bleef in de hare haken en het was duidelijk dat hij niet zou zwichten.

Ja, ze begreep het.

Een intense vermoeidheid maakte zich van Rachelle meester. Haar woede ebde weg en maakte plaats voor een diepe moedeloosheid.

'Rachelle, het spijt me,' zei hij zacht. 'Als ik monsieur Arnaut en zijn bijbels naar Engeland zou kunnen brengen, dan zou ik dat voor jou doen, maar ik heb geen tijd. Je vader is een verstandig mens. Als hij erachter komt dat Bernard verhinderd is om naar Calais te komen, zal hij een ander schip vinden. Ik heb het vermoeden dat hij wel voor hetere vuren heeft gestaan.'

Ze hoorden voetstappen naderen in de gang. Fabien keek naar het gewelfde portaal.

Daar stond Gallaudet, blond en zoals altijd stoïcijns, ook al had hij waarschijnlijk wel gemerkt dat de spanning in de zaal te snijden was.

'Het spijt me dat ik u moet storen, *monseigneur,* maar de paarden zijn gezadeld. De tijd begint te dringen.'

'Ik kom eraan,' antwoordde de markies.

Gallaudet maakte een buiging met zijn hoofd en verdween.

Het moment van vertrek was aangebroken. Ze wist niet of Fabien ooit zou terugkeren. De angst sloeg haar om het hart. Haar grote liefde liet haar in de steek.

Wanhopig zochten haar ogen die van Fabien.

Hij keek haar aan, treurig maar onverbiddelijk.

'Ik kom je opzoeken, zodra ik weer terug ben. Ik kan je niet beloven wanneer, want na de aanval op de Spaanse galjoenen zullen we onmiddellijk koers zetten naar Amerika, naar St. Augustine in Florida. Dat heb ik admiraal De Coligny beloofd, zoals ik je in Chambord al heb verteld. Ik weet zeker dat je werk als zijdenaaister je genoeg afleiding zal geven. *Au revoir,* Rachelle,' zei hij zachtjes.

Ze wendde haar gezicht van hem af en weigerde te antwoorden. De tranen stroomden over haar wangen en haar hart voelde zo zwaar dat het pijn deed. Ze voelde dat hij aarzelde, maar niet zwichtte, toen hij de snik die uit haar keel ontsnapte hoorde. Ze merkte dat hij haar aandachtig aankeek en had de indruk dat hij wilde weten wat er in haar omging. Hij was niet alleen in haar uiterlijk geïnteresseerd.

Ze hoorde hem weglopen. Het geluid van zijn voetstappen maakte haar ziek van eenzaamheid. Toen hij de deur had bereikt, draaide ze zich vliegensvlug om en rende hem achterna.

'Fabien!' Ze pakte hem bij zijn mouw beet. Hun ogen zochten elkaar, en ze kwam dichterbij.

Vlug omhelsde hij haar. Zijn kussen lieten geen twijfel bestaan over zijn innerlijke strijd. Hoopvol klampte ze zich aan hem vast.

Even snel als hij haar in zijn armen had genomen, maakte hij zich los uit haar omhelzing, liep met grote passen de zaal door en haastte zich via het voorportaal naar de voordeur.

Rachelle rende hem achterna, haar gezicht nat van tranen. 'Fabien!'

De voordeur werd in grote haast geopend en dichtgeslagen, alsof hij bang was dat hij zich alsnog zou bedenken.

Rachelle slaakte een kreet van ontzetting en leunde met haar voorhoofd tegen de gewelfde ingang.

Je hebt alles op het spel gezet en verloren… hem verloren en zijn respect voor je. O, Rachelle, wat heb je je dwaas gedragen.

4

Het Louvre, Parijs

Andelot reed op de fiere goudbruine vos van markies Fabien de Vendôme in de richting van de koninklijke stallen van het Louvre in Parijs. Achter een lage heuvel zag hij iets blauws in het zonlicht glinsteren en onmiddellijk besefte hij dat hij afstevende op een grote waterplas. Lieve help! Dit was het zoveelste obstakel op zijn pad. Andelot ging half in de stijgbeugels staan en leunde voorover in het zadel. In het opstuivende stof hoorde hij de verontwaardigde kreten van een groep livreiknechten en jonge pages, allen gekleed in de kleuren van de adellijke families die ze dienden.

Andelot voelde hoe de spieren van de krachtige hengst zich spanden en de voeten van het dier soepel en glad van de grond loskwamen, alsof het zijn vleugels uitstrekte.

Het paard sprong over de waterplas en maakte een prachtige landing. De markies had het dier uitstekend gedresseerd. Andelot grijnsde en gaf de vos een klopje op zijn gespierde, zwetende hals. Plotseling klonken er geërgerde kreten om hem heen, gevolgd door het geluid van rennende voeten. Hij trok de teugels aan en draaide zich om om te zien wie tegen hem hadden geschreeuwd.

'Ho! Jij daar,' riep een page, die blijkbaar zijn autoriteit wilde tonen. 'Wil je ons laten stikken, boerenkinkel?' Met overdreven verontwaardiging zwaaide hij met zijn baret om het neerdwarrelende stof van zich af te slaan. Zelfbewust schreed hij op Andelot af. De goudkleurige pompoenen op zijn schoenen dansten bij elke stap die hij zette. Hij had glanzend rood haar en droeg een satijnen pak met zilverkleurige franjes. Zijn hand lag op de schede van zijn zwaard. Toen hij omhoog keek naar Andelot, rinkelden de zilveren belletjes aan zijn riem parmantig.

Andelot zag het embleem op het groene, met zilveren franjes versierde kostuum van de page: het was het familiewapen van madame *duchesse* Xenia Dushane, de hugenootse hertogin die familie was van de Macquinets in Lyon, en bovendien de dame voor wie hij een boodschap bij zich had.

Op de groene baret van de page fonkelde een grote, gele edelsteen. Ongetwijfeld was het een geschenk van de hertogin en een teken dat hij een van haar favoriete bedienden was. De zilveren kwastjes aan zijn mouwen dansten vinnig in de wind.

'Wie is deze maniak? Is het de nieuwe staljongen?'

'Zet hem direct aan het werk!' schreeuwde een vadsige, jonge livreiknecht grijnzend. 'Ga een hooivork voor deze *messire* halen.'

Er ging een vrolijk gelach op in de lentebries. Andelots gezicht betrok. Grimmig liet hij zijn blik over de jonge gezichten glijden. Hij was niet in de stemming voor grapjes na de terreur die hij kort daarvoor in het kasteel van Amboise had meegemaakt. Tweeduizend hugenoten – aanhangers van de 'nieuwe religie' – waren er gemarteld en vervolgens onthoofd, zodat de binnenplaats van het kasteel blank had gestaan van het bloed. Het beeld van de groteske, onthoofde lijken in de Loire stond nog steeds op zijn netvlies gebrand. Hij had het gevoel in één dag tien jaar ouder te zijn geworden.

Hij steeg uit het zadel en landde met zijn stoffige laarzen op de grond. '*Monsieur*,' zei hij tegen de page van hertogin Dushane. 'Zorg ervoor dat het paard van de markies van Vendôme te eten en te drinken krijgt, *s'il vous plaît*, en breng me onmiddellijk naar het appartement van uw meesteres, hertogin Dushane.'

'*Messieurs*,' zei de page tegen de andere pages in opleiding. 'deze stinkende kerel rijdt ons eerst bijna omver en vervolgens heeft hij ook nog de euvele moed om ons te commanderen.'

Andelot voelde hoe de hoofdpage zijn stoffige, bruine cape en boerenmuts vol minachting bekeek. Er was eerder sprake van geweest dat Andelot in dienst zou treden van de kardinaal van Lorraine. Hij zou in dat geval speciale kleding hebben gekregen, waardoor iedereen aan het hof hem als de favoriet van de kardinaal zou hebben herkend, maar zijn toekomst was radicaal veranderd, toen de jonge prins Charles aan de kardinaal had opgebiecht dat Andelot zich tijdens de massale executies op de binnenplaats van Amboise had verborgen. Misschien zou hij tot het *Corps des Pages* worden toegelaten, maar die kans werd steeds kleiner.

Ik had het zeegat moeten kiezen met markies Fabien, dacht hij ontstemd.

'Ik ben page Romier, in dienst van madame *duchesse* Dushane.'

In een poging de page niet voor het hoofd te stoten, nam Andelot zijn muts af, die zijn bruine, golvende lokken bedekte, en boog zijn hoofd. '*Honoré.* Maar haast u, zo smeek ik u, en geef mijn paard te eten en te drinken. Ik mag het van markies Fabien de Vendôme in diens afwezigheid gebruiken.'

'Ha! Denk je dat ik dat geloof? Van wie heb je deze prachtige hengst gestolen, boer? Niet van de markies, want hij had je ogenblikkelijk tegen de grond geslagen.'

Er werd honend gelachen. Andelot had de grootste moeite zijn kalmte te bewaren. Hij had een brief bij zich van een van de machtigste en meest gevreesde mannen in Frankrijk – de kardinaal van Lorraine – en sinds zijn vertrek uit de vesting van Amboise in Touraine was hij alleen gestopt om zijn paard water te laten drinken. Hij was doodmoe en rammelde van de honger.

'Als dit paard niet onmiddellijk wordt gevoerd en gekamd,' zei hij fel, 'dan zullen jullie op een dag allemaal op het matje worden geroepen door de markies van Vendôme! Hij heeft me gevraagd om voor zijn hengst te zorgen, totdat hij terugkeert van zijn – ' Hij zweeg abrupt. Hij mocht niemand vertellen dat de markies uit Frankrijk was vertrokken, zolang dit niet algemeen bekend was.

'Die ongelikte boer durft wel, hè?' Romier wees naar de plas. 'Was jezelf in dat water, boer. Dit is het *palais* van de koning van Frankrijk.'

Andelot zag hoe de page hem hooghartig de rug toekeerde en in de richting van het hoofdgebouw liep.

Zijn bloed kolkte. *Als ik een zwaard had, zou ik deze arrogante ezel tot een duel uitdagen. Ik heb er mijn buik vol van om mijn hele leven als bedelaar behandeld te worden. Het komt door mensen als hij dat ik er bijna alles voor over heb om als de kardinaal te worden!*

Een oudere man met een hooivork in zijn hand keek op van zijn werk en nam de hengst aandachtig op.

'Als ik zo'n prachtige hengst zag als die waarop deze jongeman rijdt, zou ik me wel driemaal bedenken, Romier,' riep hij de page na. Hij strekte zijn grijze hoofd uit naar de goudbruine vos. 'Dit prachtbeest heb ik eerder gezien. Ik weet het zeker. Het is inderdaad de hengst van de markies, zoals de jonge boer beweert.'

Boer!

Een jonge stalknecht met een afgebroken voortand stapte naar voren en nam de teugels van Andelot aan. 'Ik herinner me deze vos ook. Het is niet een paard dat je gemakkelijk vergeet, *messire*. Ik zal het onmiddellijk voor u naar de stal brengen.'

'*Merci, ami*,' glimlachte Andelot.

Andelot zag hoe de jongen het majestueuze dier wegleidde.

Page Romier was blijven staan en keek om naar Andelot. Op zijn gladde gezicht stond twijfel te lezen. Hij kneep even in zijn spitse neus en zei: 'Stel dat wat je beweert waar is – maar daar ben ik helemaal niet zo zeker van – waar is de markies van Vendôme dan?'

Ha, als ik je dat zou vertellen, zou je me toch niet geloven.

Andelot liep naar page Romier toe. 'Ik ben Andelot Dangeau. Ik heb een dringende boodschap voor madame *duchesse* Dushane.'

Andelot overhandigde hem de begeleidende brief van de kardinaal, geschreven op protserig briefpapier met een purperrode rand, de kleur van de Kerk.

Romier keek hem schuin aan en las de boodschap. Andelot wist dat de kardinaal de page in deze brief verzocht om Andelot onmiddellijk naar de hertogin te brengen. Page Romiers gezicht betrok.

'Waarom heb je me niet direct verteld dat je een boodschap van de kardinaal bij je hebt?'

'Je gaf me de kans niet.'

'Ben je toevallig een familielid van graaf Sébastien Dangeau?'

Andelot glimlachte met groeiende voldoening. '*Oui*, ik ben zijn *neveu*. Staat dat niet in de brief?'

'Inderdaad. Maar als dit document vervalst is...' hij hield het papier vlak onder Andelots neus, 'dan zal de kardinaal degene die daar verantwoordelijk voor is zeker terechtstellen.'

Deze keer was het de beurt van Andelot om sarcastisch te zijn. 'U, *messire*, bent degene die zich de toorn van de kardinaal op de hals haalt, als u me belemmert de brief van de kardinaal op de plaats van bestemming af te leveren.'

De kardinaal, die ook familie van me is, had Andelot eraan toe kunnen voegen. Hij wilde de ander echter niet te veel in het nauw brengen, want na het recente bloedbad in Amboise, waarvoor de gebroeders Guise verantwoordelijk waren, was Andelots relatie met de kardinaal en zijn broer niet iets waar hij nog langer trots op was.

Romier wreef langs zijn neus en nam Andelot opnieuw van top tot teen op. Hij leek zijn mening te herzien.

'Goed. Overeenkomstig de wens van de kardinaal zal ik

je een onderhoud met mijn *madame* toestaan. Zodra je je voeten hebt geveegd, zal ik je naar het appartement van graaf Sébastien brengen.'

'Zei je de vertrekken van graaf Sébastien? *Non*, ik moet eerst met de hertogin spreken.'

'*Madame duchesse* is momenteel in het appartement van de graaf. En als dit *messire* niet onwelgevallig is,' zei hij op ironische toon, 'zullen we ook het stof van zijn mantel kloppen.'

Andelot maakte een stijve buiging. 'Zoals u wenst, *merci*.'

Enige tijd later werd Andelot naar de met blauw en goud gedecoreerde *salle* in het appartement van zijn *oncle* Sébastien Dangeau geleid. Tot aan zijn recente arrestatie en gevangenneming op verdenking van betrokkenheid bij de hugenootse samenzwering in Amboise had Sébastien deel uitgemaakt van de persoonlijke raad van Catherine de Médicis.

Andelot keek de zaal rond, terwijl hij op hertogin Dushane wachtte. Hij herinnerde zich hoe hij Sébastien hier verscheidene malen had opgezocht, toen hij op de kloosterschool in Parijs zat.

Ook deze keer bewonderde hij de vele kostbare wandtapijten waarop roemruchte gebeurtenissen uit de Franse geschiedenis waren afgebeeld. Het Aubussonse vloerkleed was op enkele plaatsen dun geworden, maar had nog steeds koninklijke allure. De stoelen waren bekleed met zwaar brokaat in allerlei tinten blauw, gemêleerd met purperrood. De lage banken en talloze kussens waren versierd met gouden franjes. De arm- en rugleuningen van de stoelen waren fraai bewerkt in de vorm van trosjes druiven en wijnranken met minuscule, roze geschilderde bloemblaadjes. Boven een lange tafel die hij zich nog van de vorige keer herinnerde, hing de zogenaamde *oriflamme*, het koninklijke vaandel van de Valois, dat François I, de renaissancekoning, als embleem had gekozen. Hij liep de kamer in om het vaandel van dichtbij te bewonderen.

Wat zou ik graag in zo'n indrukwekkend kasteel wonen en op mijn wenken bediend worden... als ik niet in ongenade was gevallen bij de kardinaal, dan zou ik nu...

Andelot hoorde voetstappen naderen en draaide zich snel om. Door een deur aan de andere kant van de zaal kwam een dienstbode haastig het vertrek binnenlopen. Ze was een bediende van lagere status, of een werkvrouw, want ze droeg armoedige kleding en haar handen waren knokig en rood van het schrobben en boenen, zo nam hij aan. Hij zag hoe de vrouw zenuwachtig in haar handen wreef. Ze was duidelijk aangeslagen, wat ook bleek uit de tranen die in haar ogen stonden. De arme vrouw had enige tijd gehuild.

Ze was in de veronderstelling dat hij iemand van hoog aanzien was, want ondanks zijn eenvoudige kleding maakte ze niet eenmaal, maar tweemaal een buiging voor hem.

'O, *messire*, ik vrees dat de dames van *madame* u niet kunnen verwelkomen, want ze waken en bidden allemaal bij het ziekbed van *mesdames* Henryette en Madeleine, die beiden heel ziek zijn.'

Henryette was de *grandmère* van de *demoiselles* Macquinets. Madeleine was de vrouw van *oncle* Sébastien. Dit was verontrustend nieuws.

'Ziek? Beide dames?'

'O, *messire*, ik kan er niets aan doen, echt niet, ook al heb ik vanmorgen het brood voor het *petit déjeuner* gebakken. Het komt – kwam – door het fruit. *Oui*, het moet het fruit zijn geweest, wat anders? Beide dames hebben twee dagen geleden fruit gegeten.'

Ze sloeg haar handen voor haar gezicht en beefde.

Andelot wierp een blik op de gesloten deuren die naar de andere vertrekken leidden. Was het echt zo ernstig als deze werkvrouw beweerde?

'Ziek van fruit? Wat voor soort fruit was het?'

Ze schudde haar hoofd alsof ze zich wilde verdedigen. 'Wat *petites* appels die over waren van de oogst van het afgelopen najaar, *messire*. Dat is alles. Een paar appels. *La grande dame*, zoals we de couturière uit Lyon met de zilverkleurige haren noemen, is als eerste ziek geworden. O, het is vreselijk. Een paar weken geleden is ze vanuit Chambord hiernaartoe gekomen om bij haar kleindochter Madeleine, die *enceinte* was, te zijn. De *bébé* is in maart geboren. Twee dagen geleden is de *grande dame* naar de stad gereden om een paar geschenken voor *bébé* Jeanne te kopen. Daarna heeft ze haar koets bij de fruitmarkt halt laten houden om wat rode appels te kopen.'

Opnieuw rolden de tranen over de gerimpelde wangen van de bediende. 'Tegen de avond is de *grande dame,* na het eten van de appels, heel ziek geworden. Het was vreselijk om haar te horen braken – de hele nacht heeft ze een verschrikkelijke buikpijn gehad – en we stonden allemaal met de handen in het haar. Ze wordt met de dag zwakker en het is zo'n lieve dame, *messire,* ze verdient het niet om zo te lijden. Ze heeft me kant gegeven voor een nieuwe jurk – en nu is haar kleindochter Madeleine ook ziek geworden! Madame *duchesse* Dushane is zeer van streek. Ze heeft haar eigen *docteur* laten roepen. Gisteren en vandaag is hij al een aantal malen bij hen langs geweest.'

Andelot fronste zijn wenkbrauwen, want het klonk veel ernstiger dan hij in eerste instantie had gedacht.

'Dit is zeer slecht nieuws, *messire.* Denkt u dat er iets boosaardigs achter steekt? Ik heb gehoord dat Nostradamus ons in zijn boeken voor duistere voortekens en rampen waarschuwt.'

'Houd er alstublieft over op,' zei hij.

Onwillekeurig had de vrouw hem herinnerd aan de huiveringwekkende, occulte sfeer in Amboise. Hij probeerde niet te denken aan het geheime laboratorium boven de vertrekken van de koningin-moeder die de jonge prins Charles Valois hem had laten zien.

Rusteloos liep hij over het Aubussonse tapijt op en neer. Was markies Fabien hier nu maar! Zijn Bourbonse afkomst opende deuren voor hem aan het hof die voor anderen ge-sloten bleven. Oom Sébastien had vroeger ook veel invloed gehad, maar die tijd was voorbij. Natuurlijk was de hertogin er ook nog, maar zij deed al zo veel ze kon.

Hij kreeg medelijden met de vrouw; ze deed hem denken aan de boerenvrouw die tot zijn tiende jaar voor hem had gezorgd, waarna Sébastien hem naar een kloosterschool bui-ten Parijs had gestuurd.

Toen de dienstbode zich uit het vertrek haastte, liep hij naar een van de ramen die uitzicht boden op de voorkant van het paleis, trok de met gouddraad bestikte blauwe gor-dijnen open en keek naar de binnenplaats beneden.

Ziek… doodziek…?

Er zat hem iets dwars. Iets wat hij had moeten onthou-den... Hij schudde zijn hoofd. Er was de laatste tijd zo veel gebeurd – talloze doden waren gevallen.

Het hof van de koning hield momenteel geen verblijf in het Louvre. De koninklijke huishouding stond op het punt naar de vredige, bosrijke omgeving van Fontainebleau te vertrekken, een van de meest geliefde jachtkastelen van de Valois. Gedurende de warme zomermaanden verbleef het hof zelden in Parijs, omdat de lucht er ongezond was. De *courtiers* die niet naar Fontainebleau meereisden, zouden naar hun eigen kastelen terugkeren. Ze wisten echter dat ze op een woord van de koning of koningin-moeder onmiddellijk naar het hof zouden moeten terugkeren.

In de stad zelf was het zoals altijd een drukte van belang. Koetsen kwamen de poort in- en uitrijden en soldaten hiel-den op de binnenplaats de wacht. Andelots aandacht werd getrokken door hun glanzende, rood-blauwe uniformen en hun helmen die in het zonlicht schitterden.

Ik had de markies moeten overhalen om me mee te nemen. Hij en Nappier hadden een soldaat van me kunnen maken. Wat heb ik verder in Frankrijk te zoeken? Mijn kansen hier zijn verkeken. Ik zal nooit een geleerde worden, zoals ik had gehoopt.

Andelot zuchtte. In tegenstelling tot vele anderen, interesseerde hij zich voor boeken, geschiedenis en talen. Maar nu zou er misschien niets anders voor hem opzitten dan naar het zijdekasteel terug te keren om zijn oude beroep in de zijdeteelt weer op te nemen. Wat had hij verder nog in Parijs te zoeken? Het *Corps des Pages*? Het was niet meer dan een droom geweest, een vage belofte. De kardinaal was boos op hem.

Andelot draaide zich om. Hij wreef peinzend over zijn hals. Vergeten... vergif... wat was het ook al weer? Er was iets... iets wat hem niet te binnen wilde schieten, iets wat hij aan markies Fabien had willen vertellen, maar waar niets van was gekomen door diens plotselinge vertrek.

Hij had de markies kort na het bloedbad in Amboise voor het laatst gezien. Markies Fabien was vanuit Vendôme, waar graaf Maurice Beauvilliers Rachelle in veiligheid had gebracht, teruggekeerd naar Amboise.

Daar had hij Andelot op een avond in het geheim opgezocht. Hij had hem verteld dat hij op een boodschap van een Franse kaper wachtte. Zodra hij deze had ontvangen, zou hij Rachelle naar het zijdekasteel brengen en verder reizen naar La Rochelle, een hugenoots bolwerk, waar hij ergens aan de kust een geheime bespreking had met een aantal andere Franse watergeuzen die de strijd wilden aanbinden tegen Spanje.

Andelot wist dat deze bijeenkomst naar alle waarschijnlijkheid al had plaatsgevonden. Misschien was de markies al op weg naar Engeland, waar een kapitein die in dienst was van de Engelse koningin een schip voor de markies had geregeld.

Was het te laat om de markies achterna te gaan? Hij zou op diens hengst naar Calais kunnen rijden, maar zou hij hem daar nog aantreffen? En hoe zou de markies reageren als hij plotseling voor zijn neus stond met een zwaard dat hij nauwelijks kon optillen? *Misschien zou ik als koksmaatje kunnen werken of de markies op een andere manier van dienst kunnen zijn.*

Aan de andere kant van de kamer brandde een vuur in de open haard. Vanaf de Seine, de rivier die gedeeltelijk onder de kerkers van het paleis door stroomde, waaide een kille en vochtige wind het paleis binnen.

Het geluid van zijn laarzen werd gedempt door het dikke tapijt, toen hij naar de haard toe liep. De roodgloeiende kolen sisten venijnig. Was de ziekte van Grandmère en Madeleine het begin van Gods oordeel over Parijs?

Hij herinnerde zich van zijn studie op de kloosterschool dat er lang geleden grote epidemieën in Frankrijk hadden gewoed waarvan talloze mensen het slachtoffer waren geworden. Er waren zo veel mensen omgekomen dat de autoriteiten genoodzaakt waren om de lijken op dorpspleinen te verbranden. In die tijd reisden er monniken door heel Europa die profeteerden dat de plagen een straf van de heiligen waren voor de goddeloosheid van de mensen en hun onwil om de tienden aan de kerk te betalen. Ze hadden de mensen opgeroepen meer eerbied voor relikwieën te hebben en bedevaarten naar heilige plaatsen te maken. Ze vervoerden zakken met beeldjes van heiligen op hun ezels, die ze aan de mensen verkochten met de belofte dat deze hun bescherming zouden bieden tegen de verschrikkelijke ziektes...

Andelot stak zijn hand onder zijn hemd, haalde er een klein, verweerd kruis onder vandaan en kuste het. Hij had het jaren geleden in Parijs gekregen van een reizende monnik die een bedevaart naar het Heilige Land maakte. Het was een heel bijzonder kruis. De monnik had hem verteld dat het was gezalfd met heilige olie uit Rome, de eeuwige stad die op zeven heuvels was gebouwd. Dit kruis zou hem tegen ziekte en rampen beschermen. Andelot kuste het voor de zekerheid nog een keer en stopte het daarna weer terug onder zijn hemd, dicht tegen zijn lichaam aan. Hij kon beter maar voorzichtig zijn, nu hij een kamer was binnengegaan waar plotseling een geheimzinnige ziekte was uitgebroken.

Hij staarde peinzend naar de brandende kolen. Ja, het was heel goed mogelijk dat er opnieuw een plaag zou uitbreken. Overal klonken protesten tegen de verderfelijke leer van Luther, Calvijn en Beza en tegen de verdorven stad Genève. Frankrijk werd ervan beschuldigd niet hard genoeg op te treden tegen de duivelse doctrines van deze ketters en hun volgelingen.

Andelot streek met zijn vingers door zijn bruine lokken en schudde zijn hoofd. Na het bloedbad in Amboise voelde hij zich zeer ongemakkelijk bij het horen van dit soort leuzen. Deze religieuze retoriek was met haat en geweld doordrenkt. Wie moest hij geloven?

Gefrustreerd liep hij terug naar het raam. Deze keer richtte hij zijn blik op de kade langs de Seine met zijn vele winkeltjes.

Ja, de kade... het had met de kade te maken, maar wat?

Ze was donderdag ziek geworden... dat was vijf dagen geleden... doodziek, had de werkvrouw gezegd – nadat ze wat appels van het afgelopen najaar had gegeten.

Wat vreemd. Appels? Kon je zo ziek worden van het eten van appels? Een priester liep met wapperende rokken de binnenplaats over. Hij had een opgerold perkament in zijn hand. Andelot moest denken aan de vorige avond toen de kardinaal hem in zijn kamer had ontboden. Nadat hij hem de brief met de purperrode rand die bestemd was voor de hertogin had overhandigd, was de kardinaal opgestaan vanachter zijn bureau en had hem met zijn grijze, amandelvormige ogen spottend aangekeken. Om zijn dunne lippen zweefde een sarcastische glimlach.

'Zo! Wat een kwajongen ben je toch. Je hebt je achter wat wijnranken verstopt om stiekem te kijken naar de onthoofdingen van opstandige ketters! Wat een kinderachtig gedrag. *Non!* Zeg nu niet dat je zogenaamd geen kant op kon. Dat is een belachelijk excuus.'

De berisping van de kardinaal was hard aangekomen en opnieuw steeg het schaamrood hem naar de wangen. Het had geen zin om prins Charles Valois de schuld te geven van het incident, want Charles was een kind, terwijl hij een jongeman was. De kardinaal had hem op minachtende toon de les gelezen.

'Desondanks zie ik het als mijn plicht om je toekomst zeker te stellen, maar niet in de functie die ik eerst voor je in gedachten had. Misschien kun je page worden binnen onze familie, maar ik wil je niet meer bij me in de buurt hebben, niet nu je je zo dom hebt gedragen. Misschien zal ik een plaats voor je regelen in het *Corps des Pages,* maar slechts op voorwaarde dat iemand zich bereid verklaart voor je opleiding te betalen. Alles hangt echter af van je onvoorwaardelijke gehoorzaamheid en loyaliteit. Luister, Andelot: je toekomst ligt volledig in mijn hand. Het eerste wat je moet doen is een einde maken aan je dwaze vriendschap met de markies van Vendôme. Hij vormt een steeds grotere bedreiging voor het huis van Guise. Als je dat niet doet, dan kun je je toekomst in onze familie en aan het hof verder wel vergeten.'

Andelot staarde uit het raam. Hij stak zijn handen in zijn zakken.

Toen hoorde hij rokken achter zich ritselen. Hij draaide zich om.

Een rijzige en zeer waardige dame op leeftijd stond voor hem, leunend op een met juwelen versierde, zwarte wandelstok. Hij vermoedde dat de stok zwaar genoeg was om zich in geval van nood een belager van het lijf te slaan. Andelot had gehoord dat de hertogin een zeer ervaren paardrijdster was geweest, voordat ze zich bij een val had bezeerd. Regelmatig had ze deelgenomen aan koninklijke jachtpartijen. Ze had brede, rechte schouders en droeg een met parels versierde japon van roze zijde, met lange manchetten en een stijf, crèmekleurig kanten boord.

Hij maakte een diepe buiging. 'Hoogheid.'

'Ik heb gehoord dat je een bericht uit Amboise voor mij bij je hebt?'

'*Oui, madame.*' Hij aarzelde, want hoewel het nieuws dat hij haar kwam brengen op zich goed was, zag de toekomst er zeer zorgelijk uit voor Sébastien.

'Wij waren allemaal in de veronderstelling dat Graaf Sébastien dood was, maar hij leeft.'

De adem van de hertogin leek te stokken, zodat Andelot haastig verderging: 'Helaas is hij gearresteerd, *madame*, en opgesloten in de kerker van Amboise.'

5

'Sébastien is nog in leven?' Zichtbaar geschokt, greep de hertogin naar haar hart.

Andelot maakte opnieuw een buiging voor hertogin Xenia Dushane, stapte naar voren en overhandigde haar de brief met de purperrode rand en het kerkelijke zegel.

'Inderdaad, *madame*. Ik heb een brief bij me van de kardinaal van Lorraine.'

Wat in de brief stond, zou haar weinig reden tot vreugde geven.

'Aha...'

Haar stem had neutraal geklonken, maar hij zag hoe haar mond verstrakte bij het horen van de naam van de kardinaal.

Hij zag hoe ze met de brief naar het bureau van Sébastien aan de andere kant van de kamer liep, waar zelfs op een zonnige dag als vandaag de lampen waren aangestoken om de sombere schaduwen te verdrijven. Was dit niet precies hoe hij zich voelde? Zijn omgeving leek zijn stemming te weerspiegelen.

Andelot bleef discreet wachten en had moeite zijn emoties in bedwang te houden. Hij verwachtte dat ze vele vragen op hem af zou vuren, maar ze zweeg. Hij keek haar aan.

De hertogin zat op een met franjes versierde stoel van blauw en goudkleurig brokaat bij het raam. Na het lezen van de brief van de kardinaal leek ze hem enige minuten lang compleet vergeten te zijn.

Andelot werd met deernis vervuld, toen hij zag hoe aangeslagen ze was door het nieuws. Ondanks haar lengte en sterke schouders zag ze er broos en kwetsbaar uit. Enkele malen haalde ze diep adem en schudde haar grijze hoofd, alsof de last die op haar schouders drukte te zwaar was om te dragen. Hij vermoedde dat ze inderdaad onder grote zorgen gebukt ging en kracht putte uit haar hugenootse geloof om staande te blijven. Andelot wist weinig over haar privéleven, maar omdat er nooit werd gesproken over een *duc* Dushane, vermoedde hij dat deze lang geleden was overleden. Maar misschien was ze nooit getrouwd, want ze had geen zonen of dochters.

Met haar elleboog op de armleuning en haar hand onder haar kin, staarde ze uit het raam. Net toen hij ervan overtuigd was dat ze hem werkelijk was vergeten, richtte ze haar aandacht weer op hem. Kalm en vastberaden keek ze hem aan.

'Wel, graaf Sébastien zal binnenkort naar de Bastille worden overgebracht als verrader van Zijne Majesteit. Hij zal daar door de inquisiteurs ondervraagd worden in de *salle de la question.*'

Andelots maag kromp ineen bij het horen van die woorden.

Hij had slecht nieuws verwacht, maar niet zó slecht!

Ze schudde haar hoofd en legde haar hand op haar voorhoofd. 'Moge God ons genadig zijn en Sébastien de kracht geven om deze beproeving te doorstaan. Dit zal een harde klap zijn voor Madeleine.'

Andelot probeerde geen uiting te geven aan wat er in hem omging. Hij hield zijn handen samengevouwen op zijn rug.

'De kardinaal schrijft me dat Sébastien in de bossen rondom Amboise is gearresteerd. Hij was daar om Renaudie, de leider van de hugenootse opstand, te informeren dat de koning en de koningin-moeder op de hoogte waren van de samenzwering. De kardinaal heeft Zijne Majesteit verteld dat het reformatorische Genève achter de samenzwering zit en dat Johannes Calvijn de soldaten met goudstukken heeft betaald.'

Leunend op haar wandelstok kwam ze overeind. Met iets

van ergernis in haar grijsblauwe ogen zei ze: 'Het verbaast me niet dat de kardinaal van Lorraine de reformator hiervan beschuldigt. Monsieur Calvijn wist van deze samenzwering – natuurlijk. De meeste hugenootse soldaten kwamen immers uit Genève waar ze eerder naartoe waren gevlucht. In die stad kon de kardinaal namelijk geen brandstapels oprichten.'

'*Madame*, misschien worden we in deze vertrekken afgeluisterd,' suggereerde Andelot voorzichtig, want hij durfde haar niet te vragen haar mond te houden.

'Monsieur Calvijn stond niet achter deze samenzwering.' Ze tikte met haar wandelstok op de vloer. 'Hij heeft de hugenoten die betrokken waren bij de samenzwering in Amboise, gewaarschuwd dat er aan beide zijden veel slachtoffers zouden vallen. Hij was tegen deze opstand.'

'*Oui, madame*, hij zou een opstand tegen de koning zeker niet goedkeuren,' zei Andelot haastig. Hij zou haar niet durven tegenspreken. Andelot vroeg zich af hoe de hertogin wist wat Johannes Calvijn tegen de leiders van de opstand had gezegd. Dat ze er openlijk voor uitkwam van de samenzwering te hebben geweten, kon haar in grote moeilijkheden brengen. Hij moest er niet aan denken hoe de koningin-moeder en de kardinaal zouden reageren, als ze dit wisten. Maar de hertogin leek zich geen zorgen te maken over haar eigen veiligheid. Leunend op haar wandelstok, die glinsterde in het licht van de lamp, liep ze moeizaam de kamer door.

De hugenootse leiders waren van plan geweest om een Bourbonse prins als regent voor koning François aan te stellen. Katholieke spionnen in Londen, aanhangers van de Guises, waren achter de samenzwering gekomen en hadden de hertog van Guise ingelicht. De hertog had vervolgens de koningin-moeder op de hoogte gebracht en de hugenoten in de val geleid. Duizenden van hen waren omgekomen in Amboise. Andelot had van Fabien gehoord dat hertogin Dushane de hugenoten had gewaarschuwd voor een verrader in hun midden – *maître* Avenelle. Deze Avenelle, een ex-hugenoot, had de koningin-moeder en de Guises verteld dat het doel van de samenzwering was om de Guises – die door de hugenoten als vazallen van Spanje en de drijvende kracht achter de inquisitie werden beschouwd – ten val te brengen.

'Het bloedbad in Amboise,' zei de hertogin, terwijl ze treurig haar hoofd schudde. 'Zowel markies Fabien als de kardinaal hebben me een verslag van de gebeurtenissen gestuurd, uiteraard vanuit tegenovergestelde gezichtspunten. Een onbeschrijfelijke tragedie!' Ze keek hem aan vanaf de andere kant van de kamer. 'Markies Fabien heeft me verteld dat je getuige bent geweest van deze gruwelijke gebeurtenis.'

Andelot werd opnieuw met walging vervuld, toen hij aan de executies in Amboise dacht. '*Oui, madame*, ik hield me daar verborgen en kon pas ontsnappen toen alles voorbij was.' In gedachten zag hij de met lijken bezaaide binnenplaats in Amboise weer voor zich. Hij hoorde de kreten van de hugenoten, de doffe slagen van de bijl en het ruisen van de kille maartwind door de wijnranken waarachter hij zich had verborgen.

Ze moest zijn diepe weerzin hebben gevoeld, want ze knikte en drong verder niet aan.

'De markies heeft me in een van zijn brieven verteld dat je een *bon ami* van hem bent?'

'*Oui, madame*, we zijn heel goede vrienden.'

Ze knikte. 'Hij heeft zeer lovend over je gesproken.' Ze perste haar lippen stijf op elkaar en keek naar de brief in haar hand. Zachtjes zei ze: 'Sébastien zal binnenkort overgebracht worden naar de Bastille.'

Andelot schraapte zijn keel om zijn emoties te verbergen. Hij koesterde een diepe genegenheid voor zijn *oncle* Sébastien, die altijd goed voor hem was geweest.

'Markies Fabien heeft me geschreven dat ik je kan vertrouwen, Andelot. Maar uit deze boodschap blijkt ook...' ze zwaaide met de envelop – 'dat je nu in dienst van deze man bent.' Ze trok haar dunne, zilverkleurige wenkbrauwen vragend op.

Andelot bloosde van verlegenheid. De last van het dienen van twee meesters, die beiden onvoorwaardelijke trouw van hem verlangden, drukte zwaar op hem.

Ze wachtte niet op een verklaring, omdat ze er misschien geen had verwacht. Hij had graag uiting willen geven aan zijn frustratie, maar liet zijn emoties niet blijken.

'*Le marquis* heeft me verteld dat hij Frankrijk binnenkort voor een tijd de rug zal toekeren,' zei ze nadenkend.

Fabien vertrouwt de hertogin dus. Als hij erop vertrouwt dat ze achter zijn missie staat, dan kan ik haar ook vertrouwen.

Hij nam een andere houding aan. '*Madame*, u blijkt goed op de hoogte te zijn van de plannen van de markies. Ja, hij heeft zich aangesloten bij een groep Franse en Engelse watergeuzen die Spaanse schepen tot zinken brengen.' Snel ging hij verder: 'Daarna is hij van plan om admiraal De Coligny te helpen bij de opbouw van zijn nederzetting in Florida. Ik meen dat deze kolonie "Fort Caroline" heet.'

Ze keek hem ernstig aan en trommelde met haar lange vingers, met veel smaragden en saffieren ringen, op tafel.

'Deze kleine nederzetting wordt bedreigd door de zwaarbewapende Spaanse vesting van St. Augustine. Ach, Andelot, vind je ook niet dat de markies zich op glad ijs heeft begeven?'

'*Oui*, inderdaad, *madame*. Markies Fabien is van plan om eerst naar Engeland te varen om een aantal Engelse watergeuzen op te halen.'

'De markies heeft me met klem gevraagd om uit Parijs te vertrekken en terug te keren naar mijn landgoed in Orléans,' zei ze na enkele ogenblikken. 'Ik ben ervan overtuigd dat de gebroeders Guise alles in het werk zullen stellen om achter de namen te komen van de hovelingen die betrokken waren bij de samenzwering in Amboise – als dat sowieso het geval was.' Ze keek hem koud aan. 'Mijn verklaring voor het feit dat Sébastien nog niet is terechtgesteld, maar gevangen wordt gehouden, is dat onze vijanden hem zullen dwingen om de namen van de andere samenzweerders prijs te geven. Ben je het met me eens, Andelot?'

'*Oui, madame.*'

Fabien had hem verteld dat hertogin Dushane de hugenoten in het geheim ondersteunde en zeer gerespecteerd was in de hoogste kringen van het hof. Ze behoorde tot de uitgelezen kring die de koningin-moeder 's middags gezelschap mocht houden. De hertogin was goed op de hoogte van alles wat er aan het hof speelde, waardoor ze vele hugenootse vrienden het leven had gered. Zo had ze de prinsen Louis en Antoine de Bourbon, beiden familie van Fabien, vele malen gewaarschuwd voor aanslagen op hun leven beraamd door hun politieke tegenstanders aan het hof. Het huis van Bourbon kon rechtmatig aanspraak maken op de Franse troon en vormde daarom een bedreiging voor de Guises en hun bondgenoten.

Wat had de kardinaal nog meer aan de hertogin geschreven, afgezien van het slechte nieuws dat Sébastien was beschuldigd van medeplichtigheid aan de hugenootse samenzwering?

'*Madame duchesse,* mag ik zo onbeleefd zijn om u te smeken gehoor te geven aan het verzoek van de markies om naar uw landgoed in Orléans terug te keren? En als Sébastien niet wordt vrijgelaten, zou het dan niet beter zijn voor zijn vrouw en pasgeboren baby om hun toevlucht te zoeken bij Madeleines ouders in Lyon?'

'Ik stel je bezorgdheid op prijs, Andelot. In andere omstandigheden zou ik van harte instemmen met het verzoek van de markies. Helaas is hij niet op de hoogte van het feit dat mijn familie plotseling door een ernstige ziekte is getroffen. Henryette kan momenteel niet reizen, en Madeleine ook niet. Ik geloof dat de werkvrouw je het een en ander heeft verteld?'

'Inderdaad, *madame*. Ik hoop dat het niet zo ernstig is als ze deed voorkomen.'

Hertogin Dushane slaakte een zucht. '*Le docteur* heeft gezegd dat *cousine* Henryette voorlopig haar kamer niet mag verlaten. En Madeleine – misschien zou zij de reis wel aankunnen, maar helaas is haar conditie ook verslechterd, omdat ze een dag later dan haar *grandmère* ziek is geworden.'

Ze kwam met moeite uit haar stoel overeind en liep met behulp van haar wandelstok naar het raam. 'En ik ben te oud om te vluchten voor die jakhalzen. Ik ben zeer aangedaan door het nieuws dat er zo veel bloed is vergoten in Amboise en door het nieuws over Sébastien, dat ons allen, maar vooral Madeleine, persoonlijk treft. Ik weet niet hoe ik het haar moet vertellen – vooral nu ze net van haar eerste *enfant* is bevallen!'

Ze schudde haar hoofd. 'Ach, dit is een zware beproeving. We hebben Gods genade en ontferming harder nodig dan ooit. We moeten ons vertrouwen stellen in Hem en geloven in de beloften die Hij ons en Frankrijk heeft gedaan. We moeten in afhankelijkheid van Gods genade leven.' Ze boog, leunend op haar wandelstok, naar hem toe.

Het schijnsel van de lamp viel op het ebbenhouten handvat. 'Vertrouw op Gods genade.' Ondanks haar broosheid was ze staande gebleven, omdat ze haar vertrouwen in Christus had gesteld. Andelot dacht na over haar rotsvaste geloof.

'Ik blijf hier,' ging ze verder. 'Als ze zich wat beter voelt, moet Madeleine besluiten wat ze wil doen. Ik zal haar de brief laten lezen. Daarna zullen we met de *docteur* overleggen of ze in staat is te reizen. Ikzelf zal hier bij Henryette blijven, ongeacht of Madeleine zal besluiten hier te blijven of naar haar ouders te vertrekken.' Ze keek hem onderzoekend aan. 'Ik ben verbaasd dat je niet met markies Fabien bent meegegaan.'

'*Oui, madame*, ik heb overwogen om me bij de volgelingen van de markies aan te sluiten,' verklaarde hij zonder omwegen, terwijl hij zijn schouders rechtte. Hij was er trots op dat hij de laatste maanden een krachtiger postuur had gekregen.

'Is de markies er niet mee akkoord gegaan?'

'Dat weet ik niet, want ik heb het er niet met hem over gehad, *madame*. Helaas kan ik niet met een zwaard omgaan. Niet dat hij me om die reden zou afwijzen. In Frankrijk kreeg ik echter een aanbod dat ik op dat moment veel aantrekkelijker vond dan deze zeereis naar een protestantse nederzetting.'

Markies Fabien weet niet dat ik deze kans heb verspeeld.

'Misschien heb je er goed aan gedaan om niet mee te gaan, Andelot. Ik vermoed dat de markies niet alleen van plan is een expeditie naar de kolonie van admiraal De Coligny te financieren. Maar...' ze keek hem bezorgd aan – 'hier in Frankrijk loop je misschien evenveel risico.'

Misschien had ze via een van haar vele spionnen gehoord dat hij familie van de Guises was. Misschien wist ze wat de kardinaal met hem van plan was.

'Markies Fabiens leven loopt ook gevaar, *madame*.'

'Absoluut. Als hij een galjoen tot zinken brengt, zal iedereen, van Spanje tot de koningin-moeder, om wraak roepen. Toen hij besloot te gaan varen, wist hij natuurlijk niet dat Sébastien nog in leven was. Ik kan me niet voorstellen dat hij was vertrokken, als hij had geweten dat Sébastien door de inquisitie zou worden verhoord.'

'Ik denk dat u gelijk hebt, *madame*. Zijn eigen neef, de Bourbonse prins De Condé, heeft hem verteld dat Sébastien samen met de hugenootse *seigneur* Renaudie in de bossen van Amboise is omgekomen. De markies was ervan overtuigd dat madame Henryette en Madeleine naar het zijdekasteel van de Macquinets zouden terugkeren, waar Sébastiens vrouw en haar *bébé* door de familie zouden worden opgevangen.'

'Het zal een enorme schok zijn voor Madeleine om te horen dat haar man weliswaar nog in leven is, maar voor de inquisitie zal moeten verschijnen. Ze zal de steun van haar familie in het zijdekasteel hard nodig hebben. Het is heel spijtig dat ze vanwege de plotselinge ziekte die haar en haar *grandmère* heeft getroffen, niet naar Lyon kan reizen.' Ze keek hem mismoedig aan.

Andelot kon zijn blik amper van haar wandelstok afhouden. Hij maakte een lichte buiging. 'Precies, *madame*.'

'Goed. Blijf hier wachten, totdat ik Romier heb geroepen. Hij zal je naar de eetzaal brengen en daarna naar de barakken. Daar kun je wat eten en slapen. Ik zal je later op de avond weer vragen langs te komen, als ik met de *docteur* heb gesproken. Ondertussen zal ik er ook over nadenken of ik een boodschapper naar de markies zal sturen om hem te informeren dat Sébastien nog in leven is.'

Ah, eten en slapen!

'*Merci mille fois, madame duchesse!*'

Andelot liep met Romier, de page van de hertogin, de binnenplaats over naar de barakken die zich achter het hoofdgebouw van het Louvre bevonden.

Het Louvre, een paleis dat de Franse koning Philippe Auguste had laten bouwen, was gelegen aan de grazige oever van de Seine. De muren en wallen waren omgeven door een slotgracht. In dit paleis had Andelot markies Fabien voor het eerst ontmoet. Fabien was in het bijzijn van kroonprins François en Maria van Schotland voor Andelot in de bres gesprongen, toen een groep pages, allen van adellijke afkomst, hem begon te treiteren. In hun ogen was hij slechts een boerenkinkel, iemand die ze hun modderige laarzen lieten schoonmaken en die ze niet waardig achtten om in hun gezelschap te verkeren. Een van de pages had gedreigd hem in de gracht te gooien, maar toen was markies Fabien naar voren gesprongen en had de page gewaarschuwd: 'Andelot is familie van mij. Als iemand ook maar een vinger naar hem durft uit te steken, dan krijgt hij het met mij aan de stok.'

Daarna had het *Corps des Pages* hem nooit meer lastiggevallen.

Het eetgedeelte van de barakken bestond uit een eetzaal, een voorraadkamer en een keuken. Samen met de provisiekamer nam de zaal de gehele westelijke vleugel in beslag. Onder het plafond waren de donkere balken zichtbaar en de muren waren met roet van tientallen jaren bedekt. Overal stonden en hingen tinnen, ijzeren en koperen vaten. De overdekte haard nam een hele wand in beslag en aan de andere kant stond een lange, lage tafel met een houten bank die glom van het veelvuldige gebruik.

De koks waren bezig het *déjeuner* te koken. Toen hij de pittige geur van geroosterd vlees opsnoof, besefte Andelot hoe hongerig hij was. Hij zou wat eten en proberen een dutje te doen, voordat de jonge soldaten in opleiding zouden terugkeren van een dag in het veld. Een brutale haan scharrelde in de zaal rond, op zoek naar wat graankorreltjes. Hij keek de jachthonden uitdagend aan.

'Iets te drinken graag,' zei Romier tegen een jongen, die niet ouder dan acht of negen was. Het was geen uitzondering om zelfs nog jongere kinderen lange dagen te zien maken in de schuren, stallen, keuken en wasplaats.

'Léon, wil je ons die lamsbout daar op tafel even brengen – dank je wel jongen – en schenk ons een pint bier in. Haal ook twee kommen water en twee bekers voor ons.'

Andelot waste zijn handen en ging aan tafel zitten. Hij snoof de geur op van geroosterd, mals lamsvlees. Het brood werd in royale hompen gesneden en Andelots beker werd met bier gevuld. Hij doopte een stuk ovenvers brood in zijn kom met uien gevulde lamsbouillon.

Terwijl hij zijn eten verslond, troostte hij zichzelf met de gedachte dat alles anders zou zijn, als hij door de kardinaal en de hertog als neef erkend zou worden en zich in de hoogste kringen zou bewegen. Er zouden geen Romiers meer zijn die hem uitlachten om zijn armoedige kleren. Hij fronste en zette zijn tanden in de lamsbout.

De deur vloog open en een paar pages stormden naar binnen, hun gezichten rood van opwinding en angst.

'Nieuws uit Amboise! Er zijn zojuist een paar boodschappers aangekomen. De hugenoten zijn in opstand gekomen tegen de koning. Graaf Sébastien Dangeau was één van hen. Hij is gearresteerd en zal binnenkort naar de Bastille worden overgebracht. Alle anderen zijn dood. De kardinaal en de hertog van Guise hebben ze allemaal terecht laten stellen.'

Romier bestookte de pages met vragen, maar ze wisten hem niet veel meer te melden.

'Weten jullie het zeker?' Er verscheen een ongelovige uitdrukking op Romiers gladde gezicht. 'Maar dat kan toch niet waar zijn!' Romier balde zijn vuist en sloeg hem tegen de palm van zijn andere hand. 'Renaudie was een edele *messire.*'

'Laat de koningsgezinden dat maar niet ter ore komen,' zei een van de pages.

Andelot sprong overeind. 'Het is waar. Ik was daar en heb de executies met eigen ogen gezien. Het is ook de reden dat ik in Parijs ben. Ik kom rechtstreeks uit Amboise om het nieuws van de arrestatie van mijn oom Sébastien aan de hertogin Dushane te vertellen.'

Alle blikken richtten zich op Andelot. Hij zag het smeulende vuur in Romiers ogen en vroeg zich af of hij niet beter zijn mond had kunnen houden.

'Ben je in Amboise geweest? Met de Guises?' vroeg Romier.

'Ja, ik ben in Amboise geweest, niet met de Guises, maar met markies Fabien de Vendôme.'

Romier zei met iets van spijt in zijn stem: 'Hij spreekt de waarheid, *messieurs.* Hij kwam hier op een goudbruine vos aanrijden. De stalknechten zeggen allemaal dat dit het beste paard van de markies is.'

Andelot was er trots op dat de markies hem zijn hengst had geleend.

Er viel een stilte onder de aanwezigen. Iedereen gaapte Andelot aan.

Romier trok Andelot weer naar de tafel. 'Ga zitten en eet je vlees op. Je hebt een lange reis achter de rug, als je inderdaad helemaal uit Amboise komt rijden. Vertel me meer over het neerslaan van de hugenootse opstand. Hoe heeft de hertog van Guise monsieur Renaudie kunnen vangen?'

Romier wist meer dan hij eerst had laten blijken. Geen enkele page had gezegd dat Renaudie de leider van de opstand was geweest.

Romier keek hem niet langer koud aan.

Andelot haalde diep adem en sneed zonder acht te slaan op de pages die zich om hem heen verdrongen een groot stuk goudgele kaas af met het enige wapen dat hij bezat: een mes met een lang lemmet dat de markies hem ooit had geschonken. Hij keek Romier rustig aan, terwijl hij het mes in de kaas zette. Andelot vertelde over de slachting van de hugenoten in Amboise, maar zei met nadruk dat de executies op bevel van de koningin-moeder, Catherine de Médicis, waren uitgevoerd. Hij zag dat Romier hem ontzet aankeek.

'Waarom heb je me dat niet meteen verteld, toen je hier aankwam? Ik zou zeker naar je geluisterd hebben!'

'Je wilde niet naar me luisteren en begon direct de spot met me te drijven.'

Romier maakte een ongeduldig gebaar met zijn hand. Hij leunde naar voren en stak zijn vinger naar Andelot uit. 'Weet je zeker dat graaf Sébastien nog leeft?'

'Heel zeker. Hij zal zich in de *salle de la question* moeten verantwoorden voor zijn protestantse geloof.'

Romier kreunde. 'Dit is heel slecht nieuws. De markies had zeker iets voor hem kunnen doen! Hij is toch aangetrouwde familie van hem? Bovendien is hij een *ami* van de koning. Ik heb gehoord dat ze elkaar al kennen sinds ze kinderen waren. Ze zijn samen in het Louvre opgegroeid.'

Andelot wist dat hij niet te veel mocht loslaten. Hij was al veel te loslippig geweest, waarschijnlijk een gevolg van zijn vermoeidheid. Hij kon Romier misschien vertrouwen, maar hun stemmen weergalmden in de grote ruimte en er waren hier veel pages die trouw waren aan de Guises.

'De markies weet niet dat Sébastien gevangengenomen is. Toen hij uit Vendôme vertrok, was hij er stellig van overtuigd dat Sébastien in Amboise was omgekomen.'

'Ah!' Romier leunde met zijn elleboog op tafel en zei zachtjes: 'Waarom roepen we de hulp van admiraal De Coligny niet in? Mijn *madame* heeft een groot respect voor hem.'

'De admiraal is op de hoogte van wat er zich in Amboise heeft afgespeeld. Hij heeft de koningin-moeder en koning François gevraagd om een audiëntie, zodat hij de motieven van de hugenootse rebellen kan toelichten.'

'*Mon père* heeft onder de admiraal gevochten en heeft me verteld dat hij een dappere *seigneur* is,' zei Romier. 'Een beter pleitbezorger voor hun zaak kunnen ze zich niet wensen. Maar daarmee is graaf Sébastien nog niet geholpen.'

Hij hulde zich in stilzwijgen.

Andelot fronste en dacht over dit ingewikkelde probleem na.

Ten slotte schudde Romier zijn hoofd. 'Je had graaf Sébastiens vrouw geen slechter nieuws kunnen brengen, Andelot.'

'Ik vind het ook verschrikkelijk, want zoals ik je al heb verteld, is Sébastien *mon oncle*.'

Romier keek bedenkelijk. 'Madame Madeleine is momenteel niet in staat om het nieuws volledig tot zich door te laten dringen. Ze is door een geheimzinnige ziekte getroffen. Regelmatig verliest ze het bewustzijn. Ik heb gehoord wat de *docteur* tegen de hertogin heeft gezegd.'

'Heeft hij een diagnose gesteld?' vroeg Andelot.

'Hij vermoedt dat ze vergiftigd is.'

Andelot staarde hem aan. 'Vergiftigd?'

'Ja – voedselvergiftiging als gevolg van het eten van bedorven appels. Dat moet de oorzaak wel zijn, want de *grande dame* van het zijdekasteel en madame Madeleine zijn de enigen die van die appels hebben gegeten.'

'Appels...' herhaalde Andelot, terwijl hij fronsend naar zijn beker lauw bier staarde.

Misschien hadden er wormpjes in de appels gezeten en hadden ze die zonder het te merken doorgeslikt, dacht hij. *Non,* deze verklaring was niet erg waarschijnlijk. Hij had geiten heel vaak verrot fruit zien eten zonder dat die er iets van hadden gekregen – zeker geen voedselvergiftiging. Hij duwde de beker van zich af. De drank begon hem naar het hoofd te stijgen. Hij was moe, uitgeput, dat was alles. Hij had slaap nodig, veel slaap.

Andelot duwde zijn stoel naar achteren en stond op. Vanavond, als de hertogin hem weer zou laten roepen, zou hij zich minder vermoeid en somber voelen, zo hield hij zichzelf voor.

Hij verontschuldigde zich bij Romier en een van de livreiknechten leidde hem naar de slaapzaal van het *Corps des Pages*, gelegen aan de achterzijde van het Louvre. Hij kreeg een smal bed toegewezen. Hij trok zijn laarzen uit en ging op bed liggen. Hij deed zijn ogen dicht en legde zijn arm over zijn ogen om niet door het daglicht dat door een nabijgelegen raam naar binnen stroomde gestoord te worden.

Wat wilde hem maar niet te binnen schieten? Het was iets belangrijks. Wat was het? vroeg hij zich af, terwijl hij langzaam in een diepe slaap wegzonk.

Andelot zag hoe de jonge prins Charles Valois de deur opende, naar binnen gluurde en Andelot gebaarde hem te volgen. Andelot voelde hoe hij achter Charles werd meegezogen door een wirwar van gan-

gen. Waar ben ik? Amboise... het palais *van Amboise. Plotseling kwamen ze uit bij een grote, dreigende deur.*

Charles keek hem minachtend aan, pakte hem bij zijn arm en trok hem een groot, schemerig vertrek binnen.

'Kom, boerenkinkel, deze kant uit,' siste Charles.

Andelot hoorde de stem van markies Fabien hem huiveringwekkende verhalen over Catherine de Médicis in het oor fluisteren. 'Ze wordt omringd door waarzeggers. Ze heeft Cosmo Ruggiero meegebracht uit Florence. Hij laat haar slechts voor korte periodes alleen. Cosmo, de sterrenwichelaar en alchemist, gooit de beenderen van overleden mensen in het vuur, maakt poeders en brouwt drankjes. Hij trekt haar horoscopen en boetseert wassenbeeldjes met de gelijkenis van degenen die in ongenade zijn gevallen. Ze lijden helse pijnen als hun wassenafgietsels in de vlammen smelten. Cosmo is haar hofleverancier van vergiften. Hij en zijn broer hebben zich bekwaamd in het bereiden van zeer giftige kruiden en planten. Op de kade vlak bij het Louvre is hun winkel.'

Slaapwandelend volgde Andelot Charles een kleine torenkamer binnen.

'Kijk, een geheime trap,' grijnsde Charles. Hij opende een nauwe, verborgen deur die in de muur was gebouwd en wees naar boven.

Andelot gluurde langs hem heen en zag een steile stenen trap. Charles hield een kaars vast die flakkerde in de wind.

'Deze kant uit, boer, schiet op!'

Andelot rende de trap op achter Charles aan, wiens schaterlach steeds zwakker klonk. 'Schiet op, schiet op, schiet op...'

Charles bleef bovenaan de trap voor een deur staan. Hij draaide een gouden sleutel om en ging het vertrek binnen. Het was een laboratorium met een bed, een stoel en een tafel waarop een oud manuscript lag. Het was in het Latijn geschreven en met sterrenbeelden geïllustreerd. Aan de ene kant zag hij de afbeelding van de heidense hogepriesteres Semiramis en aan de andere kant een tempel in de vorm van een toren die tot in de wolken reikte.

'Wat zeggen de sterren, boer? Kun je de voorspellingen lezen?' zei Charles plagerig.

Andelot staarde naar een kabinet dat tegen de muur stond. De kast was gevuld met allerlei verzegelde zakjes gedroogde kruiden en poeders. Op een van de zakjes stond geschreven: Voor Hare Majesteit. Wit poeder. Zeer sterk. Strooi over bloemen, bladzijden van boeken en in handschoenen. Dood volgt binnen enkele dagen.

Plotseling was Charles' gezicht vertrokken van angst. 'Maman komt eraan. Verberg je!'

Andelot sprong naar de deur en vloog met Charles een wenteltrap af die naar een smal afdak leidde. De wind huilde en de regen striemde in zijn gezicht. Een verblindende bliksemschicht verlichtte de grijze, kolkende watermassa beneden hem. Lichamen van verminkte hugenoten beukten tegen de dam aan. Hij verloor zijn evenwicht, stortte van de richel af en werd verzwolgen door de lichamen van de martelaren onder zich…

'Help!' schreeuwde hij.

Andelot zat rechtop in bed. Zijn hart bonkte en zijn rug was kletsnat van het zweet. Zijn handen had hij krampachtig aan de rand van het bed vastgeklemd.

Vergif.

De zon was achter de horizon verdwenen en het laatste schemerlicht viel door het raam de kamer in.

Vanuit zijn ene ooghoek zag hij een schaduw in de deuropening bewegen. Hij draaide zich om. Het was Romier.

'*Madame* heeft me gestuurd. Ze wil je nu graag zien.'

Andelot trok zich snel achter een gordijn terug en gooide een emmer water over zijn hoofd. Rillend droogde hij zich af en pakte de bundel schone kleren die Romier blijkbaar voor hem had klaargelegd. Andelot bedankte hem en kleedde zich haastig aan.

Toen hij de binnenplaats overstak, zag Andelot dat er fakkels voor de verschillende ingangen van het *palais* brandden. Soldaten met gepluimde helmen, glanzende zilveren en bronzen wapens, en glimmend gepoetste laarzen hielden de wacht.

Bij de ingang van de vertrekken van graaf Sébastien Dangeau werd Andelot door hertogin Dushane opgewacht. Haar gezicht stond somber.

'Andelot, ik heb droevig nieuws voor je. *Le docteur* is momenteel bij mijn *cousine*, madame Henryette. Hij heeft me verteld dat ze op sterven ligt en dat hij niets meer voor haar kan doen.' Haar stem brak en ze draaide zich vlug om, terwijl ze haar gezicht in haar zakdoek verborg.

Andelot zag dat haar schouders beefden.

Hij wist niet hoe hij moest reageren, toen hij de voorname adellijke dame zo hulpeloos zag huilen. Moest hij haar troosten? Een arm om haar schouders slaan? Haar naar een stoel brengen?

Met gebogen hoofd bleef hij staan. Plotseling dacht hij aan Rachelle, haar zuster Idelette, en de familie Macquinet in het zijdekasteel. Dit nieuws zou een zware klap voor hen zijn. Grandmère was zeer geliefd bij de familie en haar overlijden zou een groot verlies voor hen zijn.

Duchesse Dushane kwam tot bedaren. Met haar zakdoek depte ze haar ogen en wangen droog. Verdriet om het verlies van een dierbare bleef niemand in dit leven bespaard, of men nu arm of rijk was. Toen hij de hertogin zag huilen, met de fonkelende ringen aan haar gerimpelde vingers, maar machteloos tegen het geweld van de dood, kermde hij het van binnen uit: *wie kan de dood en het graf overwinnen?*

'Kan er dan helemaal niets meer voor haar worden gedaan, *madame*?'

Ze schudde langzaam haar zilvergrijze hoofd. '*Non.*'

Andelot begreep niet waarom hij plotseling werd overmand door verdriet.

Is het leven dan niets anders dan dood en verlies? Ach, in dat geval moet de geboorte van ieder enfant *ons met droefheid vervullen.*

'Waren Henryettes dochter, Claire, en haar kleindochters Idelette en Rachelle maar hier om afscheid van haar te nemen. Wat verschrikkelijk dat ze er niet zijn,' zei de hertogin.

'Zelfs Madeleine, die in de slaapkamer naast die van haar grootmoeder ligt, is te ziek om bij haar grootmoeder te waken.'

Andelot liep diep in gedachten de kamer rond. Hij werd opgeschrikt in zijn overpeinzingen, toen de hertogin de stilte verbrak. Ze was gaan zitten en leek moeite te hebben om zich goed te houden.

Zou hij haar een voorstel durven doen? Waarom niet? Hij was dit aan Rachelle verschuldigd, die zo'n innige band met haar dierbare grootmoeder had.

'*Madame*, misschien kan ik naar het zijdekasteel rijden om de dames Macquinet hiernaartoe te brengen.'

'Ja, daar heb ik ook aan gedacht, maar het is te laat, Andelot – ze ligt op sterven.'

'*S'il vous plaît, madame*. Ik heb de beschikking over een paard; het is de hengst van de markies! Hij is zo vlug als de wind. Als de markies wist wat er aan de hand was, zou hij me direct toestemming geven om op zijn paard naar het zijdekasteel te rijden. Het zou zo veel voor de Macquinets betekenen, *madame*.'

Ze keek hem vriendelijk aan. 'En waarom wil je dit zo graag voor hen doen?'

Andelot antwoordde haastig: 'Voordat mijn oom Sébastien me naar de kloosterschool in Parijs stuurde, woonde ik bij een min op het zijdekasteel in Lyon. Ik herinner me de waardige dame die de zijdedochters vol liefde *Grandmère* noemden nog heel goed. Ik zie het als mijn morele plicht om ervoor te zorgen dat mademoiselle Rachelle haar *grandmère* nog één keer ziet, voordat ze sterft, en nog één keer naast haar bed kan neerknielen om voor haar te bidden.'

De hertogin leek haar emoties weer in bedwang te hebben en liep, leunend op haar wandelstok, naar haar bureau.

Ze was weer hertogin Xenia Dushane, die uit hoofde van haar adellijke titel gewend was beslissingen te nemen. 'Ja, ga Rachelle halen, zodat ze tenminste *adieu* tegen haar grootmoeder kan zeggen. Ik stel het zeer op prijs dat je dit voor ons wilt doen, Andelot.'

Hij voelde dat hij een kleur kreeg. De grote dame had hem een compliment gemaakt.

'Ik zal mijn page met je meesturen.' Ze sloeg op een kleine gong en onmiddellijk kwam Romier, die voor de deur had staan wachten, de kamer binnen.

Hij maakte een buiging. 'Hoogheid?'

'Zadel mijn snelste paard. Je moet vanavond nog met Andelot naar Lyon vertrekken.'

'*Toute de suite, madame duchesse.*'

6

Het zijdekasteel, Lyon

De dag na het vertrek van de markies van Vendôme had Rachelle het gevoel dat haar leven voorbij was. Haar toekomst zag er somber en uitzichtsloos uit. Ze wenste dat ze Fabien nooit had ontmoet. Ze gaf hem de schuld van haar misère en ging gemakshalve voorbij aan het feit dat zij als eerste verliefd op hem was geworden. Ze nam het hem kwalijk dat hij haar in de steek had gelaten en haar niets had willen beloven. Zijn argumenten dat ze geen overhaaste beslissingen moesten nemen en dat haar familie een katholiek als schoonzoon en zwager niet zou accepteren, wees ze van de hand. Waarom had hij dit niet eerder bedacht? Waarom was het nooit een probleem voor haar geweest?

Rachelle piekerde over al deze problemen en rouwde daarbij ook nog over het verlies van haar zusje, *petite* Avril, en de aanranding van Idelette. Ze wist dat zij en Fabien samen geen toekomst hadden, maar desondanks bleef ze aan hem denken.

Het was zo dom van me om verliefd op hem te worden, dacht ze voor de zoveelste maal.

Naarmate de dagen verstreken, begon ze in te zien dat ze zelf ook schuld droeg. Misschien had ze hem door haar opdringerige gedrag afgeschrikt? Ze herinnerde zich dat haar oudste zuster Madeleine haar ooit in een gesprek over de markies het volgende advies had gegeven: 'Mannen vinden het soms moeilijk om zich aan een vrouw te binden. Als je te hard van stapel loopt, kun je een relatie in een vroeg stadium kapotmaken, vooral als de man in kwestie nog niet helemaal zeker is van zijn zaak. Als een vrouw een te groot beslag legt op haar geliefde, dan gaat hij soms weer twijfelen – ze kan hem zelfs afschrikken met haar gedrag. Er is veel wijsheid en geduld voor nodig om de juiste weg te vinden. Maar als je geduldig bent, dan zul je erachter komen of je te maken hebt met een man die zich niet wil binden of een man die niet over een nacht ijs wil gaan, omdat hij de relatie die hij aangaat serieus neemt – als iets voor het leven. De markies heeft de tijd genomen en heeft vele valstrikken vermeden. Hij is echter een zeer gecompliceerde *galant*: hij wenst te bezitten – maar wil niet bezeten worden. Ik raad je met klem aan om pas te proberen zijn hart te veroveren, als hij daarvoor open staat.'

'Je lijkt hem goed te kennen.'

Madeleine had haar schouders opgehaald. 'Vergeet niet dat ik hem aan het hof heb zien opgroeien. Hij is Sébastiens aangetrouwde *neveu*. Ik heb gezien hoe talloze *belles demoiselles* hem in hun netten hebben proberen te vangen – velen van hen uit de hoogste kringen. Deze dames hebben allemaal dezelfde vergissing begaan: ze hebben zich aan zijn voeten geworpen, en hierdoor bij voorbaat al hun waarde voor hem verloren.'

'Het is dus alleen maar een spel?' had ze ironisch gevraagd.

'Geen spel, maar het voorspel van de meest serieuze relatie die een mens in zijn leven kan aangaan – één die door liefde en leed zal moeten standhouden. Ik raad je aan, *chère* zuster, om jezelf als een kostbare schat aan hem te presenteren die hij met moeite zal moeten veroveren, in plaats van omgekeerd.'

Toen Rachelle aan het laatste gesprek tussen hen beiden dacht, verscheen er een diepe rimpel op haar voorhoofd. Haar gezicht vertrok, toen ze eraan dacht hoe ze hem had gesmeekt om bij haar te blijven. Ze was achter hem aan gehold, en had zich letterlijk aan hem vastgeklampt. Haar wangen gloeiden van schaamte. *Hoe kon ik me zo gedragen? Omdat ik van hem houd! Maar ook in de liefde moet ik me, zoals mijn zuster zou zeggen, wijs en waardig gedragen.*

Misschien dacht Fabien dat ze geen haar beter was dan madame Charlotte de Presney, die ooit had geprobeerd om Fabien in de tuin te verleiden.

Rachelle besefte dat ze de neiging had om praktische problemen die haar dromen en wensen in de weg stonden gemakshalve te negeren. Ze dacht er liever niet over na en zelfs als ze dit wel deed, dan maakte ze zichzelf wijs dat er zich op de een of andere manier wel een oplossing voor zou aandienen. Ze had haar hart verloren aan markies Fabien de Vendôme en een aantal ernstige obstakels niet onder ogen willen zien. Hoewel hij een levensgrote plaats in haar hart innam, begon ze zich af te vragen of ze hem in haar naïviteit niet had voorgesteld als haar prins op het witte paard.

In de smartelijke dagen die op zijn vertrek volgden, dwong Rachelle zichzelf ertoe om de grote problemen die een huwelijk tussen haar en de markies in de weg stonden, eerlijk onder ogen te zien. Allereerst was zijn godsdienstige gezindheid een doorn in het oog van haar familie. In de praktijk stelde hij zich kritisch op ten opzichte van Rome, maar was dat genoeg voor haar ouders en Grandmère? Elke middag om twaalf uur woonde hij de mis bij aan het hof, terwijl loyale hugenoten liever in de Bastille werden opgesloten en hun leven op de brandstapel verloren dan dat ze de belangrijkste boodschap uit Gods Woord zouden verloochenen, namelijk de vergeving der zonden door het geloof in Christus' verlossingswerk aan het kruis.

Verder was hij een telg uit het koninklijke geslacht van de Bourbons. Fabien had haar verteld dat hij vrij was in de keuze van zijn huwelijkspartner, maar was dit echt zo? Ze wist niet wat zijn familie van hem verwachtte, maar ze was ervan overtuigd dat de Bourbonse prinsen ervan uitgingen dat hij met een prinses uit een van de Europese vorstenhuizen zou trouwen, of een vrouw uit de hoogste adellijke kringen. Rachelle stamde bepaald niet uit een boerengeslacht en ze was trots op de reputatie van haar familie, maar er stroomde geen koninklijk bloed door haar aderen. Hertogin Xenia Dushane was een nicht van haar *grandmère*, maar Rachelle zou haar titel niet erven. De Bourbons daarentegen waren na de Valois de eersten die aanspraak konden maken op de Franse troon, en het was geen geheim dat de huidige prinsen van Valois een zwakke gezondheid hadden. Wat zou een huwelijk met Rachelle Macquinet de Bourbons opleveren, behalve wat expertise op het gebied van zijde?

Fabien zou deze argumenten luchtig en nonchalant van de hand wijzen, maar het stond als een paal boven water dat Fabien aan de bezwaren van haar hugenootse familie tegemoet moest komen en Rachelle aan die van zijn neven, prinsen van koninklijken bloede!

Voor de eerste keer vroeg ze zich in ernst af of hij bereid was tegen de wens van zijn familie in te gaan. Fabiens neven, de prinsen Louis de Condé en Antoine de Bourbon, hadden een grote invloed op hem. Tot nu toe hadden ze zich nog niet in de kwestie gemengd. Misschien had het met zijn jeugdige leeftijd te maken. Vreemd genoeg kwam Fabien juist heel volwassen bij haar over. Hij had ook bewezen verstandig en integer te zijn. Hij had er geen maîtresses op nagehouden en onechte kinderen verwekt, iets wat schering en inslag was aan het zondige hof. Het kwam zo vaak voor dat het zeker iets zei over het karakter van een man met zijn uiterlijk en maatschappelijke status. Pleitte het niet voor zijn zelfdiscipline en morele overtuigingen? Zodra hij zijn verloving aankondigde, zou de tolerantie van de Bourbons heel goed om kunnen slaan.

Terwijl ze de kille feiten tot zich liet doordringen, vroeg Rachelle zich af hoe ze zo naïef had kunnen zijn. Om allerlei praktische redenen kon hun relatie niet uitgroeien tot meer dan een kortstondige romance.

Haar maag trok samen. Stel je voor dat ze plotseling zou ontdekken dat ze toch een prinses was! Of misschien zou de hertogin Dushane haar onverwacht haar titel nalaten – *la duchesse Rachelle Dushane-Macquinet!*

Ze lachte spottend om haar fantasieën, maar meteen sprongen de tranen in haar ogen. In de familie van haar moeder, noch in die van haar vader waren prinsessen en het was hoogst onwaarschijnlijk dat er alsnog eentje zou opduiken tussen de narcissen die deze lente zo prachtig in bloei stonden. *Non,* het leven was bitter en wreed, zoals de dood van Avril en de brute verkrachting van Idelette hadden bewezen. Er was geen simpele oplossing voor haar onmogelijke liefde voor de markies. Ze kon de waarheid beter onder ogen zien. Ze was geen bakvis, zoals haar *grisette* Nenette, die ervan droomde dat een prins haar op een dag op zijn witte paard zou meevoeren.

Rachelle besefte dat ze te hoog had ingezet door verliefd te worden op de markies – en daar nu de prijs voor betaalde.

Op de avond dat de markies vertrok, stak er onverwacht een storm op. De regen sloeg tegen de ramen van het *château.* Rachelle tilde haar donkerblauwe rokken op en haastte zich met de belangrijke brief van haar vader de trap op. Het was laat en afgezien van het geluid van de regen was het muisstil in huis. Ze moest haar *mère* op de hoogte brengen van de gevaarlijke situatie waarin Arnaut verkeerde. Ze hadden geen minuut te verliezen. Op de overloop greep ze de glimmende leuning beet en dacht aan de markies. Voordat hij en Gallaudet de herberg zouden bereiken waar ze hadden afgesproken met de andere mannen zouden ze doorweekt zijn. Zouden ze er blijven overnachten of meteen doorrijden? Fabien kennende, zou hij wind en regen trotseren.

Haar ogen vernauwden zich tot spleetjes en ze was woedend dat ze zich zorgen maakte over hem. 'Van mij mag hij verdrinken,' siste ze tussen haar tanden. Ze snelde de gang door waar het Venetiaanse glas van de muurlampen het licht in alle kleuren van de regenboog reflecteerde. Voor de deur van Claires slaapkamer aarzelde ze even. Er scheen een flauw schijnsel onder de deur door. Zachtjes klopte ze aan.

Nenette deed de deur open. Ze had roodomrande ogen van het huilen.

'Slaapt ze, Nenette?'

'Ze is wakker, maar mademoiselle Idelette slaapt,' mompelde ze.

Rachelle wist dat Idelette vannacht in de slaapkamer van haar moeder zou overnachten, zodat deze bij haar kon waken en haar troosten.

Ze ging de lavendelblauwe en crèmekleurige kamer binnen en keek naar het grote bed dat in een nis was geplaatst. Het dunne, met lavendelblauw kant afgewerkte gordijn om het bed was half dichtgetrokken.

Claire had haar binnen horen komen, want ze kwam aan de andere kant van het bed tevoorschijn. Met haar zilverblauwe kamerjas losjes omgeslagen, liep ze naar Rachelle toe. Haar asblonde, met grijs gemengd haar hing in een lange vlecht over een schouder. Ze zag er uitgeput uit, maar haar lichtblauwe ogen keken alert.

'Rachelle, *ma chère fille*, ik dacht dat je al naar bed was gegaan. Ik stond op het punt naar je toe te komen om je een goede nacht te wensen. Idelette is eindelijk in slaap gevallen.'

Rachelle ging met haar moeder bij het raam zitten. De gordijnen waren dichtgetrokken om hen tegen de stortregen te beschermen. Hoewel ze alleen waren en er zich geen spionnen in de kamer bevonden, legde Rachelle met zachte stem uit waarom ze naar boven was gekomen en overhandigde haar de brief.

Claire kwam uit haar stoel overeind en liep langzaam de kamer op en neer, terwijl ze kennis nam van de hachelijke situatie waarin haar man zich bevond.

'Ik moet Arnaut onmiddellijk op de hoogte stellen van de

gevaren die hem en ons gezin hier bedreigen. Calais wemelt van de Spaansgezinden. Als deze brief in handen van de soldaten in de herberg was gevallen en bij de hertog van Guise was beland, dan had hij ons vanavond nog gearresteerd.' Ze vroeg aan Rachelle: 'Hoe kon de student ongemerkt uit de herberg ontsnappen?'

Rachelle probeerde haar emoties in bedwang te houden, terwijl ze haar moeder vertelde: 'Dat hebben we aan de markies van Vendôme te danken. Ik heb hem niet verteld dat de hertog van Guise de aanval leidde, maar hij is er op de een of andere manier toch achtergekomen. Gallaudet en hij zijn vervolgens naar de herberg gereden, waar het weinig had gescheeld of twee soldaten van Guise hadden de student in de gaten gekregen. Gallaudet en Fabien vroegen de mannen waar de hertog zijn kamp had opgeslagen voor de nacht. Er ontstond een woordenwisseling, waarna de soldaten hun zwaard trokken en een duel volgde. Hierdoor kon de student zich ongemerkt uit de voeten maken. De twee soldaten hebben het duel echter niet overleefd.'

Opnieuw had markies Fabien madame Claire een dienst bewezen, net zoals een aantal weken daarvoor, toen hij Rachelle vanuit zijn kasteel in Vendôme naar het zijdekasteel had geëscorteerd. Rachelle had daar zonder chaperonne vertoefd, een feit waarover haar moeder later haar wenkbrauwen had opgetrokken. Rachelle had zich hieraan geërgerd en tegen Idelette geklaagd dat haar moeder zich minder zorgen leek te maken over wat haar in Amboise had kunnen overkomen dan haar volkomen onschuldige verblijf in een privékamer op het kasteel van Vendôme. 'De deur was met een stevig slot vergrendeld,' had ze vinnig tegen Idelette opgemerkt.

'Waar is de markies nu?' vroeg Claire.

Rachelle verborg haar verdriet en boosheid, want ze wilde niet dat haar moeder wist hoeveel ze om de markies gaf. 'Hij is weer op reis gegaan, omdat hij ergens iets dringends te doen had. Ik moest u zeggen dat het hem spijt dat hij u niet persoonlijk voor uw gastvrijheid heeft kunnen bedanken.'

'Hij is dus vertrokken?'

Haar moeder wist niets van Fabiens avontuurlijke plannen af en was zichtbaar verbaasd.

'*Oui*, hij is een paar uur geleden vertrokken en zal voorlopig niet terugkeren. Hij is van plan naar Engeland te varen.'

Wat zou mijn mère *teleurgesteld in mij zijn geweest als ze had gezien hoe ik hem smeekte om te blijven.*

Rachelle bedacht wat een waardige dame haar moeder was, terwijl het haar aan geduld en bescheidenheid ontbrak. Waarom waren haar moeder en Idelette zo anders dan zij? Rachelle weet het aan haar geestelijke koppigheid. *Als ik even standvastig was in het geloof als zij, dan zou ik me zeker anders gedragen.*

'De markies is van plan naar Engeland te gaan?' Claire keek haar vragend aan.

Rachelle besefte dat ze te veel had gezegd. Haar moeder zou haar nu zeker geen toestemming geven om een tijd voor de Hudsons in Londen te gaan werken. Rachelle moest laten blijken dat ze niet verliefd op hem was.

'Hij zal niet lang in Engeland blijven. Ik heb hem tegen neef Bernard horen zeggen dat hij de overtocht zal financieren van een schip met goederen voor Fort Caroline in Amerika.'

'Florida? *Oui*, je *père* heeft me een poosje geleden over deze nederzetting verteld. Ik wist niet dat de markies een *ami* was van de hugenootse admiraal.'

Rachelle besloot haar mond te houden en niet toe te geven aan de neiging om Fabien in de achting van haar moeder te doen stijgen door te beamen dat hij een vriend was van admiraal De Coligny, een overtuigd hugenoot.

Opnieuw las Claire de brief en haar fijne gezicht verstrakte. 'Arnaut moet onmiddellijk gewaarschuwd worden. Bernard kan voorlopig niet naar Calais reizen. Ik zal de student – hij heette toch Matthieu? – morgenochtend naar je *père* sturen. Heb je hem van het nodige voorzien?'

'*Oui,* ik heb voor kleren en eten gezorgd. Hij is al naar bed gegaan.'

'Hij hoeft slechts een brief bij je vader af te leveren. Hoe is hij hiernaartoe gereisd? Te paard?'

'*Non,* vanaf de herberg in ieder geval te voet. Ik heb geen paard gezien.'

'Dan zullen we voor een paard zorgen en voor wat zakgeld voor onderweg. Ik zou graag zelf naar je *père* willen gaan, maar...' – ze schudde haar hoofd en keek naar het bed – 'ik kan je zuster nu niet alleen laten.'

Rachelle had haar moeder willen voorstellen in haar plaats naar Calais te gaan, maar ze wist dat deze nee zou zeggen.

Claires ogen kregen een zachte uitdrukking en teder hield ze haar hand tegen Rachelles wang. 'Je moet nodig gaan slapen, *ma petite.* Ga naar bed en maak je geen zorgen. We gaan momenteel door een diep dal, maar zo zal het niet altijd blijven. Hij zal ons door de duisternis naar het licht leiden.'

Rachelle knikte en probeerde te glimlachen omwille van haar moeder. *Houd je ware gevoelens nu verborgen.*

Ze liep naar het bed toe en schoof zachtjes het gordijn open om naar haar zuster te kijken. Idelette had het slaapdrankje ingenomen en was in een diepe slaap verzonken. Met pijn in haar hart zag Rachelle haar bont en blauw geslagen gezicht. Haar ogen vernauwden zich en ze voelde de woede in zich oplaaien.

Zo gemakkelijk kan ik niet vergeven. Ik haat de hertog van Guise! Ik zou er geen oog minder om dicht doen, als de markies zijn hart met een zwaard doorboorde!

De volgende morgen namen Claire en haar gezin afscheid van Matthieu. Hij vertrok naar Calais met een nieuwe garderobe, zakgeld voor onderweg, wat extra geld voor zijn opleiding en met Rachelles eigen paard, dat ze hem cadeau had gedaan. Matthieu was ontroerd over de broederlijke liefde van de Macquinets en verzekerde hen dat hij liever zou sterven dan de Here Jezus verloochenen.

'Ik zou zelfs met de bijbels de Noordzee overzwemmen, als dat nodig zou zijn.'

'Ik hoop dat de Heer ons van een droger transportmiddel zal voorzien,' klonk de zwakke stem van neef Bernard, die blijkbaar zijn gevoel voor humor niet had verloren. Ze hadden allemaal gelachen, de eerste keer in lange tijd. Rachelle zou Bernards gebed voor Matthieu, die naast zijn bed neerknielde, later als een lichtpunt herinneren in deze donkere dagen.

Avrils begrafenis vond plaats op het landgoed van de Macquinets. Bernard had erop gestaan op een draagbaar naar het graf gebracht te worden om de begrafenisdienst te leiden. De enige die er niet bij kon zijn, was sir James Hudson, omdat hij zijn been had verwond. Hij zei dat als er twee personen op een draagbaar naar het familiegraf zouden worden gebracht, dit de meest trouwe vrienden zou ontmoedigen.

Deze begrafenis was er één van de vele die rond die tijd in het dorp bij Lyon plaatsvonden. De meeste slachtoffers van de bestorming waren in grote haast begraven. Rachelle wist dat veel hugenoten verwachtten dat de hertog van Guise zou terugkeren. Er zouden aanvallen op andere dorpen en andere ketters volgen. Sommigen dachten echter dat het een ongelukkig toeval was dat de hertog op deze bewuste zondagmorgen hun kant op was gereden en op een 'illegale eredienst' was gestuit van mensen die weigerden om de mis bij te wonen en die om die reden de dood verdienden. Maar nadat Matthieu de twee soldaten in de herberg had aangetroffen, geloofde Rachelle daar niet meer in. Anderen konden het idee van een geplande razzia niet accepteren. Ze wilden niet geloven dat hun medeburgers zich tegen hen zouden keren, zodra ze de kans kregen. Rachelle had het al zo vaak gehoord. *Niet hier. Hier zal nooit gebeuren wat in andere steden is gebeurd. De hertog van Alva zal nooit naar Frankrijk komen.*

'We hebben de hertog van Alva niet nodig,' had Rachelle bits tegen de buren opgemerkt die na de begrafenis van Avril waren komen condoleren. 'De koning van Spanje heeft zijn eigen vazallen in Frankrijk: de hertog van Guise en de kardinaal van Lorraine.'

Verscheidene buren die geen hugenoten waren, hadden haar verstoord aangekeken. Madame Claire had de situatie gered door snel over een ander onderwerp te beginnen en had Rachelle, die geen spijt van haar opmerking leek te hebben, vermanend aangekeken. Rachelle had zich omgedraaid en was de *salle* uit gelopen. Na het vertrek van alle bezoekers had haar moeder haar in de tuin aangetroffen. Het weer was na de regen van de afgelopen dagen opgeklaard. De bloemen stonden in bloei en de vogels zongen het hoogste lied.

'*Ma chérie,* je moet op je woorden letten. Je bent zo cynisch en scherp geworden.'

'Als het alleen maar is om anderen niet voor het hoofd te stoten, dan zie ik geen reden om mijn mond te houden. Waarom moeten we de waarheid verzwijgen?'

'De waarheid moet met liefde gesproken worden.'

Rachelle wist dat ze gelijk had. 'Het spijt me, *maman,* dat ik u in verlegenheid heb gebracht, maar het kan me niet schelen wat de mensen van ons denken.'

'Het mag je niet onverschillig laten. Het zijn buren van ons. We moeten respectvol met elkaar omgaan en in vrede samenleven. Je weet wat er in de Bijbel staat: "houdt zo mogelijk, voor zover het van u afhangt, vrede met alle mensen."'

'Ik heb het vermoeden dat sommige mensen wisten dat de hertog van Guise in aantocht was en ons met opzet niet hebben gewaarschuwd. Ze zijn niet naar ons toe gekomen om ons hun deelneming te betuigen, maar om ons te bespioneren.'

Claires gezicht betrok. 'Misschien heb je gelijk, maar het

is niet aan ons om te oordelen, Rachelle. Het zwaard des oordeels komt alleen de Heer toe. De hertog zal zich op een dag voor Christus moeten verantwoorden voor al zijn daden. Ons geloof blijkt uit het feit dat we ons lijden aan Hem overgeven.'

Ook nu wist Rachelle dat ze gelijk had, maar ze kon niet in de situatie berusten zoals haar moeder.

'Ik heb me vaak afgevraagd hoe Stefanus in staat was zijn beulen te vergeven, toen hij werd gestenigd. "Reken hen deze zonde niet aan." Soms denk ik dat ik hen in zijn plaats met de zwaarste steen zou hebben bekogeld!'

Claire glimlachte, maar werd meteen weer ernstig. '*Ma chérie,* Stefanus had dit alleen maar te danken aan de Heilige Geest, die in hem woonde. Hoe kon hij anders hebben gehandeld dan Christus aan het kruis?'

Maar Avril is dood! wilde ze uitschreeuwen.

Kalm ging haar moeder verder: 'Stefanus was vervuld met de Heilige Geest. Onze oude zondige natuur wil terugvechten, maar niet onze nieuwe natuur. Geef jezelf aan God over – geef je boosheid aan Hem over. Als je dit niet doet, zul je door bitterheid worden verteerd.'

Rachelle was ontroerd door de liefdevolle en bezorgde blik van haar moeder. Ze sloeg haar ogen neer, knikte even en bekeek de tere blaadjes van de roos die ze in haar hand had.

Avril is dood; Idelette is verkracht; alleen God kan haar zo'n groot vertrouwen hebben geschonken. Sommige vrouwen stortten volledig in na het overlijden van een kind. Anderen maakten God bittere verwijten. Maar nu de drinkbeker van het lijden naar hun kant was gekomen, worstelde Rachelle met haar geloof, zoals Jacob met de Engel had geworsteld in Genesis.

De volgende dagen verliepen rustig. Op een morgen liep Rachelle neef Bernards kamer binnen met een dienblad waarop een mandje warme broodjes, boter en *café* stonden.

Er waren gelukkig ook hoopvolle tekenen. Neef Bernard bleek sneller te genezen van zijn verwondingen dan dokter Lancre had verwacht.

Rachelle putte grote troost uit de Bijbellezingen die elke avond na het *dîner* in de kamer van Bernard plaatsvonden. In het verleden had ze niet veel waarde aan deze momenten gehecht. Vaak waren haar gedachten afgedwaald naar zaken die haar op dat moment bezighielden. Nu leken deze studies hen nader te brengen tot de Ene die Zijn liefdevolle vleugels over de familie had uitgespreid.

Bernard had het boek Handelingen voor zijn Bijbellezingen gekozen, want in dit Bijbelboek stonden veel verhalen over de eerste christelijke gemeenten. Hun getuigenissen waren als balsem op de wonden van de verdrukte Kerk in Frankrijk. Bernard sloot zijn lezing af met een gedeelte uit 2 Korintiërs waar alle beproevingen van de apostel Paulus werden opgesomd: hij was mishandeld en met stenen bekogeld; hij had honger en dorst geleden, vele nachten niet geslapen en geen warme kleren gehad om zich tegen de kou te beschermen en nog vele andere ontberingen geleden. En dat alles vanwege zijn boodschap aan de Romeinse vervolgers dat Christus de enige Verlosser was voor de verloren mensheid. Paulus' toewijding en lijden vormden een inspiratiebron voor Rachelle.

Jezus, mijn Heiland, geef mij de kracht om Uw Naam te belijden.

Toen Rachelle bij Bernard aanklopte, deed Siffre de deur open. Hij was een magere *chevalier* op leeftijd die zelden glimlachte, maar zijn ogen glansden als parels. Op de een of andere manier moest ze altijd glimlachen, als ze Siffre zag.

'*Bonjour*, Siffre.'

'*Bonjour, mademoiselle*,' zei hij plechtig.

'Ik kom neef Bernard zijn *café* brengen.'

'U hebt de room en suiker toch niet vergeten, *mademoiselle*? U weet dat hij zijn koffie niet zonder drinkt.'

Elke keer dat ze Bernard koffie kwam brengen, stelde hij

dezelfde vraag, zodat het bijna een ritueel was geworden. '*Oui*, Siffre, ik heb room en suiker meegebracht.'

'*Merci, mademoiselle*, ik zal hem een kopje inschenken.' Rachelle keek langs Siffre naar Bernard, die op bed lag. Ze was blij dat de rode kleur op zijn magere wangen was teruggekeerd. Bernard stond erom bekend elke morgen voor het opstaan een paar verzen uit de Bijbel te lezen. 'Als ik mijn geest niet voed met het levende Woord aan het begin van de dag, dan wordt hij gevuld met gedachten van satan, die op onze ondergang uit is,' was zijn motto.

'Rachelle, *ma petite*, kom hier, kom naast me zitten. Ik schaam me diep dat ik hier lig als een luie, oude jachthond die zijn beste dagen heeft gehad.'

Rachelle glimlachte en ging zitten op de armleuning van een koningsblauwe fauteuil. 'Er zou heel wat moeten gebeuren, voordat ik u lui zou noemen,' zei ze lachend. 'Dokter Lancre heeft me verteld dat u gisteren te lang bent opgebleven. Hij vreest dat u weer koorts zult krijgen.'

'Vanmorgen voel ik me sterker dan gisteren. Ik zal zo dadelijk opstaan en mijn bed opmaken. Pas als het donker wordt, zal ik me weer te ruste leggen zoals God het heeft bedoeld.' Hij keek haar ernstig aan. 'Zeg, hoe gaat het met onze lieve Idelette?'

Haar gezicht verstrakte en haar glimlach verdween. '*Ma mère* zegt dat het beter met haar gaat. De blauwe plekken trekken langzaam weg, behalve die op haar lip. Dokter Lancre denkt dat ze helaas een litteken zal houden aan de rechterkant van haar mond.'

Gaat het echt beter met haar, zoals ma mère *zegt?*

Van haar eigen gesprekken met Idelette had Rachelle een andere indruk gekregen.

Bernard knikte ernstig en ging niet verder op haar antwoord in. Wat konden ze nog meer zeggen over de gevoelige en pijnlijke situatie van haar zuster? Aan Avrils lijden op aarde was een einde gekomen, maar Idelette moest haar hele leven lang een last dragen die niemand van haar kon overnemen.

'En de jonge James?' vroeg hij, terwijl hij zijn *café* van Siffre aannam en een slokje van het gloeiend hete brouwsel nam. 'De volgende keer iets meer room, *s'il vous plaît*,' merkte hij zoals altijd op.

'Volgens Dokter Lancre zal zijn been volledig genezen. Hij wil dolgraag weer lopen, zodat hij naar Londen kan terugkeren.'

'Dan kan hij beter opschieten, want ik ben van plan om binnen een dag naar Calais te vertrekken.' Hij nam een hap van zijn broodje. 'En de volgende keer ook wat meer boter, *s'il vous plaît*.'

Calais? Ze spitste haar oren. 'U bent dus echt van plan om met papa naar Engeland te reizen? Dokter Lancre zal hier niet blij mee zijn. Hij zegt dat u tenminste zes weken rust moet houden. Dat heeft *maman* aan *mon père* geschreven.'

'Onze *bon docteur* heeft het beste met me voor, maar hij is niet reëel. Zes weken? *Non.* Het leven is te kort. Ik heb een roeping. Er is geen tijd om te lanterfanten.'

'Maar neef Bernard, hoe kunt u ooit zo'n lange reis maken?'

'Ik red me wel. Siffre gaat met me mee. Een koets verschilt qua comfort niet veel van een bed. En bovendien kan ik me op die manier in ieder geval nuttig maken.' Hij zwaaide met zijn beboterde broodje. 'Als ik me nog langer laat vertroetelen, *ma petite*, word ik alleen maar dik en lui.'

Ze boog over hem heen. 'Dan ga ik mee om u bij te staan. En ik denk dat papa mijn hulp tijdens de terugreis naar Lyon ook goed kan gebruiken. Misschien zullen we stoppen in Parijs om Grandmère, Madeleine en de *bébé* op te halen. U weet dat mijn moeder vanavond nog naar Parijs zou willen vertrekken, maar ze kan Idelette niet alleen laten en Idelette wil absoluut niet naar Parijs gaan. *Maman* kan haar er amper toe bewegen om haar kamer te verlaten en wat in de tuin te wandelen.'

'Wil je naar Calais gaan, omdat de markies daar is?'

Ze kwam snel overeind. 'Ik geef toe dat ik bepaalde gevoelens koesterde voor de markies, maar dat is verleden tijd.'

Haar felheid verbaasde hem. 'Is dat zo?'

'We voelen niets meer voor elkaar. Het is voorbij, en daar ben ik blij om.'

Hij keek haar onderzoekend aan. Ze voelde dat ze bloosde.

'Claire zal opgelucht zijn. Ze is bang dat je gekwetst zult worden, als je je hart verliest aan een edelman uit zo'n voornaam geslacht.'

Ze liep naar de rand van het bed, pakte een van de bedposten beet en keek hem strijdvaardig aan. 'Ik zie nu in dat ik heel andere plannen heb dan hij. Ik heb een grote *amour* voor zijde en de ambitie om als couturière in Grandmères voetsporen te treden.' Haar vingers sloten zich om de bedpost. 'Om diverse redenen is een huwelijk tussen ons uitgesloten. Zoals u weet is hij van koninklijken bloede.'

'Ja, dat weet ik' zei hij, terwijl hij haar aankeek.

'Het was dom van me om zijn hofmakerij in Chambord serieus te nemen.' Ze rechtte haar schouders. 'Ik zal hem op den duur wel vergeten. Binnenkort heb ik mijn handen vol aan de japon voor de Engelse koningin.'

'Ik zie dat je met je verstand de feiten accepteert, *mignonne*, dat is *bien*,' zei hij teder, 'want ook hij heeft toegegeven dat hij sinds Chambord en Amboise niet meer zo zeker is van zijn zaak. Een verliefdheid is volgens hem iets van voorbijgaande aard. Hij heeft zich er rekenschap van gegeven dat hij er voorlopig nog niet aan toe is om te trouwen en een gezin te stichten.'

Haar adem stokte even en toen kneep ze met groeiende boosheid in de bedpost. *Zijn verliefdheid was dus van voorbijgaande aard?*

'Heeft hij dan met u over mij gesproken?' *Dat had Fabien haar helemaal niet verteld!*

'*Oui*, hij weet niet wat er met hem en met Frankrijk zal gebeuren. Hij denkt dat er een burgeroorlog zal uitbreken en misschien heeft hij gelijk,' zei Bernard peinzend, terwijl hij over zijn korte puntbaard wreef. 'Laten we hopen dat *messire* Beza zal slagen in zijn initiatief om protestanten en katholieken samen aan tafel te krijgen. Naar zijn mening zal een gesprek tussen beide partijen uitlopen op godsdienstvrijheid voor de hugenoten. Hij en admiraal De Coligny proberen de koningin-moeder over te halen om dit jaar een colloquium, dat wil zeggen een speciale bijeenkomst in Fontainebleau te organiseren. In Châtillon, waar ik van plan ben langs te gaan, hoop ik meer van dit initiatief te horen.'

Dominee Beza was kort geleden uit Genève vertrokken, maar stond nog steeds in nauw contact met monsieur Calvijn, maar momenteel kon het colloquium waarover neef Bernard had gesproken Rachelle maar matig boeien. *Fabien was na Amboise dus anders over een huwelijk gaan denken? Was dat een van de redenen dat hij Frankrijk de rug wilde toekeren?*

Ze deed haar best om haar emoties te verbergen. Kwam ze geloofwaardig genoeg over? Ze geloofde dat neef Bernard zich meer zorgen maakte over haar standvastigheid in het geloof dan die van Idelette. Haar familie en de plaatselijke gemeente waren onder de indruk van Idelettes ernst en ingetogenheid, terwijl ze Rachelles enthousiasme en avontuurlijke aard met milde bezorgdheid gadesloegen – mild, totdat ze vanuit Vendôme naar Lyon was gereisd onder de hoede van de knappe markies, die trouw bleef aan de Kerk van Rome, ook al haatte hij de in zijn ogen verdorven en gevaarlijke kardinaal van Lorraine.

'De markies is een intrigerende jongeman,' zei Bernard tot haar grote verbazing. Ze had verwacht dat hij hem in een zo slecht mogelijk daglicht zou stellen om haar beslissing kracht bij te zetten.

'We blijken over veel zaken in Frankrijk hetzelfde te denken. Dat hij zich bij de watergeuzen wil aansluiten die de

Spanjaarden het leven zuur maken, is opmerkelijk en naar mijn mening geen slechte zaak. Als Claire hier echter van op de hoogte was, zou ze hem nog ongeschikter vinden als jouw toekomstige echtgenoot. Ze wil graag dat je met iemand uit Genève trouwt, met een van Calvijns veelbelovende studenten.'

Rachelle keek hem aan, zijn opmerking over de Geneefse studenten negerend, want Idelette en zij wisten dit al lang. Ze kwam dichter bij zijn bed staan. 'Hoe weet u dat hij zich interesseert voor de watergeuzen?'

Bernard antwoordde kalm: 'Omdat hij me dit zelf heeft verteld.'

'De markies?' Ze was verbaasd dat hij een vrome dominee als neef Bernard had verteld over zijn plannen om schepen te kapen. Had Fabien hem ook verteld over de Spaanse galjoenen, die binnenkort zouden uitvaren met extra troepen en wapens voor de beruchte hertog van Alva, en dat een groep Franse, Nederlandse en Engelse watergeuzen van plan was om een aanval op deze schepen uit te voeren? Omdat de markies hem misschien niet alles had verteld en Rachelle Fabien ondanks alles niet in diskrediet wilde brengen, hield ze haar mond over zijn geheime missie.

'De markies onderhoudt al een tijd lang contacten met een aantal Franse kapers,' zei ze. 'In Chambord heeft hij me verteld dat Spanje de inquisitie financiert met de schatten van het Amerikaanse continent die koning Filips met zijn zilvervloot naar Spanje vervoert. Ik denk niet dat de markies zich schaamt voor zijn overtuigingen. Hoe weet u eigenlijk dat hij zich bij de geuzen heeft aangesloten? Het is niet bepaald een voor de hand liggende keuze voor een markies.'

De fijne glimlach om zijn lippen bevestigde haar vermoeden.

'Ik had hier geen idee van, *ma chère*; Siffre is erachter gekomen.'

'Siffre!' Dat verbaasde haar. Ze draaide zich om naar de lakei, maar hij was verdwenen.

'Siffre maakte op een avond een wandeling in de tuin, zoals hij elke avond voor het slapengaan doet. Een paar weken geleden zag hij een vreemdeling arriveren die een boodschap van een Franse watergeus voor de markies bij zich had. Niet vermoedend dat hij werd afgeluisterd, vertelde de boodschapper aan de markies dat de geuzen achter Alva's plan waren gekomen om een aantal schepen met soldaten en wapens naar de Lage Landen te sturen. Siffre is direct naar me toe gekomen. Hij weet immers dat het de wens van je *père* is dat ik tijdens zijn afwezigheid over de familie waak, *ma petite*. Het is ons ook opgevallen dat jij en de markies de afgelopen weken veel tijd in elkaars gezelschap hebben doorgebracht. Claire en ik hebben het vuur in jullie ogen zien branden.'

Rachelle zei niets. *Het deed er niet meer toe. Het was voorbij.*

'Af en toe begrijp ik helemaal niets van deze *seigneur*,' zei Bernard peinzend. 'Hij zegt dat hij een trouw katholiek is, maar tegelijkertijd is hij het in veel opzichten eens met de ideeën van de hugenoten. Hij heeft goed in de gaten dat de Guises Frankrijk naar de ondergang voeren. Dit is zeer prijzenswaardig. En een nog veel belangrijker punt – iets wat onze familie persoonlijk aangaat – is zijn geloof in Christus. Hier hebben we het ook over gehad, maar helaas heeft de markies me in dit opzicht teleurgesteld. Hoewel hij een oprecht christen is die het op bepaalde punten niet eens is met de leer van Rome, weigerde hij kleur te bekennen.'

'Hij is af en toe nogal tegendraads,' zei ze. 'Ik weet zeker dat hij heel goed begreep waar u op doelde. Ik heb op dit gebied veel van hem geleerd. Hij heeft ook een aantal diepgaande discussies met Andelot gevoerd.' Ze was geërgerd dat Fabien Bernard geen bevredigend antwoord had gegeven, terwijl hij dit zonder twijfel had kunnen doen. *Waarom had hij het niet gedaan?*

'Andelot Dangeau... ah, *oui*, nu herinner ik me hem weer, de jongen met de onbekende vader, de geadopteerde *neveu* van Sébastien?'

'*Oui*, maar hij is geen jongen meer. Hij is inmiddels volwassen. En nu wordt zelfs gezegd dat Andelot familie van de Guises is.'

'Hoogst merkwaardig. Er is me ook iets anders opgevallen in de gesprekken met de markies, iets wat me grote zorgen baart, *mignonne*. Er zit hem nog meer dwars dan Spanje alleen; *oui*, er knaagt iets aan hem, maar hij wilde me niet vertellen wat.'

Ze had Bernard precies kunnen vertellen waardoor Fabien gekweld werd: de hertog van Guise. Fabien haatte hem, omdat hij ervan overtuigd was dat de hertog, en wellicht de kardinaal, verantwoordelijk waren voor de dood van Fabiens vader, hertog Jean-Louis de Vendôme.

Ze liet hier echter geen woord over los.

Achter zich hoorde ze Siffre zijn keel schrapen. 'Pardon, messire Bernard, maar Nenette zegt dat er een jonge *monsieur* met de naam Andelot Dangeau op het kasteel is aangekomen die met *mademoiselle* wenst te spreken. Hij is vanuit Parijs hiernaartoe gereden en heeft een brief van hertogin Dushane bij zich. De *monsieur* zegt dat het belangrijk is.'

Andelot! Rachelle had de afgelopen dagen zelden geglimlacht, maar bij het horen van zijn naam verscheen er spontaan een warme glimlach om haar lippen. De jonge *monsieur* kwam als geroepen, want als iemand haar kon opbeuren, dan was het haar jeugdvriend. Andelot, met zijn sympathieke glimlach, innemende karakter en ongekunstelde manier van doen. Ze had hem sinds Amboise niet meer gezien.

Ze verontschuldigde zich bij neef Bernard, haastte zich de kamer uit en liep de gang door in de richting van de trap. Nenette liep achter haar aan. 'Het is een echte *beau* geworden, wacht maar totdat u hem ziet, *mademoiselle*.'

Op de trap kwam Rachelle twee dienstmeisjes tegen die op weg naar boven waren om madame Claire van Andelots komst op de hoogte te stellen. Ze deden een stap opzij om plaats te maken voor Rachelle, die zich naar beneden spoedde, met Nenette achter zich aan. Rachelle bereikte de laatste traptrede en liep met haar stijve, ritselende donkere rokken de ruime hal door die werd verlicht door het schijnsel van fakkels langs de hoge, stenen muren.

Andelot Dangeau stond in de deuropening met een andere *monsieur* naast zich. Rachelle zag dat het Romier was, de page van hertogin Dushane. De gezichten van beide jongemannen stonden somber. Was het nieuws van de aanval van de hertog van Guise hen ter ore gekomen? Ze namen hun hoeden af en maakten een buiging.

'Andelot.' Rachelle slaagde er ondanks haar verdriet in te glimlachen en stak haar hand naar hem uit.

Andelot deed een stap naar voren. Hij was knap om te zien, met zijn bruine haren en ogen. 'Mademoiselle Rachelle, helaas kom ik u slecht nieuws uit Parijs brengen, en zojuist heb ik ook gehoord wat u is overkomen. Van harte gecondoleerd met het verlies van *petite* Avril.'

Later zouden ze de tijd hebben om hier verder over te spreken.

'*Merci*, Andelot, *mon ami*, de laatste weken zijn we inderdaad door een grote ramp getroffen. Wat voor nieuws kom jij ons brengen?'

'Ik zal met een goed bericht beginnen: Sébastien leeft nog.'

Rachelle pakte hem bij zijn arm beet. 'Hij leeft! O, Andelot, maar hoe is dat mogelijk? En weet Madeleine het al? Ik zal het direct aan madame Claire gaan vertellen. Dit is een geschenk uit de hemel na al het slechte nieuws!'

Hij glimlachte, maar ze zag iets droevigs in zijn blik. '*Oui,* ik ben enige dagen geleden door de kardinaal van Lorraine met deze boodschap naar de hertogin Dushane gestuurd. Uw zuster Madeleine zal verbijsterd zijn als ze het hoort.'

'Als ze hoort dat Sébastien nog in leven is? Maar je zei

zojuist dat je uit Parijs bent gekomen. Hoe kan het dat ze het nog niet weet?' Haar stem klonk angstig en gespannen.

Hij streek een haarlok van zijn voorhoofd en schuifelde wat heen en weer. 'Wel, ze is ziek geworden – en de hertogin dacht dat het niet verstandig was om haar te vertellen dat Sébastien naar de Bastille is overgebracht.' Hij was langzamer gaan praten, alsof de woorden hem zwaar wogen. 'Hij wordt binnenkort ondervraagd in de *salle de la question*.'

Rachelle deed een stap naar achteren. Ze keek hem aan en zag de gekwelde uitdrukking in zijn blik. Hij sloeg zijn ogen neer, staarde naar de grond en peuterde verlegen aan zijn hoed.

'De *salle de la question*,' fluisterde ze. Allen om haar heen zwegen. Ze balde haar hand tot een vuist. 'Dat is nog erger dan de dood!' Ze kneep haar ogen stijf dicht om haar emoties in bedwang te houden.

'Hertogin Dushane vraagt of u naar het Louvre komt,' zei hij zachtjes. 'Uw *grandmère* en zuster hebben u nodig; ze zijn beiden zeer ernstig ziek en worden momenteel verzorgd door de hertogin en haar lijfarts.'

Rachelle keek naar de envelop die hij haar aanreikte alsof het vergif was; alsof het slechte nieuws waarvan in de brief melding werd gemaakt zich zou voltrekken, zodra ze de envelop openmaakte.

'Wat hebben ze precies?'

'De hertogin legt het uit in de brief. Zou madame Claire het goedvinden als u met de koets naar Parijs reist? We hebben geen minuut te verliezen en moeten onmiddellijk vertrekken.'

Ze keek hem aan en las de waarheid in zijn ogen. 'Ik kom.' Hij knikte. Een verstikkend gevoel viel als een zware deken over haar heen. Grandmère – Madeleine!

Ze nam de envelop van hem aan, drukte hem aan haar hart en liep naar boven om hem in haar eentje in haar kamer te lezen.

Haar moeder kwam de trap af. De twee bedienden waren halverwege blijven staan alsof ze nog meer slecht nieuws verwachtten.

'*Bonjour, Andelot,*' begroette Claire hem. Ze zag er bleek uit in haar rouwkleren, maar hield het hoofd hoog. 'Wat voor nieuws kom je ons brengen van mijn *tante,* hertogin Dushane?'

Rachelle liet de brief niet aan haar moeder lezen. Ze wist dat Andelot het nieuws aan haar moeder zou vertellen. Ze liep haastig de gang door en ging haar slaapkamer binnen. Ver van de medelijdende blikken van de bedienden, scheurde ze met trillende vingers de envelop open en las wat madame Xenia Dushane had geschreven over de plotselinge ziekte die eerst Grandmère en vervolgens Madeleine had getroffen. Rachelle bleef roerloos, als in trance staan. Ze las en herlas de laatste woorden die de hertogin in een onregelmatig handschrift had geschreven, alsof ze haar emoties niet langer meer de baas was.

Rachelle, als je je grandmère nog eenmaal wenst te zien in dit aardse tranendal, haast je dan met grote spoed naar Parijs. Haar einde nadert met rasse schreden. Moge onze barmhartige Heiland, die weende om het verdriet van Marta en Maria aan het graf van Lazarus, je de kracht geven om staande te blijven. Houd je vast aan Zijn belofte dat Hij in elke beproeving met je zal zijn.

Rachelle drukte de brief tegen zich aan en wankelde naar een stoel.

De tranen stroomden over haar wangen en ze had het gevoel dat haar keel werd dichtgeknepen.

Grandmère – ze durfde niet verder te denken. Ze durfde de woorden niet uit te spreken. Na het verlies van Avril, nu haar dierbare Grandmère?

Nenette, die zachtjes achter haar aan was gelopen, kwam naast haar staan en legde haar hand op Rachelles schouder. 'Oh, Rachelle – *mademoiselle,* wat is er gebeurd?'

Rachelle liep langs haar heen en viel op haar knieën voor het bed. Met haar handen op haar hart, weende ze voor het Aangezicht van haar barmhartige Heiland.

O, Vader in de hemel, ik nader tot U in de Naam van Uw geliefde Zoon, onze Heiland, Jezus Christus. Ik smeek U, hemelse Vader, om Grandmère nog niet naar huis te halen. Ik wil haar zo graag nog eenmaal zien. Schepper en Onderhouder van al het leven, wees mij genadig! Ik kan het niet verdragen om haar te moeten verliezen zonder een laatste adieu − ik weet dat ze in Uw armen zal worden gedragen, want Christus heeft haar kostbare ziel gered! Maar, ach, wat zal haar heengaan mij zwaar vallen! En Madeleine − o, Vader! Ze heeft net een baby gehad − wat moet de bébé zonder haar beginnen − en Sébastien! Ach, arme Sébastien…

Na lange tijd werd Rachelle zich bewust van Nenettes schokkende lichaam naast zich. Toen ze haar ogen opende, zag ze dat het meisje naast haar lag neergeknield, met de handen krampachtig samengevouwen. Net als Andelot was Nenette ook een wees die door een van de vrouwen in de zijderupskwekerijen was opgevoed, totdat een gouvernante op het landgoed zich over haar had ontfermd. Grandmère had Nenette in haar hart gesloten. Ze had Nenette naar het zijdekasteel gehaald en haar opgeleid tot *grisette*. Nenette trok op Rachelle aan en was al gauw haar persoonlijke dienstmeisje geworden.

Rachelle legde haar arm om Nenettes schouder en trok haar tegen zich aan. Zachtjes streelde ze over Nenettes rode krullen.

'We moeten dapper zijn, Nenette,' zei ze met verstikte stem. Haar keel was droog van het huilen. 'God heeft deze beproevingen op onze weg geplaatst. We moeten erin berusten.'

'Ach, maar waarom moet Grandmère nu sterven? Ze is zo lief en we kunnen haar niet missen…'

'Ja, we kunnen haar niet missen. Ach, Nenette, zonder haar

zal het nooit meer worden als vroeger, nooit! Ik verheugde me er zo op om haar te vertellen over de japon voor de Engelse koningin.'

'Ah, *oui*!' Nenette sloeg haar kleine handen voor haar gezicht.

Rachelle stond op. 'Kom, *amie,* ik ga naar Parijs. Ik moet mijn spullen pakken. Kun je mijn cape met de capuchon gaan halen en mijn Franse bijbel?'

Nenette sloeg haar gezwollen ogen op en keek haar verschrikt aan. 'De bijbel? Oh, *non*, alstublieft niet, *mademoiselle*!'

'*Oui*!' Rachelle kwam kordaat overeind. Ze bracht haar dikke, kastanjebruine haar in orde en dacht aan het Louvre. 'Ik neem mijn bijbel mee. Niemand kan me tegenhouden om daaruit voor te lezen aan haar bed! Niemand kan me tegenhouden. Ga mijn bijbel halen. Vlug.'

Met grote, verschrikte ogen kwam Nenette overeind. Ze kreunde om haar ongenoegen kenbaar te maken, maar haastte zich desondanks naar Rachelles kledingkast en haalde de verborgen bijbel uit een bewerkte houten kist tevoorschijn.

Rachelle nam hem van haar aan, stopte hem onder wat kleding in haar brokaten tas en deed deze dicht. Nenette had haar mantel gepakt en overhandigde die aan Rachelle, toen deze zich de kamer uit haastte.

Toen ze beneden kwam, stond madame Claire nog steeds met Andelot te praten bij de voordeur. Rachelle rechtte haar rug en haar ogen zochten die van haar moeder. Ze keken elkaar kalm aan.

Claire zuchtte, sloot haar ogen en knikte.

Rachelle liep snel naar Andelot.

'Is de koets klaar voor vertrek?'

'*Oui*, hij staat voor de deur,' zei hij.

Rachelle draaide zich vlug om naar haar moeder en ze omhelsden elkaar.

'Wees voorzichtig, *ma chérie*; ik ben er helemaal niet gerust op – deze ziekte bedoel ik. Wees alsjeblieft voorzichtig.'

'Dat zal ik zijn. Wat moet neef Bernard nu doen? Hij was van plan om morgen naar Calais te vertrekken...'

'Vandaag,' klonk het krachtig. Rachelle en Claire draaiden zich om en zagen Bernard, leunend op Siffres arm, langzaam de trap af komen. 'Andelot? Kun je mijn tas aannemen, *s'il vous plaît*.'

Andelot was in een paar stappen bij de trap. Hij nam de tas aan en liep met de *pasteur* de gang door naar de voordeur.

Met een kalm gelaat stond Claire hem daar op te wachten. 'Weet je het zeker, Bernard? Het is een lange reis.'

'Niet te lang, als je dringende zaken te regelen hebt. Wil je dat ik nog iets tegen Arnaut zeg?'

'Dat ik voor hem bid en van hem houd. Zeg hem dat God ons genadig is geweest en dat we stand zullen houden.'

Bernard kuste haar op haar voorhoofd en liep naar Rachelle, die voor de open deuren op het bordes stond te wachten. 'Ik houd je tot Parijs gezelschap en reis dan verder naar Calais.'

Ze knikte en liep haastig naar de koets die door zes paarden werd getrokken. Siffre stond naast het rijtuig op hen te wachten, terwijl Pierre, de koetsier, de bagage inlaadde.

Na een aantal minuten waren ze allemaal ingestapt. Siffre reed tussen Romier en een soldaat in. Romier zwaaide met de teugels en de goudbruine vos van de markies zette zich in beweging. Rachelle haalde diep adem, terwijl de koets het grindpad af reed en de weg naar Parijs insloeg.

7

In een flink tempo liepen de paarden van de Macquinets over de weg naar Parijs. Rachelle zat tegenover Andelot op een met leer beklede bank die met kussens bedekt was, terwijl neef Bernard met een deken om zich heen geslagen en zijn benen leunend op een krukje bij het raam zat.

'Wel, Andelot, deze *mademoiselle* heeft me verteld dat je verbaasd was over het nieuws dat je familie bent van de Guises,' zei neef Bernard. 'Ben je blij dat je nu verder aan het hof mag leven?'

'Ik weet het niet, messire Bernard, ik weet het echt niet. Toen ik het nieuws hoorde, was ik heel blij, want ik zou de grote *monsieur* Thauvet als privéleraar krijgen. Maar nu ben ik weer terug bij af.'

Rachelle was verbaasd dat te horen. 'Wat is er gebeurd, Andelot?'

'De kardinaal van Lorraine was teleurgesteld in me na het bloedbad in Amboise en eist nu bovendien dat ik mijn vriendschap met markies Fabien beëindig.'

'Ah? Je bent dus een *ami* van de markies?' vroeg Bernard, terwijl hij hem nieuwsgierig aankeek.

'Hij is een heel bijzondere *seigneur*, dominee.'

'Is dat zo? En ik neem aan dat hij net zo over jou denkt.'

'De eerste keer dat we elkaar aan het hof ontmoetten, heeft hij direct vriendschap met me gesloten, *messire*. Hij heeft echter veel vrienden die niet van adel zijn of een titel hebben.'

'Dat zal wel,' zei Bernard ironisch, 'anders had hij zich niet bij die luidruchtige zeelieden aangesloten.'

Rachelle bewoog zich ongemakkelijk in de kussens en keek Andelot schuin aan. Deze gaf de indruk dat hij iets verkeerds had gezegd.

'Je oom zal vast zorgen voor een *merveilleuse* scholing, met de beste leraren van het hof,' zei Rachelle om het gesprek van Fabien af te leiden, 'zelfs al krijg je geen les van Thauvet.'

'Thauvet,' zei Bernard, 'is dat niet de privéleraar van de kroonprins en de andere prinsen?'

'De markies heeft ook les gehad van Thauvet,' zei Andelot enigszins geprikkeld.

Er zweefde een glimlach om Bernards lippen en hij keek geamuseerd. 'Je vraagt je af wat onze markies van de vermaarde Thauvet vond.'

'Zolang ik maar toegelaten word tot de universiteit, kan het me niet zo veel schelen of ik nu wel of geen les van hem krijg. Mijn liefste wens, dominee Bernard, is om geleerde te worden, maar...' Andelot haalde zijn schouders op, 'dat kan ik nu wel vergeten, hoewel ik heb gehoord dat mijn vader, Louis Dangeau, eigenlijk geen Dangeau was, maar...' hij zweeg even, keek schichtig naar Rachelle en ging verder: 'geen Dangeau. En mijn moeder... was ook niet bepaald een dame van onbesproken zeden, zo heb ik vernomen.'

'*Oui,* ik herinner me dat je me dat hebt verteld, toen we op weg waren naar Amboise – o, wat lijkt dit nu lang geleden, wel duizend jaar, Andelot. Er is sindsdien zo veel gebeurd.'

'*Oui,* en helaas was het niet alleen maar *bon.*' Hij leunde naar achteren en speelde met zijn hoed.

'Ik vind de ziekte van uw *grandmère* en Madeleine eigenlijk een merkwaardige zaak,' zei hij nadenkend. 'Ik wou dat ik hierover van gedachten kon wisselen met markies Fabien. Was hij maar niet naar Florida vertrokken. Twee jaar is zo lang. We kunnen hem zo lang niet missen.'

Rachelle vocht tegen haar tranen. Ze probeerde zich te ontspannen in de comfortabele fluwelen kussens, maar ze hield haar handen krampachtig in haar schoot samengevouwen.

'Maar jij bent er toch, Andelot? Ik ben dankbaar dat je zo bezorgd bent om mijn familie.'

Zijn aantrekkelijke gezicht werd rood van verlegenheid, maar ze was gewend aan zijn reacties en deed net alsof ze niets merkte.

Bernard tikte zachtjes met zijn nieuwe wandelstok op Andelots schouder. 'Vertel me wat meer over deze ziekte, Andelot.'

Andelot boog naar voren en keek hem bezorgd aan.

'Ik weet niet hoe ik het u moet zeggen, dominee Bernard, maar ik heb mijn twijfels over de aard van de ziekte van Grandmère en Madeleine. Ik wilde met u in de koets meerijden om dit met u te bespreken zonder de anderen ongerust te maken.' Hij keek van de een naar de ander. 'Als u tenminste naar mijn verhaal wilt luisteren, dominee. Ik wil mademoiselle Rachelle niet van streek maken, maar...'

'Zeg wat je op je hart hebt, Andelot,' zei ze.

'Ja, deel je zorgen met ons,' voegde Bernard eraan toe.

Rachelle ging rechtop zitten, een en al aandacht voor Andelot.

'Vindt u het niet vreemd dat zowel uw *grandmère* als Madeleine ziek zijn geworden na het eten van fruit?'

Bernard en Rachelle dachten in stilte over de vraag na. Bernard keek Andelot aandachtig aan. 'Fruit?'

'*Oui,* appels. Hoe kunnen ze doodziek zijn geworden door het eten van één enkele appel?'

Enkele ogenblikken lang begreep ze niet waar hij het over had. 'Wat hebben appels met hun ziekte te maken?'

'Wil je hiermee zeggen, Andelot, dat Grandmère en Madeleine appels hebben gegeten en dat de *docteur* van mening is dat dit fruit de oorzaak is van hun ziekte?' vroeg Bernard.

Andelot streek behoedzaam over de rand van zijn hoed. 'Dat weet ik niet, dominee. Ik heb niet met de *docteur* gesproken. Stond er niet in de brief van hertogin Dushane dat Grandmère en Madeleine ziek zijn geworden na het eten van appels?'

Rachelle schudde haar hoofd. '*Non,* daarvan stond niets in de brief. Hoe kunnen ze zo ziek worden van het eten van appels?'

'Dat is een goede vraag: hoe is dit mogelijk?' zei Andelot, terwijl hij hen beurtelings aankeek.

'Maar ik dacht dat ze allebei koorts hadden.' Rachelle begreep er steeds minder van.

'Koorts, *oui,* dat heb ik ook gehoord, maar veroorzaakt door het eten van appels? *Extraordinaire.*' Andelot schudde zijn hoofd.

'Wat je zegt, is hoogst merkwaardig. Ga alsjeblieft verder,' zei neef Bernard.

Rachelle luisterde met stijgende verbazing naar Andelot, die hen vertelde wat er met Grandmère en Madeleine was gebeurd: Grandmères bezoek aan de markt, de mand appels die ze daar had gekocht en had opgediend tijdens het *déjeuner* die middag dat verder had bestaan uit geitenkaas, brood en lamsbouillon.

'De page van *madame la duchesse,* Romier, heeft de *docteur* tegen de hertogin horen zeggen dat ze misschien vergiftigd waren.'

'Vergiftigd!' Rachelle veerde overeind.

'Weet je het zeker?' vroeg Bernard. 'Is die page betrouwbaar?'

'*Oui,* maar hij dacht bij het woord 'vergif' aan iets anders dan waar wij nu aan denken. Hij bedoelde verrot fruit, maar toen Romier het woord 'vergif' noemde, gingen al mijn haren overeind staan.'

'Ja, dat begrijp ik. Ga verder, *monsieur.*'

'Later droomde ik over het laboratorium boven de privévertrekken van de koningin-moeder in Amboise. En toen begreep ik plotseling wat me al zo lang dwars zat.' Hij zweeg even. 'Vergif,' zei hij zachtjes. 'Vergif in de vorm van een wit poeder.'

Rachelle huiverde, toen Andelot vertelde wat hij met prins Charles Valois had gezien in het laboratorium van de gebroeders Ruggiero uit Florence.

'Ik wou dat ik de gelegenheid had gehad om dit met markies Fabien te bespreken, maar er is de laatste tijd zo veel gebeurd. In het vertrek bevonden zich tekeningen van de verschillende tekens van de dierenriem en andere vormen van zwarte kunst. Maar het lijdt geen twijfel dat haar mannen uit Florence experts zijn in het bereiden van geneeskrachtige kruiden en vergiften. Op dat zakje poeder waren instructies voor de koningin-moeder geschreven.'

Toen hij zijn verhaal had verteld, bleef Rachelle verstijfd van angst zitten.

'Denk je dat Catherine de Médicis Grandmère en Madeleine heeft vergiftigd?' vroeg neef Bernard scherp, terwijl hij naar hem toe boog. 'Waarom zou ze zoiets doen?'

'Dat is de vraag die ik me ook stel, dominee Bernard, waarom? Zelfs al zou Sébastien een bedreiging voor haar vormen, waarom zou ze zijn vrouw willen vergiftigen, nu hij in de Bastille zit opgesloten in afwachting van zijn terechtstelling?'

'En waarom zou ze Grandmère willen vergiftigen?' zei Bernard.

'Het is onmogelijk,' zei Rachelle. 'Noch Madeleine, noch Grandmère vormen een bedreiging voor de koningin-moeder. En niet alleen dat, maar hoe zou ze hen vrijwel tegelijkertijd vergiftigd kunnen hebben?'

'*Oui,* dat is een goede vraag. Ik verdenk haar ervan het vergif op de appels gestrooid te hebben,' zei Andelot.

'Maar hoe kon de koningin-moeder weten dat Grandmère appels ging kopen?' zei Bernard.

Andelot antwoordde: 'Over die vraag heb ik me sinds mijn vertrek uit Parijs het hoofd gebroken.'

'De koningin-moeder zou de giftige appels op de een of

andere manier op de markt hebben moeten afleveren en er-voor gezorgd moeten hebben dat juist die appels aan Grand-mère werden verkocht,' zei Bernard. 'Hoe wist ze dat Grand-mère bij die stal fruit zou kopen?'

'Wel...' Hij streek met zijn hand door zijn bruine, golven-de haar en leunde naar achteren. '*Oui,* u hebt gelijk, domi-nee Bernard: het zou vrijwel onmogelijk zijn geweest voor de gebroeders Ruggiero om dit voor elkaar te krijgen. Ze zouden in dat geval Grandmère hebben opgewacht bij de uitgang van het Louvre en haar daarna zijn gevolgd naar de markt.'

'Je bent het dus met me eens dat dit zeer onwaarschijnlijk is,' zei Bernard.

Andelot leek niet helemaal overtuigd, maar ten slotte knikte hij. 'Misschien kwam het door mijn droom en mijn bezoek aan dat laboratorium. Na het verschrikkelijke bloed-bad in Amboise ben ik wellicht te achterdochtig geworden. Ik begin achter alles sinistere complotten te zoeken.'

'Misschien, Andelot, maar misschien ook niet. Laten we je theorie niet onmiddellijk verwerpen, zolang we niet van alle details op de hoogte zijn. Zeer betrouwbare *messieurs* heb-ben inderdaad bevestigd dat Catherine de Médicis er in het verleden niet voor is teruggedeinsd om vergif te gebruiken. Laten we hopen dat er in het geval van Grandmère en Ma-deleine geen vergif in het spel was.'

Vergif... de gebroeders Ruggiero... Catherine. Rachelle huiver-de.

Ze dacht na over het verhaal van Andelot. Hoewel ze de koningin-moeder niet vertrouwde, leek de theorie van de vergiftigde appels haar te vergezocht, tenzij het fruit in het appartement was afgeleverd. Maar Andelot had gezegd dat Grandmère de appels zelf op de markt had gekocht.

Toch kon Rachelle de gedachte niet volledig uit haar hoofd zetten. Te oordelen naar de bedenkelijke frons op neef Bernards voorhoofd kon hij dat evenmin.

Er waren een paar dagen verstreken sinds ze uit Lyon waren vertrokken. In de avondschemering ratelde de koets van de Macquinets over de vochtige Parijse straatkeien langs het Hôtel de Cluny en het Hôtel de Sense in de richting van het Louvre. Al snel kwam het aan de groene oever van de Seine gelegen paleis met zijn vestingwallen, verdedigingstorens en omwalde slotgracht in zicht. In de muur die om het Louvre liep, waren vier poorten aangebracht. Naast elke poort bevond zich een kleinere zijingang en een toren. De zuidelijke poort, die aan de Seine lag, was de sterkste van de vier. Aan weerszijden van de lage en nauwe ingang bevonden zich standbeelden van Charles V, keizer van het Heilige Roomse Rijk, en zijn vrouw, Jeanne de Bourbon. Plechtig keken ze op de voorbijgangers neer, alsof ze de absolute en onverbrekelijke eenheid van staat en kerk wilden benadrukken. Vanaf deze plek had Rachelle uitzicht op een van de oudste kerken van Frankrijk, die was gewijd aan Sint Germain, de voormalige bisschop van Parijs.

De koets reed onder de poort door. De belletjes rinkelden op de flanken van de fiere paarden. In het midden van de binnenplaats bevond zich een ronde toren, die verdedigd kon worden vanaf de muren op de rivierdijk. Met een gevoel van onbehagen dacht Rachelle aan de beruchte *oubliettes* of kerkers van de toren, waar de rivier onderdoor stroomde.

Ze reden naar de ingang van de luxueuze appartementen en kamers die door de koninklijke familie aan bepaalde hoge edelen en belangrijke overheidsdienaren waren toegewezen. Ook de markies had hier een kamer waar hij verplicht was verblijf te houden, als hij naar het hof werd ontboden. Als je als edelman verstek liet gaan bij de feesten die voor het koningshuis werden georganiseerd, kon dit je een reprimande van de koning opleveren. In sommige gevallen kon je zelfs gearresteerd worden. De meeste edelen verbleven daarom op gezette tijden aan het hof uit angst om aangeklaagd te worden wegens verraad. Anderen waren echter zo graag aan het hof dat ze alleen maar naar hun kastelen terugkeerden voor geboorten of begrafenissen.

Sébastien, die voor zijn arrestatie lid was geweest van Catherines persoonlijke raad van advies, woonde in een van deze statige appartementen. Rachelle vroeg zich af hoe lang Madeleine hier nog zou kunnen blijven. Hoogstwaarschijnlijk zou de koningin-moeder haar weldra opdracht geven om te vertrekken. Misschien was dit al gebeurd.

Rachelle vroeg zich af wat haar zuster zou doen, als ze hoorde dat Sébastien nog leefde en op weg was naar de Bastille. Madeleine zou waarschijnlijk niet naar het zijdekasteel willen terugkeren, maar liever in Parijs blijven om voor zijn vrijlating te pleiten.

Rachelle vroeg zich af of de markies een goed woord bij de koning zou hebben gedaan voor Sébastien. *Zou hij dankzij zijn vriendschap met de koning Sébastiens vrijlating hebben kunnen bewerkstelligen? Als de markies zou horen dat Sébastien zou worden voorgeleid in de* salle de la question… Rachelles ogen vernauwden zich en ze keek neef Bernard aan. *Bestond er nog een kans dat hij de markies zou kunnen onderscheppen?*

Niet omwille van mij, maar van Madeleine en Sébastien – en bébé *Jeanne.*

Als de koningin-moeder Madeleine zou gebieden om haar appartement te verlaten, zou de hertogin Dushane haar misschien onderdak verlenen in haar eigen ruime vertrekken. Als hertogin genoot ze speciale privileges aan het hof en werd ze met groot respect behandeld ondanks haar connecties met de hugenoten, want de vervolgingen waren voornamelijk tegen het gewone volk en de middenklasse in Frankrijk gericht. Zelfs admiraal de Coligny, een hugenoot in hart en nieren, was altijd welkom aan het hof en ging regelmatig op audiëntie bij koning François en de koningin-moeder.

Rachelle putte troost uit de gedachte dat de Vader in de hemel nieuwe en veel mooiere vertrekken voor hen had ingericht, waar ze voor eeuwig in vrede en vreugde zouden kunnen leven. Toen ze dacht aan Gods rijke beloften voor Christus' gezalfden, besefte ze hoe nietig de roem en glorie van aardse koninkrijken waren. Ze waren onderworpen aan de majesteit van de grote Steen die niet door menselijke handen was gemaakt en wiens rechtvaardige heerschappij zich over de einden van de aarde zou uitstrekken.

Zoek de dingen, die boven zijn, waar Christus is, gezeten aan de rechterhand Gods.

Waar had ze dit vers in de Bijbel gelezen? Het was niet lang geleden. Ze zou het opzoeken. Idelette had hun vaak verteld dat ze de discipline moesten opbrengen om Bijbelverzen uit hun hoofd te leren, omdat de Franse Bijbel verboden was en ze deze misschien niet veel langer in hun bezit zouden hebben.

Rachelle werd samen met neef Bernard en Andelot door page Romier het Louvre binnengeleid.

Met bonzend hart liep ze de gang door, besteeg de marmeren trap en ging het blauwe en goudkleurige appartement van graaf Sébastien en Madeleine binnen.

Buiten adem bleef ze staan en nam het bekende meubilair met de zilveren kwastjes en de zware brokaten draperieën in zich op. Toen ze de muffe geur opsnoof van het oude meubilair en van het Aubussonse tapijt waarover koningen hadden gelopen, kreeg ze het gevoel dat het te laat was.

Te laat. Niets was zo verschrikkelijk als deze twee simpele woorden.

Andelot had een van de hofdames aangesproken en deze was hertogin Dushane gaan waarschuwen dat ze waren aangekomen.

De hertogin kwam uit een van de zijkamers lopen en Rachelle constateerde geschokt dat ze er intens vermoeid en veel ouder uitzag dan tijdens hun laatste ontmoeting in Chambord. Rachelle maakte een reverence en de hertogin pakte haar hand beet.

'Hoogheid?' vroeg dominee Bernard.

'U bent op tijd.'

'Is er enig teken van verbetering, *madame*?' vroeg Rachelle.

'Ik vrees van niet. *Le docteur* is momenteel bij je *grandmère*.'

De hertogin merkte op dat Bernard zijn arm in een draagdoek had en op een wandelstok leunde.

'Wat is er met u gebeurd, dominee Bernard? Bent u van uw paard gevallen?'

'Ach, *madame*, u hebt Claires brief dus nog niet ontvangen?'

'*Non*. Is er iets ergs gebeurd?'

'Inderdaad. Helaas heb ik droevig nieuws voor u.'

'Ik ben niet in staat om nog meer verontrustend nieuws te horen. Maar laten we in de andere kamer verder praten. Ik zal een van mijn hofdames vragen om *café* en wat versnaperingen te brengen.' Ze draaide zich om naar Romier, die bij de deur stond. 'Romier, kun jij messire Bernard helpen?'

'Het gaat wel. *Merci, madame*,' zei Bernard. 'Ik voel me veel sterker. Het is mijn bedoeling om morgenochtend naar Calais te vertrekken.'

'Calais? Dan hebt u me heel wat te vertellen, maar laat Romier u tenminste naar de divan helpen.'

Ze draaide zich om naar Rachelle, die vol spanning stond te wachten en slechts aan een ding kon denken. De ogen van de hertogin werden zacht.

'Ga maar gauw bij Grandmère kijken, want ze wordt steeds zwakker.'

'*Oui, merci, madame.*'

Rachelle liep langs de hertogin naar Grandmères slaapkamer. Er stonden en zaten enkele hofdames bij de deur. Naast het bed van Grandmère zat iemand in een met brokaat beklede stoel. Rachelle herkende haar niet, maar ze zag eruit als een voorname adellijke dame. Er was ook een dokter in de kamer en ze dacht dat het misschien de befaamde Ambroise Paré was, de lijfarts en chirurgijn van de koninklijke familie, die ooit een splinter uit het oog van Catherines echtgenoot, koning Henri II, had verwijderd nadat deze gewond was geraakt in een vriendschappelijk toernooi.

De dokter wenkte haar naar het bed. De dames verlieten de kamer om Rachelle een moment alleen met haar grootmoeder te laten zijn. Ze keken haar vol mededogen aan, en velen zagen er vermoeid uit van de vele uren die ze bij Grandmère gewaakt hadden.

Rachelle liep naar het bed en knielde neer op een klein, met brokaat overtrokken krukje. *Was dit uitgeteerde gezicht van haar kwieke* grandmère *met de donkere, glanzende ogen en blozende wangen?*

Ach, ziekte en dood! Ze breken het lichaam af en doen het tot stof weerkeren!

Rachelle nam de krachteloze hand in de hare en hield hem tegen haar wang. *Grandmère, laat me alstublieft niet alleen achter. U bent de persoon die me het beste begrijpt in deze wereld.*

Vanuit de grote zaal keek Andelot de slaapkamer binnen. Waren de omstandigheden niet zo tragisch geweest, dan was het een teder en liefdevol plaatje, dacht hij. Rachelle, gracieus als altijd, lag met haar *belles* rokken om zich heen gedrapeerd geknield op de grond. Haar weelderige kastanjebruine haar golfde over een schouder naar beneden en ze hield de hand van haar broze grootmoeder in de hare.

Ik denk dat ik verliefd op haar ben, peinsde hij, *maar wie ben ik om te denken dat ze mijn gevoelens ooit zal beantwoorden?*

Andelot prevelde een paar gebeden die hij uit het hoofd kende. Hij zou graag de bisschop gaan halen, maar dat durfde hij niet; dat zou niet op prijs gesteld worden. Hij merkte op dat er geen kaarsen en wierook brandden. Grandmère zou ook niet de laatste sacramenten krijgen toegediend en in tegenstelling tot het sterfbed van een katholieke edelvrouw of vorstin ging het er hier zeer sober aan toe.

Later zag hij Bernard uit een van de andere slaapkamers komen waar, zo nam hij aan, Madeleine op bed lag. Andelot raapte zijn moed bijeen en liep naar hem toe.

'*Monsieur*, moeten we de bisschop niet laten halen?'

'Grandmère stelt geen prijs op het laatste oliesel.' Hij legde zijn hand op Andelots schouder. 'Wij vertrouwen op Christus en Zijn belofte dat Hij ons voor eeuwig heeft verlost van de welverdiende straf op onze zonde.'

'Maar, ik dacht – nou ja, ik begrijp het. Als u het goedvindt, dan zou ik graag naar binnen gaan om voor haar te bidden.'

'We zullen samen gaan, Andelot. Ik weet zeker dat Grandmère blij is dat je er bent.'

Een paar minuten later stapten Andelot en Bernard Grandmères slaapkamer binnen. De dokter kwam direct op Bernard af, alsof hij wist wie Bernard was. Misschien was dat wel zo, want er werd gezegd dat *docteur* Ambroise Paré een hugenoot was.

'Ze is bij bewustzijn, maar kan heel moeilijk uit haar woorden komen. Ik denk dat ze *mademoiselle* herkend heeft. Ze is heel zwak en daarom moeten we haar krachten sparen.'

Andelot hield zich op afstand en knielde een paar meter achter Rachelle neer, die nog steeds Grandmères hand vasthield. Dominee Bernard stond aan het voeteneinde van het bed.

'Grandmère?' fluisterde Rachelle. 'Ik ben het, Rachelle! Kunt u me horen?'

Van heel ver drong Rachelles stem tot Grandmère door. Ze probeerde haar hoofd te draaien en haar dierbare kleindochter aan te kijken. Ze moest Rachelle beslist iets vertellen, iets heel belangrijks. *Had ze maar de kracht om haar te waarschuwen voor het gevaar – ja, dat was het – het gevaar – het gevaar van de*

– handschoenen – Rachelle, ma chérie – de handschoenen! Waarschuw Xenia! Waarschuw Madeleine! Rachelle, gooi de handschoenen weg die deze boosaardige vrouw ons drieën heeft gegeven –

'Wees niet bang, Grandmère. Rustig maar,' fluisterde Rachelle, in een poging om haar te kalmeren, maar Grandmère wenste niet gerustgesteld te worden. Haar laatste uur had geslagen, maar ze was niet bang om te sterven, want Christus had de dood overwonnen. *De prikkel des doods is de zonde en de kracht der zonde is de wet. Maar Gode zij dank, die ons de overwinning geeft door onze Heer Jezus Christus.*

Grandmère begon te bidden, zoals ze tijdens haar heldere momenten steeds had gedaan. Ze probeerde in Rachelles hand te knijpen en haar aandacht te vestigen op het fraaie rode doosje op het tafeltje waar ze de handschoenen had uitgetrokken en neergelegd – *wanneer? Gisteren – een week geleden?*

Grandmère herinnerde zich dat ze boodschappen was gaan doen op de markt. Ze was opgewekt en hoopvol gestemd geweest. Het ging goed met Madeleine en haar dochter. Maar toen ze was teruggekeerd naar het Louvre, was ze plotseling heel ziek geworden. Ze had moeite met ademhalen en had het gevoel dat haar keel langzaam werd dichtgeknepen. Diezelfde nacht had ze hoge koorts gekregen en een loodzwaar gevoel in haar ledematen. Tegen de ochtend kon ze zich niet meer bewegen. Ze kon nauwelijks ademhalen en de pijn in haar borst werd heviger. Grandmère had Madeleine willen waarschuwen, maar kon niet meer spreken en verloor steeds vaker het bewustzijn. Toen was Xenia haar komen opzoeken met Ambroise Paré, de beste dokter aan het hof. Hij was de lijfarts van de koning en een hugenoot. Grandmère kon zich vanaf dat moment weinig meer herinneren.

In de zeldzame ogenblikken dat ze bij kennis was, wist ze dat ze de hofdames iets moest vertellen. Ze liepen allemaal gevaar. *Ja, dat was het. Gevaar!* Ze herinnerde zich de handschoenen, maar zakte weer weg en slaagde er niet in hen te waarschuwen...

Handschoenen, zei ze, *waar zijn de handschoenen? Maar kon-*
den ze haar wel horen? Sprak ze de woorden wel uit?

Haar enige troost en hoop lagen in de Here Jezus. *Ook al*
kan ik niet spreken, U hoort mij, Heer.

God wist alles, ja, Hij wist van het lijden van degenen die
Zijn naam met vreugde beleden voor Zijn vijanden. *Wees*
niet bevreesd voor hetgeen gij lijden zult… wees getrouw tot de dood
en Ik zal u geven de kroon des levens.

Haar broze lichaam zou tot stof wederkeren, maar haar
geest zou voortleven. Degene van wie ze het eigendom was,
had de dood en het graf overwonnen. Wat deed het ertoe dat
ze voor een heel korte tijd gedronken had van de drinkbeker
van het lijden. Weldra… weldra zou ze al haar pijn en lijden
vergeten zijn. Ze zou voor eeuwig roemen in de naam van
haar machtige God. Niemand kon haar dat afnemen – geen
enkele inquisiteur, zelfs geen koning.

8

Het Louvre, Parijs

Rachelle had haar hoofd op Grandmères schouder gelegd. Andelot zag dat Bernard met een van de hofdames sprak, waarna deze de kamer uit liep. Wat was er aan de hand? Hij was niet verbaasd, toen de dame een paar minuten later met een schaal rode appels terugkeerde en deze aan Bernard overhandigde. Bernard liep naar de dokter toe, die aandachtig en zwijgend naar hem luisterde, het hoofd gebogen en met zijn hand onder zijn kin. Enige tijd spraken ze met elkaar. Tot grote voldoening van Andelot, pakte de dokter de appels vervolgens van de schaal en stopte ze voorzichtig in zijn tas.

Grandmère probeerde opnieuw iets te zeggen. Rachelle had het ook opgemerkt en tilde haar hoofd op. Andelot zag een flits van herkenning in Grandmères ogen en Rachelle leunde voorover en bracht haar lippen naar Grandmères oor.

'Grandmère,' fluisterde ze, 'weet u wie ik ben? Kunt u in mijn vingers knijpen?'

Andelot had de onweerstaanbare neiging om naast Rachelle neer te knielen. Bernard was ook naar het bed toe gelopen en hield het verboden boek opengeslagen in zijn handen. Een poosje geleden had Andelot gewenst dat de bisschop hier zou zijn, maar nu was hij blij dat dit niet het geval was. Zelfs op een emotioneel moment als dit kon hij de neiging niet onderdrukken om af en toe een nieuwsgierige blik op het boek te werpen, alsof hij half verwachtte dat er een giftige slang onder de bladzijden vandaan zou glijden.

Zou hij zeggen wat hem zo hoog zat? Ja! Dit was niet de tijd om verlegen te zijn. Hij boog naar Rachelle toe en fluisterde: 'Vraag haar of ze ziek is geworden van de appels.'

'Vergiftigde appels, Grandmère?'

Grandmère maakte een rochelend geluid. '*Non, non...*' kreunde ze met zwakke stem. Rachelle wisselde een blik van verstandhouding met Andelot en Bernard.

Vol spanning keek Andelot naar haar lippen en probeerde te horen wat ze zei, terwijl Rachelle haar oor vlak bij Grandmères mond hield. Bernard boog zich ook over Grandmère heen. 'Ik ben het, Bernard, Grandmère. Bent u vergiftigd?'

Andelot zag Grandmères vingers bewegen in de richting van Rachelles hand. Met de grootste inspanning en snakkend naar adem, uitte Grandmère een paar onverstaanbare klanken.

'Ha – ha. Han...' Grandmères stem viel weg.

Andelot hoorde Rachelle diep ademhalen.

Hij keek haar aan. Had Rachelle begrepen wat ze zei? Wat was de betekenis van deze klanken, als ze iets betekenden?

Bernard bad rustig verder. Zijn stem klonk kalm en vol vertrouwen. 'Zelfs al ga ik door een dal van diepe duisternis, ik vrees geen kwaad, want Gij zijt bij mij... in Uw handen beveel ik mijn geest... heden zult gij met Mij in het paradijs zijn...'

Andelot fronste zijn wenkbrauwen en keek hem scherp aan. Een plotselinge irritatie maakte zich van hem meester. *Waar haalt hij het recht vandaan om zo zeker van zijn zaak te zijn? Wat verbeeldt deze man zich wel niet dat hij met zo veel gezag spreekt? Zie je hoe zelfverzekerd hij Rachelle en Grandmère tegemoet treedt? Wie heeft hem dit gezag gegeven – niet de bisschop, niet de moederkerk. Alleen zij hebben het recht om zo te spreken! Maar kijk hem daar eens staan met zijn verboden boek, alsof hij een directe afgezant is van de levende God in de hemel!*

Andelot merkte amper op dat de dokter snel naar het bed van Grandmère liep.

Hij staarde naar Bernard. Alsof hij zijn brandende blik voelde, draaide deze zijn zilvergrijze hoofd om en keek naar de plek waar Andelot lag neergeknield.

Uit Bernards ogen sprak iets wat Andelot interpreteerde als een diep geloofsvertrouwen.

Beschaamd over zijn plotselinge verontwaardiging, boog Andelot zijn hoofd en wreef over zijn zware zilveren kruis, terwijl hij een gebed prevelde.

Andelot bloosde tot achter zijn oren. *Wat bezielde me zo-juist?*

Hij kende de geloofsopvattingen van de hervormers. Hij had een diep respect voor deze hugenootse familie en voelde zelfs een zekere *bonhomie* voor Bernard. Het was alsof er iets duisters dat hij niet kon verklaren bezit van hem had genomen.

Hij hoorde Rachelle zeggen: 'Ik begrijp het, Grandmère.'

Grandmère zuchtte en haalde rustiger adem.

Andelot keek naar Grandmère. Toen kwam hij overeind en liep in gedachten naar het raam. Hakkelend en stamelend had Grandmère geprobeerd iets belangrijks aan Rachelle duidelijk te maken, en hij geloofde dat Rachelle haar had begrepen.

Als het niet de appels waren geweest, wat had haar dan zo doodziek gemaakt?

De hertogin knielde naast het bed neer en bad een gebed dat Andelot nog nooit had gehoord. Het duurde enige tijd voordat hij begreep dat ze verzen uit de Franse Bijbel ci-teerde, maar kwamen deze overeen met de woorden die in de Latijnse Bijbel van de bisschop stonden?

Desondanks klonken de Franse Bijbelteksten hem aange-naam in de oren en luisterde hij er graag naar.

'Mijn schapen horen naar Mijn stem en Ik ken ze en zij volgen Mij, en Ik geef hun eeuwig leven, en zij zullen voor-zeker niet verloren gaan in eeuwigheid en niemand zal ze uit Mijn hand roven.'

Wie had deze woorden gesproken? Jezus?

Na enkele minuten zei de dokter: 'Het is voorbij, *mesdames, messires*, ze heeft haar laatste adem uitgeblazen.'

Grandmère was niet meer. *Nooit meer zou haar geest, die nu elders vertoefde, terugkeren naar dit broze, oude lichaam,* dacht Andelot, terwijl hij naar het bed keek.

Hij hoorde enkele dames die langs de muur zaten onderdrukt snikken. Andelot maakte aanstalten om de kamer uit te lopen, toen hij een verandering in Rachelle opmerkte. Ze ging staan en keek aandachtig de kamer rond. Hij kon aan haar grimmige blik zien dat ze iets te weten was gekomen. Ze leek vastberaden, zelfs boos. Hij volgde haar blik naar een ladekast, waarop een mooi rood doosje stond met de gouden initialen *C M.*

Rachelle bleef ernaar staren. Andelot liet zijn blik naar beneden glijden en zag dat ze haar vuisten had gebald.

C M, peinsde Andelot. *Catherine de Médicis, bien sûr!* Andelot keek naar het rode doosje. Hij zag Rachelle met kaarsrechte rug naar de ladekast toe lopen.

'*Messire?*' klonk de stem van de dokter.

Andelot draaide zich snel om en knikte. Hij stond op het punt de kamer uit te lopen, toen Rachelle hem met het rode doosje in haar handen voorbijsnelde in de richting van de grote zaal.

Hij haastte zich achter haar aan.

Eenmaal in de zaal aangekomen, zag hij dat hertogin Dushane en Rachelle een privévertrek waren binnengegaan. Hij liep naar de deur en sprak een van de dames aan.

'Ik moet zeer dringend met de *duchesse* en *mademoiselle* spreken.'

'*Madame* en *mademoiselle* kunnen nu niemand ontvangen. Ze zijn zeer aangeslagen.'

'Het is heel dringend. Wilt u hen alstublieft vragen of ik binnen mag komen, *s'il vous plaît!*'

De dames keken elkaar verwonderd aan, maar uiteindelijk ging er een van hen naar binnen. Na een ogenblik kwam ze weer naar buiten en bleef naast de open deur staan. 'U mag naar binnen gaan.'

Ze ging Andelot voor naar een kamer die toegang gaf tot een kleine salon. Hij zag Rachelle voor de hertogin staan met het rode doosje in haar handen. De hertogin had plaatsgenomen in een grote, comfortabele stoel en liet haar vermoeide hoofd tegen de rugleuning rusten.

'Andelot,' zei Rachelle, 'waar is neef Bernard?'

'Hij is bij de dokter achtergebleven.'

'Ga hem alsjeblieft halen. Hij moet er beslist bij zijn.'

Andelot maakte een buiging voor de hertogin, want hij zag dat ze hem en Rachelle nadenkend aankeek. *Had ze zijn gevoelens voor Rachelle geraden?*

Een paar minuten later hadden ze allemaal in de salon plaatsgenomen, behalve Rachelle, die was blijven staan.

'Dit doosje is afkomstig van de koningin-moeder,' zei ze. 'Ze heeft me het samen met twee andere doosjes persoonlijk overhandigd in Chambord. Op dit doosje probeerde Grandmère mijn aandacht te vestigen.'

'Voorzichtig, Rachelle,' waarschuwde neef Bernard. Hij keek naar de hertogin. 'Weet u zeker, *madame,* dat we hier niet worden afgeluisterd?'

'Mijn dames en pages zijn betrouwbaar, messire Bernard, maar u doet er verstandig aan dit te vragen. Ik weet zeker dat er zich geen afluistergaten of geheime ruimten achter dit vertrek bevinden. Daarom zijn we juist hier bij elkaar gekomen. Een aantal jaren geleden heeft Sébastien deze kamer samen met Madeleine grondig doorzocht. Madeleine neemt geen enkel risico in dit soort zaken. Ze controleert alle kamers ten minste eenmaal per jaar, geloof ik.'

'*Bon.* Deze doos was dus van de koningin-moeder?'

Andelot was zo ongedurig dat hij niet kon blijven zitten.

'Ik geloof dat Madeleine er ook eentje heeft gekregen.'

'Wij allemaal, behalve Idelette,' zei Rachelle, 'wat eigenlijk heel vreemd was, want Idelette had de meeste japonnen van *reinette* Maria Stuart gemaakt. De koningin-moeder heeft ons deze prachtige doosjes vlak voor ons vertrek uit Chambord cadeau gedaan. Idelette is vervolgens naar het zijdekasteel teruggekeerd en ik ben naar Amboise gereisd, omdat ik als hofdame van prinses Marguerite was aangesteld. De koningin-moeder vertelde me dat de doosjes een blijk van erkentelijkheid waren voor ons prachtige werk.'

'Maar Madeleine heeft niet meegewerkt aan het naaien van de zijden japonnen in Chambord,' zei hertogin Dushane.

'De koningin-moeder zei dat Madeleines doosje een geschenk was voor de geboorte van Sébastiens eerste kind. Ze drukte me op het hart dat Madeleine het doosje pas mocht openen, als de baby was geboren.'

'Wil je hiermee zeggen, *ma petite*, dat je denkt dat Grandmère vergiftigd is?' vroeg Bernard rustig, maar zonder omwegen.

Andelot keek snel naar Rachelle. Hij zag hoe haar mond verstrakte. '*Oui*,' klonk het beslist.

'En niet met appels?' vroeg Andelot.

'*Non.*'

'Desondanks heb ik de dokter gevraagd de appels te onderzoeken,' zei Bernard.

De hertogin fronste. 'Dit verhaal komt nogal onwaarschijnlijk op mij over, Rachelle. Waarom zou Catherine de dood van Grandmère wensen? Maar ga verder.'

'U denkt misschien dat ik mijn verstand heb verloren, *madame*, maar evenals Andelot geloof ik dat Grandmère vergiftigd is, en nu vermoed ik dat het vergif zich in dit doosje bevond. *Madame*, ik zal het met u allen als getuigen openmaken.'

Andelot keek van Rachelle naar de hertogin, die zichtbaar geschokt was. Bernard staarde ernstig en peinzend voor zich uit.

Rachelle tilde het deksel op – *het doosje was leeg.*

Andelot onderdrukte een gevoel van teleurstelling, maar Rachelle zweeg en keek onthutst.

De hertogin zuchtte.

'Ik zou niet verbaasd zijn geweest als je vergif in het doosje had aangetroffen,' zei de hertogin. 'Ik moet zeggen dat het niet de eerste keer zou zijn geweest, ook al is het heel gevaarlijk om dit hardop te zeggen.'

'Vroeg of laat moeten we de waarheid onder ogen zien,' zei Bernard, die naar het vuur liep. 'De markies heeft me voor de koningin-moeder gewaarschuwd. Hij heeft geen vertrouwen in het colloquium van Fontainebleau dat deze herfst zal worden gehouden. Ook ik heb aan de mogelijkheid van vergif gedacht en mijn vermoeden onder vier ogen aan de dokter meegedeeld. Hij overweegt of hij een autopsie op het lichaam van Grandmère zal uitvoeren, in het grootste geheim uiteraard.'

'Als dit nieuws zou uitlekken durf ik niet in te staan voor de levens van degenen die hierbij betrokken zijn,' zei de hertogin grimmig. 'Ik ken Catherine de Médicis en weet dat de intriges van dit verdorven hof *le docteur* ook niet onbekend zijn.'

Rachelle stond bedenkelijk voor zich uit te staren. Andelot keek haar aan en zag dat het lege doosje haar nog steeds dwars zat.

'*Mademoiselle*, was uw doosje ook leeg?'

Rachelle schudde haar hoofd. 'Alledrie de doosjes waren geschenken, maar in het mijne zat een hanger met een edelsteen. Ik heb deze al twee keer gedragen, maar ben beide malen niet ziek geworden.'

'*Madame*, weet u wat er in dit doosje zat?' vroeg Bernard aan de hertogin.

'*Mais certainement*. Twee *merveilleux* handschoenen van Catherines hofleverancier op de kade,' zei de hertogin.

Rachelle keek op. '*Oui*, en volgens mij was dat precies het woord dat Grandmère probeerde te zeggen – *handschoenen*. Maar ik had verwacht dat ze in het doosje zaten.'

Bernard ging met zijn rug voor de haard staan. '*Madame*, kunt u zich herinneren of ze de handschoenen heeft gedragen?'

'Maar *bien sûr*, ik kan me heel goed herinneren dat ze de handschoenen droeg, toen ze terugkwam van de markt...'

Andelot en Rachelle keken haar geschrokken aan.

'Aha...' mompelde Bernard fronsend.

De hertogin was zachter gaan praten, alsof de conclusie van haar eigen woorden haar met ontzetting vervulde.

'Handschoenen,' herhaalde ze.

Rachelle knikte. 'Ik weet bijna zeker dat ze het woord *handschoenen* probeerde te zeggen.'

'Precies,' zei Andelot. 'Geen appels, maar handschoenen. Ze at de appels op vrijwel hetzelfde moment dat het gif zijn fatale werk begon te doen.'

Rachelle sprong overeind en liep de kamer door. 'Arme Grandmère. Was ik maar hier geweest. Ik had niet naar Vendôme moeten vluchten, maar direct naar Parijs moeten komen!'

'Je had niet kunnen voorkomen wat is gebeurd,' zei de hertogin. Ze verfrommelde de zakdoek in haar schoot. Ze was bleek geworden.

Rachelle liet zich neerzakken op de roze sofa en greep met haar handen naar haar hoofd. Andelot liep naar haar toe.

'Waarom heb ik geen handschoenen gekregen?' huilde Rachelle, alsof het oneerlijk was dat Grandmère was vergiftigd, terwijl zij ongedeerd was gebleven.

Ze hield meer van Grandmère dan wie ook in de familie, dacht Andelot, terwijl hij verlegen naast haar stond.

Bernard liep naar Rachelle toe en legde liefdevol en troostend een hand op haar schouder. 'Misschien heb je geen handschoenen gekregen, omdat *Madame le Serpent* je nog voor iets anders wil gebruiken. We moeten beslist voorkomen dat je naar het hof terugkeert.' Hij keek de hertogin vragend aan.

'Ik zal mijn uiterste best doen, Bernard, maar zoals u weet, heeft de koningin-moeder het laatste woord in dit soort zaken. Maar nu Sébastien is aangeklaagd wegens hoogverraad, heeft ze misschien haar interesse in de Macquinets verloren.'

'Ik hoop dat dit zo is, *madame*, maar ik heb mijn twijfels.'

'We mogen niet vergeten dat we geen onomstotelijk bewijs in handen hebben dat Grandmère vergiftigd is.'

Voor Andelot stond echter vast dat er kwade opzet in het spel was.

Bernard keek Rachelle aan. 'Je zei zojuist dat Madeleine ook een paar handschoenen had gekregen? In dat geval, *chères dames*, moeten we ze onmiddellijk gaan zoeken! Want zij is waarschijnlijk op dezelfde duivelse manier ziek geworden.'

'Madeleine!' Rachelle sprong overeind, alsof ze nieuwe energie had gekregen. Ze vloog de kamer uit in de richting van, zo vermoedde Andelot, haar zusters slaapkamer.

De hertogin kwam met moeite overeind en leunde zwaar op haar wandelstok. 'Lieve help,' fluisterde ze. 'Ja, inderdaad, Madeleines handschoenen lagen verleden week op haar toilettafel. Dat herinner ik me nu. Ze had er een opmerking over gemaakt, toen ik haar en *bébé* Jeanne kwam bezoeken. Ze zei dat ze haar te groot waren, of iets dergelijks.'

'We mogen God danken dat ze haar niet pasten,' zei Bernard. 'Misschien zal haar leven hierdoor gespaard worden.'

De hertogin keek Andelot ongerust aan en zei: 'Andelot, kun je met me meekomen? Ik heb je nodig.'

Leunend op haar wandelstok liep ze zo snel mogelijk naar de deur. Andelot volgde haar.

In het voorvertrek riep de hertogin haar eerste hofdame.

'Madame Sully, houd alstublieft de dokter tegen, mocht hij aanstalten maken om te vertrekken. Ik moet hem iets heel belangrijks vragen.'

'*Oui, madame duchesse.*'

Andelot volgde de hertogin tot aan de deur van Madcleines kamer. Er brandden kaarsen in het vertrek en een aantal dames waakte zwijgend bij haar bed. Een van de hofdames depte Madeleines bleke gezicht met een vochtige doek. Ze maakten allen plaats voor Rachelle, die de kamer kwam binnenstormen en koortsachtig alle dressoirs en ladekasten begon te doorzoeken.

Hertogin Dushane liep naar het bed en keek naar Madeleine.

'Hoe gaat het met haar?'

'Ze slaapt zeer vast, *madame*. De dokter heeft haar extra medicijnen gegeven.'

Andelots hart voelde zo zwaar als een steen. Na een blik op de *belle* Madeleine Macquinet-Dangeau geworpen te hebben, wist hij dat ze dezelfde weg kon gaan als Grandmère. Een grote woede laaide op in zijn hart, maar tegelijkertijd voelde hij een diepe angst voor de lange Italiaanse vrouw in het zwart. Waarom had ze dit gedaan?

Hertogin Dushane verzocht alle dames om hen alleen te laten en hoewel ze verbaasd keken, trokken ze zich allemaal terug in de antichambre. Ze keek naar Rachelle, die nog steeds verwoed aan het zoeken was.

'Ze zijn verdwenen,' riep Rachelle.

'Ze moeten hier ergens zijn. Ik heb ze op dat tafeltje zien liggen, naast het gouden filigraan doosje.

Rachelle draaide zich om en keek de hertogin aan. 'Wie kan ze weggenomen hebben?'

'De hofdames zouden nooit iets van haar of mij stelen.'

'Daar dacht ik eigenlijk niet aan, maar misschien hebben ze de handschoenen ergens anders opgeborgen.'

'Het kan ook zijn,' zei Andelot ongerust, 'dat ze ze weg heeft gegeven, omdat ze haar te groot waren.'

De hertogin ging met een zucht zitten.

'Laten we het de hofdames vragen.' Rachelle snelde naar

de deur van het voorvertrek en verdween.

Andelot hoorde hoe ze de dames ondervroeg. Een paar minuten later liep ze langzaam en nadenkend de kamer weer binnen.

'Ze weten niet waar de handschoenen gebleven zijn. Madame Richelieu herinnert zich dat ze de handschoenen op het tafeltje naast het doosje heeft zien liggen op de dag dat Grandmère ziek werd. Ze heeft ze sindsdien niet meer gezien. De anderen zeggen precies hetzelfde.'

De hertogin zuchtte.

Rachelle liep terug naar de ladekast en begon opnieuw te zoeken, maar ten slotte stak ze haar handen omhoog. 'Het heeft geen zin verder te zoeken. Iemand heeft ze weggenomen.'

'Misschien heeft je zuster ze ergens opgeborgen, voordat ze ziek werd,' probeerde Andelot haar gerust te stellen.

Rachelle leek niet erg overtuigd.

Andelot zag hoe Rachelle naar het bed van haar zusje liep. Ze knielde neer en bad voor haar. Vervolgens liep ze achter de hertogin aan de kamer uit. Andelot ging terug naar de zitkamer, waar neef Bernard met de dokter was achtergebleven. Hij was kalm, maar zijn bleke gezicht stond somber. Andelot vertelde hem dat de handschoenen waren verdwenen.

'Kun je me meer vertellen over het giflaboratorium in Amboise?'

Andelot vertelde hem over zijn bange avontuur met prins Charles Valois en de sterrenwacht boven de slaapkamer van de koningin-moeder.

'Er waren daar allerlei vergiften opgeslagen, *monsieur*, ik heb het met eigen ogen gezien,' zei hij fluisterend. 'In een van de zakjes zat een wit poeder met een briefje erbij. *Strooi over kleding of in handschoenen*, stond erop geschreven. Ik kan me niet alles meer voor de geest halen, maar ik vrees dat er een dodelijk vergif in de handschoenen is gestrooid.'

'Ik denk dat je weleens gelijk zou kunnen hebben, Andelot. Sterrenwichelarij, zwarte kunsten en vergiften.' Bernard schudde verdrietig zijn hoofd. 'Ik heb gehoord dat het in het Vaticaan even erg is als in het Louvre. Je moet me beloven om hier niets over los te laten aan het hof, en vooral niet aan de Guises.'

'Daar kunt u van op aan, *monsieur*.'

Bernard keek hem kalm aan. 'Dat hoop ik, Andelot.'

'Absoluut, *monsieur*, maar wat zijn uw verdere plannen? Hoe zit het met de reis naar Calais waarover u met mademoiselle Rachelle hebt gesproken? Bent u nog steeds van plan te gaan?'

Bernard keek hem vorsend aan. 'Kan ik je vertrouwen, Andelot?'

'*Monsieur*?' Andelot keek hem vragend aan.

'Rachelle vertrouwt je onvoorwaardelijk. En ik heb gehoord dat de markies van Vendôme, die een *ami* van je is, dat ook doet. De hertogin heeft je blijkbaar ook in vertrouwen genomen. Je hebt ons hier over vergif en verraad horen spreken. Maar uit andere betrouwbare bronnen heb ik vernomen dat je een van de favoriete dienaren van de kardinaal bent en dat hij van plan is om je naar de universiteit te sturen om je klaar te stomen voor een vooraanstaande positie in de staatskerk. Misschien zul je op een dag zelfs in zijn voetsporen treden en als zijn opvolger de kardinaalsmuts dragen. Waarom zou ik je in vertrouwen nemen en je vertellen wat ik in Calais en Londen ga doen?' Bernard trok een van zijn grijze wenkbrauwen op en keek Andelot onderzoekend aan met zijn donkere, indringende ogen.

Andelot wist niet wat hij moest antwoorden. Hij had vele hugenootse vrienden, die in zijn aanwezigheid geen blad voor de mond namen, net zomin als hij dat deed. Het idee hen te verraden vervulde hem met afschuw, zeker na alles wat in Amboise was gebeurd. Hij bedacht dat dominee Bernard, een theoloog uit Genève die een gewilde 'prooi' voor de inquisitie was, dit echter niet kon weten.

'*Monsieur*,' zei Andelot, 'ik weet niet precies wat u in Calais of Londen gaat doen, maar ik neem aan dat het iets te maken heeft met het verspreiden van uw protestantse geloof. Maar dat is niet de reden dat ik u naar Calais wens te vergezellen. Ik wil markies Fabien waarschuwen dat Sébastien een wrede en gruwelijke dood te wachten staat. Misschien kan de markies zijn reis uitstellen en voor het leven van Sébastien pleiten bij zijn *ami*, koning François.'

Bernard keek hem aan en zijn donkere ogen glinsterden. 'Dat is ook een van de redenen dat ik naar Calais ga.'

Er was Andelot op de een of andere manier veel aan gelegen om het vertrouwen van de oudere heer te winnen. '*Monsieur*, ik sta niet langer in een goed blaadje bij de kardinaal, want zoals ik u in de koets al heb verteld, heb ik hem in Amboise voor het hoofd gestoten. De Guises beweren inderdaad dat ik familie van hen ben: mijn vader Louis was een neef van de Guises, die door de familie is onterfd. Na zijn dood ben ik door de Dangeaus, de familie van Sébastien, geadopteerd. Maar ik sta niet op vertrouwelijke voet met de kardinaal en heb geen idee wat hij van plan is.'

'Als je met me meegaat naar Calais, dan loop je het risico je toekomst aan het hof te verspelen.'

'Als de kardinaal erachter komt dat ik de markies op de hoogte heb gebracht van Sébastiens arrestatie, zal hij mij zonder enige twijfel voorgoed verstoten.'

Bernard knikte. 'Wens je in dienst te treden van de kardinaal?'

Andelot aarzelde. Hij besefte dat hij geen vriendschap met deze man kon sluiten, als hij niet volledig open kaart speelde.

'*Monsieur*, u weet waarschijnlijk dat ik geen hugenoot ben; om die reden heb ik er geen bezwaar tegen om aan een katholieke universiteit te studeren. Het was mijn droom om als groot geleerde in de voetsporen van Thauvet te treden. Ik heb echter niet de ambitie om priester te worden.'

'Je hebt geen eenvoudige weg gekozen, Andelot. Zorg ervoor dat je het spoor niet bijster raakt.'

'Inderdaad, *monsieur*. Maar door mijn studie kan ik misschien meer inzicht krijgen in de weg die ik moet gaan.'

Waar zal de weg die ik gekozen heb uiteindelijk naartoe leiden? vroeg Andelot zich af.

'Ik kan zien dat dit dilemma je zwaar weegt. Slechts je eigen hart en geweten zijn je leidraad. Ik raad je aan om veel te bidden, voordat je een beslissing neemt. Luister naar Gods stem in je hart. Als je je wensen en verlangens aan Hem overgeeft, zul je Zijn leiding in je leven zeker ervaren. Sprekend uit ervaring kan ik je slechts aanraden op te passen voor de Guises.'

'*Monsieur*, als het slechts mijn bedoeling was om een wit voetje te halen bij de kardinaal, dan zou ik op dit moment niet in deze kamer zijn.'

'Tenzij je een spion bent.'

Andelot staarde hem ontzet aan. 'Een spion?'

Maar Bernards glimlach en de twinkeling in zijn ogen stelden hem gerust dat hij dit niet in ernst meende. 'Misschien spelen je gevoelens voor de *mademoiselle* ook een rol.'

Andelot kreeg het warm. 'Dat is niet de reden, monsieur Bernard. Ik geef u mijn woord dat ik de markies nooit zou verraden. Als hij hier nu voor ons stond, zou hij dit zeker beamen!'

Bernard legde zijn hand op Andelots schouder en keek hem ernstig en openhartig aan. 'Neem me mijn achterdochtigheid niet kwalijk, Andelot. Als hugenoot, dominee en *ami* van de gehate Johannes Calvijn moet ik op mijn hoede zijn.'

'Ik begrijp het, *monsieur*. U hebt groot gelijk. Ik hoop dat ik u op een dag het bewijs zal leveren dat ik uw vertrouwen waard ben.'

Bernards ogen werden zacht. 'Ik heb het gevoel dat die dag zeker zal komen. En voor het geval het je mocht interesseren: ik heb besloten om ervoor te zorgen dat dit gauw zal gebeuren. Je wilt dus een groot geleerde worden?'

Andelot was opnieuw van zijn stuk gebracht en staarde hem aan. 'Dat is mijn droom.'

'Misschien zijn er andere manieren om deze droom te verwezenlijken. Maar kom! We hebben geen minuut te verliezen. Ik ga naar Calais om de persoon te vinden die volgens jou een *ami* van de Macquinets, Sébastien en jouzelf is.'

Rachelle en de hertogin waren teruggekeerd naar de zitkamer en Bernard keek Rachelle aan die zachtjes met de hertogin sprak. 'De zaken staan er nu anders voor,' zei Bernard. 'Ik schat de situatie niet meer zo in als een week geleden op het zijdekasteel. Ik denk dat we een beroep moeten doen op de markies, een *seigneur* die het vertrouwen van ons allemaal lijkt te genieten, om te bemiddelen voor Sébastien.'

Andelot kreeg nieuwe hoop. 'Wilt u proberen hem te onderscheppen in Calais?'

'Inderdaad.' Hij keek naar Rachelle. 'Het zou goed zijn als Rachelle ons kon vergezellen.'

Andelot had niet verwacht dat dominee Bernard dit zou voorstellen, maar hij wist dat ze haar eigen redenen had om naar Calais te gaan.

'Wanneer wilt u vertrekken?' vroeg Andelot.

'Om enige kans van slagen te hebben, zo vlug mogelijk, het liefst vanavond nog.'

Andelot stemde met hem in. 'Met de hulp van de hertogin en haar page Romier moet dit zeker lukken, *monsieur*.'

'*Bien*, vraag jij hun in dat geval om ons te helpen. Ik zal met Rachelle spreken, terwijl jij de voorbereidingen voor de reis treft.'

Nadat de hertogin en Rachelle op de hoogte waren gebracht van dominee Bernards plannen, beloofde de hertogin hun op alle mogelijke manieren te assisteren; ze zou zelfs voor paarden zorgen. Fabiens goudbruine vos zou in het Louvre achterblijven totdat Andelot was teruggekeerd, want hij vreesde dat hij de afgelopen week te veel van de krachten van het dier had gevergd. Diep in zijn hart wilde hij de markies niet ontstemmen door de goudbruine vos afgemat en uitgeput bij hem af te leveren.

Nadat ze alle nodige afspraken hadden gemaakt, gaf de hertogin haar bedienden opdracht om voor proviand voor de reis te zorgen en de paarden in gereedheid te brengen. Tijdens de lichte maaltijd die Andelot, Bernard en Rachelle in gezelschap van de hertogin nuttigden, vertelde Rachelle dat ze had besloten met hen mee te gaan naar Calais en dat ze haar zuster Madeleine aan de zorgen van de hertogin en haar hofdames zou toevertrouwen.

'Ik wil mijn *père* het nieuws van Avril en Grandmères overlijden zelf vertellen,' zei ze. 'Ik weet zeker dat madame Claire dit goed zou vinden.'

Andelot was ervan overtuigd dat ze de waarheid sprak, maar hij vermoedde dat ze ook nog een andere reden had om te gaan. Dit verdroot hem, want hij wist wat Rachelle en markies Fabien voor elkaar voelden.

Ze zat tegenover hem aan tafel en terwijl hij haar gadesloeg, was hij opnieuw getroffen door de verandering die ze sinds Amboise had ondergaan; hij had dit voor het eerst opgemerkt, toen hij op het zijdekasteel was aangekomen om hun het nieuws te brengen van Grandmères ziekte. Aanvankelijk dacht hij dat hij het zich had ingebeeld. Ze had een grote tragedie meegemaakt, net zoals alle anderen. Maar nu hij enkele dagen lang in haar gezelschap had verkeerd, kon hij zien dat ze echt was veranderd.

De eens zo zachte, bruine ogen fonkelden nu als harde juwelen. Haar gezicht had een grimmige uitdrukking gekregen die hij nooit eerder had gezien. Ongerust vroeg hij zich af of ze wraak wilde nemen. Andelot had geen principieel bezwaar tegen wraak, hoewel dominee Bernard daar ongetwijfeld anders over dacht. Andelot maakte zich echter zorgen over Rachelles veiligheid. Zou de markies de verandering in haar opmerken? *Zou ik hier niet blij mee moeten zijn? Misschien maak ik hierdoor een kans bij haar.*

Andelot glimlachte en genoot van de geroosterde fazantenbout en gepofte kastanjes.

Na de maaltijd deelde de hertogin Rachelle mee dat ze een brief zou schrijven aan de familie op het zijdekasteel om hun op de hoogte te stellen van Grandmères overlijden en Bernards besluit om Rachelle mee te nemen naar Calais.

De hertogin liep naar Bernard toe.

'God zij met u, Bernard.'

'Uw nederige dienaar, *madame*. Ik vermoed dat onze wegen zich opnieuw zullen kruisen, wellicht tijdens het colloquium in Fontainebleau dit najaar.'

'Ik zal daar zijn om me sterk te maken voor onze zaak, dat beloof ik u. U bent altijd welkom op mijn landgoed. *Au revoir.*'

Rachelle maakte een reverence. '*Merci, madame*, dat u zo goed hebt gezorgd voor Grandmère en Madeleine.' Ze kuste haar hand, draaide zich om en liep de kamer uit, gevolgd door Bernard.

Andelot maakte een buiging, toen de hertogin zich naar hem omdraaide.

'Hoogheid, *adieu*.'

'Vaarwel, Andelot. Zeg tegen de markies dat we hem dringend nodig hebben om het leven van graaf Sébastien te redden.'

9

Calais

Met gemengde gevoelens reed markies Fabien de middel-
eeuwse stad Calais tegemoet. Hier hadden de Franse troepen
de Engelsen verslagen onder aanvoering van de hertog van
Guise, die dankzij deze overwinning de erenaam *le Balafré,*
de man met het litteken, had gekregen. Maar in de buurt van
dezelfde stad was hertog Jean-Louis de Bourbon in een eerdere veldslag gesneuveld, nadat de listige hertog van Guise
ervoor gezorgd had dat hij niet van de benodigde extra troepen werd voorzien.

Eeuwenlang was Calais de haven geweest waar schepen
de Noordzee overstaken naar Engeland. De *citadelle* was de
naam van het uit de dertiende eeuw stammende bolwerk
langs het *Pas de Calais.* De kapiteins van de koopvaardijsche-
pen klaagden erover dat de havenstad een piratennest was,
maar voor Fabien was het de meest geschikte plek om samen
met de andere geuzen te wachten op nieuws van hun spionnen over de Spaanse galjoenen.

Ondanks de zeewind was het benauwd. Fabien reed met
Gallaudet en zijn zwaarbewapende soldaten een van de
stadspoorten binnen. De stad was door oude muren omringd, waaromheen een gracht was gegraven. Een aantal
generaties geleden waren de bewoners van Calais bijna van
honger omgekomen, toen ze weigerden om zich over te
geven aan de Engelse koning Hendrik, die het beleg om
de stad had geslagen. In het centrum was een monument
opgericht voor de zeven mannen die bereid waren geweest
hun leven op te offeren in ruil voor de vrijlating van hun
medeburgers. In Fabiens ogen pleitte het voor de koning

die Frankrijk zo lang geleden had aangevallen dat hij de bevolking van Calais niet had afgeslacht en ook het leven van de zeven dappere burgers had gespaard.

'Dit soort menselijke en eenvoudige daden komt ons nu buitengewoon edelmoedig en indrukwekkend voor, Gallaudet,' zei Fabien, terwijl ze de stad binnenreden en het geluid van de hoeven van hun paarden op de oude keien weerkaatste. 'We kunnen ons niet voorstellen dat er zoiets in deze tijd zou gebeuren, waarin koningen en hertogen er niet voor terugdeinzen om vrouwen en kinderen levend te verbranden in eenvoudige bedehuizen.'

'Inderdaad, *monseigneur.*'

Ze reden naar de Place d'Armes, het grootste plein in het centrum van de stad met zijn dertiende-eeuwse wachttoren. Een wachter stond op de uitkijk naar mogelijke vijandelijke troepen.

Fabien merkte de vele hugenoten onder de bewoners van de stad op, die uit andere streken van Frankrijk naar Calais waren gevlucht. Velen van hen waren bekwame wevers en hij zag een groot aantal winkels waar zijde en kant werd verkocht. Als de brandstapels uiteindelijk ook Calais zouden bereiken, dan zouden ze de grauwe Noordzee oversteken naar Engeland, dat onder de regering van koningin Elizabeth een protestantse natie was geworden. Hij wist dat vele Franse hugenootse *émigrés* uit de burgerij zich in Spitalfields hadden gevestigd waar ze bij de Engelsen naam hadden gemaakt als zijdewevers en kantklossers.

'*Monseigneur*, kijk – zijde.' Gallaudet wees op een aantal winkels aan de overzijde van het plein met prachtige zijde en kant in de etalage.

Toen Fabien de verschillende wevers, couturiers en andere ambachtslieden aan het werk zag, voelde hij zich treurig worden. Hij tuurde naar een Franse vrouw die met een rol zijde onder haar arm langs de winkels liep. Ze deed hem aan Rachelle denken

Zet haar uit je hoofd. Hij zag een *monsieur* haar een van de kantwinkels in volgen. *Kon het zijn dat...?* Hij leek sprekend op Bernard, behalve dat hij jonger was. *Monsieur Arnaut Macquinet?*

Fabien liet zijn paarden, bagage en mannen bij de herberg achter en liep met Gallaudet en Julot Cazalet, een familielid van Sébastien, naar de haven waar schepen in allerlei soorten en maten en uit alle windstreken voor anker lagen.

De zeelucht, de wind en het klotsen van de golven tegen de schepen openden een nieuwe wereld voor hem die een veel grotere aantrekkingskracht op hem uitoefende dan het fluweel, de parels, de smeulende ambitie en de vele intriges aan het hof.

Zijn schip was klaar voor vertrek; hij was er meteen van in de ban. Vredig deinend op de golven lag de *Represaille*, zoals hij het zou noemen, in de haven aangemeerd. Hoewel de kanonnen nu zwegen, konden ze een Spaans galjoen met het grootste gemak tot zinken brengen. Het was een schip van hoogwaardige kwaliteit dat hij met stilzwijgende goedkeuring van de Engelse koningin had gekocht van een van haar invloedrijkste spionnen. Fabien had een fabelachtige som geld voor dit schip neergeteld dat een van de beste Engelse schepen in zijn soort was. Zonder zijn geheime ontmoeting met kapitein John Hawkins, sir Martin Frobisher en sir Francis Drake, de kaperkapiteins in dienst van de Engelse koningin, had hij nooit dit schip in handen kunnen krijgen.

Toen Fabien aan boord ging, werd hij met gejuich door de bemanning ontvangen. Om niet het risico te lopen dat zijn expeditie bekend zou worden bij de Franse troon, had hij ervoor gezorgd dat de vlag met zijn familiewapen niet bovenin de mast wapperde. Zodra ze waren uitgevaren om de Spaanse galjoenen te onderscheppen, zouden ze de piratenvlag hijsen.

Dit was een schip van Britse makelij dat in geen enkel opzicht onderdeed voor andere oorlogsschepen. Het was met zwaar geschut uitgerust en zeer wendbaar. De bemanning bestond uit ervaren zeelieden die door Nappier waren gerecruteerd. Terwijl Fabien zich de kunst van het navigeren meester zou maken, zou Nappier de rol van *capitaine* op zich nemen. De bemanning van het schip zou Fabiens soldaten, die stonden te popelen om de Spaanse schepen te enteren en hun vijanden met het zwaard te lijf te gaan, tot matrozen opleiden. De scheepskanonnen zouden worden bediend door kanonniers die door Nappier waren ingehuurd. Op het gebied van navigatie zou Fabien op de ervaring van Nappier vertrouwen. Hij hoopte echter dat hij hem met zijn kaarten en navigatie-instrumenten zou kunnen assisteren.

De bemanning had respect voor Fabien. Hij was ervan overtuigd dat het hen voldoening gaf te dienen onder een Bourbon, een echte markies, op wiens schip ze zouden uitvaren om de gehate leiders van de inquisitie aan te vallen. Tijdens de aanval mochten ze meenemen wat van hun gading was. Fabien had er geen probleem mee dat ze Spanjaarden zouden beroven die hugenoten en lutheranen op de brandstapel zetten.

De mannen wisten weinig af van Fabiens behendigheid met het zwaard, behalve via de verhalen van Nappier. Sommige kapers dachten echter dat deze overdreef om hun meer vertrouwen te geven in de onderneming. 'Het is beter om jezelf te bewijzen,' had Fabien tegen Gallaudet gezegd. 'En ik laat mensen graag zien dat een edelman niet per definitie een fat is die toevallig in een rijke en adellijke familie is geboren.'

Fabien voelde een oprechte genegenheid voor Nappier en had een groot vertrouwen in hem. Na jarenlang gevaren te hebben, had Nappier de zee de rug toegekeerd en zich opgewerkt tot eerste schermmeester in de koninklijke wapenkamer. Hier had de jonge Fabien Nappier leren kennen en de kapitein was een rolmodel voor de vaderloze jongen geworden. Vanaf zijn dertiende had Fabien de verhalen gehoord van Nappier over zijn avonturen op zee. Nappier had zijn genegenheid en respect gewonnen en Fabien had hem ingehuurd om hem te leren vechten met zowel een kort zwaard als een lange degen.

Naarmate de jaren verstreken was Fabien erachter gekomen dat Nappier een diepe minachting koesterde voor koning Filips van Spanje. Toen Fabien meerderjarig was geworden, had Nappier hem ertoe overgehaald een schip te financieren voor Nappier en zijn bemanning, allen zeelieden die vroeger onder hem hadden gediend. Na het bloedbad in Amboise was Fabien tot de overtuiging gekomen dat de geuzen die de Hollanders in hun strijd tegen de hertog van Alva wilden ondersteunen zo snel mogelijk in actie moesten komen.

Fabien was niet helemaal onbekend met dit soort expedities, want als jongen had hij in de zomervakanties in het geheim een aantal korte zeereizen gemaakt. Eenmaal ontsnapt aan de knellende banden van het hof, kon hij gaan en staan waar hij wilde. Zijn favoriete Bourbonse neef, prins Louis de Condé, was het enige familielid dat van deze uitstapjes op de hoogte was, maar hij had zijn mond gehouden.

De Condé was een van de aanvoerders van het hugenootse leger geweest tijdens de laatste godsdienstoorlogen in Frankrijk. De Condé was zelf een roekeloze avonturier, die heimelijk glimlachte om Fabiens geheime expedities. Niemand anders had ervan geweten, behalve Sébastien misschien, die zijn eigen redenen had om Fabiens jeugdige avonturen door de vingers te zien.

Als kapitein had Nappier niets liever gedaan dan Spaanse galjoenen te beroven die vanaf het Caraïbisch gebied terug naar Spanje voeren en na al deze jaren was zijn enthousiasme geenszins bekoeld.

'Dit schip, *monseigneur*, is het beste dat ik ooit heb gezien,' zei Nappier hem tijdens de inspectie die morgen. Hij wreef in zijn grote handen en zijn ogen glansden als zwarte parels. 'We zullen eens en voor altijd afrekenen met onze vervolgers, hè? We zullen hun schepen enteren en ze een kopje kleiner maken.'

'Ik ben erop gebrand om de aanvoerroutes van Spanje te blokkeren, Nappier.'

De zon scheen op het grijsblauwe water dat door de speling van het licht glansde als een school zilverkleurige vissen. Trots had Nappier hem een rondleiding gegeven op het grote schip en hem alles laten zien.

'Ah, wat een schoonheid is het. Het zal ons grote diensten bewijzen,' pochte Nappier.

Fabien stond met zijn handen in zijn zij en keek omhoog. Het schip was zoals gebruikelijk uitgerust met drie masten, maar de hoofdmast had een extra aantal zeilen.

'Dit zijn zogenaamde bramzeilen, markies Fabien. Hawkins was de eerste die dit nieuwe systeem heeft uitgeprobeerd. We hijsen ze op het moment dat we extra wind willen vangen.'

'Het was een van de redenen dat ik voor dit schip heb gekozen,' zei Fabien.

De *Represaille* was een 120 ton wegend schip met een prachtige voorsteven en een vierkante achtersteven. Aan weerszijden van het roer bevonden zich twee kanonnen. Verder was het schip over de gehele lengte van een dubbele rij schietgaten voorzien.

Nappier bracht Fabien naar de kapiteinshut. Het vertrek zag er gerieflijk uit en was voorzien van een bed, een schrijftafel en een aantal stoelen. Aan de met donker eikenhout betimmerde wanden hingen enkele kaarten. De bemanning had zijn scheepskoffer in de hut gezet en op de grond lag een stapel boeken.

Later die avond, toen de kaarsen waren aangestoken in de hut en het schip zachtjes deinde op de golven, dacht Fabien aan Rachelles vader, monsieur Arnaut. Fabien had geweigerd hem te helpen, maar nu hij de man bij de kantwinkel had gezien, begon zijn geweten te knagen. Hoe kon hij Arnaut in zijn eentje zonder hulp achterlaten? Hij kon de *monsieur* en zijn bagage niet meenemen naar Engeland, maar hij kon hem wel beschermen, totdat Arnaut een schip had gevonden dat bereid was zijn bijbels naar Spitalfields te vervoeren.

Hij liet Gallaudet bij zich roepen en vroeg hem in het geheim naar de kantwinkel te gaan.

'Probeer zo veel mogelijk te weten te komen over zijn situatie, maar vertel niemand dat je de page van de markies van Vendôme bent.' Fabien wist maar al te goed dat zijn contacten met een bende geuzen hem niet in dank zouden worden afgenomen door de Franse troon, laat staan Spanje. Het was zeer de vraag of Rachelles vader zijn plannen goedkeurde. Ook al kon hij het voor zijn eigen geweten volkomen verantwoorden dat hij de strijd zou opnemen tegen de Spaanse inquisiteurs, kon hij niet om het feit heen dat hij zaken deed met piraten.

Er gingen enkele dagen voorbij en de zeelieden werden ongedurig. Fabien belegde een vergadering in een van de pakhuizen op de kade.

Kapitein Pascal, die Fabien deed denken aan een magere hongerige wolf, liep door de ruimte te ijsberen. Het leer van zijn lieslaarzen kraakte bij elke stap die hij zette. De Nederlandse kapitein Willems keek hem verachtelijk aan. 'Je bent net een kat die op een muis loert. Ga toch zitten, Pascal. Je maakt ons allemaal zenuwachtig.'

'Er klopt iets niet; ik ruik onraad. Waarom hebben we nog steeds geen nieuws ontvangen uit Plymouth? Kom, *messieurs*, u weet even goed als ik dat we al lang iets hadden moeten horen.' Zijn blik gleed over het grote, lege pakhuis dat werd verlicht door drie olielampen aan de muur. Er broeide onweer en het bouwwerk kraakte. De pijlers onder de houten werf kreunden als geketende geesten.

De twaalf kapiteins en hun eerste stuurlieden keken hem boos aan.

'Er zit niets anders op dan rustig af te wachten, Pascal,' zei Nappier. 'Ons geduld zal zeker beloond worden.'

'Misschien is er een spion in ons midden.' Pascal keek de aanwezigen een voor een aan alsof hij hun gedachten kon lezen.

Fabien, die met zijn rug tegen de deur stond geleund en naar de gebarsten ruit staarde waartegen de regen kletterde, keek naar zijn landgenoot Pascal. Hij kende de jonge zeeman, die hij via Nappier had leren kennen, inmiddels enkele jaren. Pascal kon hij vertrouwen. Hij had trouw gezworen aan de Bourbons en mocht Fabien bijzonder graag. Maar Pascal was achterdochtig van aard en zag overal leeuwen en beren.

Een spion? Fabien keek naar de zeelieden en wees Pascals verklaring voor de vertraging van de hand. Geen enkele man in deze groep zou de kant van Spanje kiezen, nee, niet voor alle schatten uit het Caraïbisch gebied. Hij had van Nappier gehoord dat elke kapitein uit eerste hand ervaring had met de inquisitie.

Nappier snoof verachtelijk en ging staan. 'Spionnen, bah, wat een onzin, Pascal. We staan allemaal te popelen om de Spaanse galjoenen tot zinken te brengen.'

'Ai,' zei kapitein Tuvy, een Engelsman. 'Wil je ons echt beledigen, Pascal? Een spion, zegt-ie! De volgende keer beweert hij dat ik papen in mijn kajuit verberg.'

Pascal antwoordde: 'Dat zeg je nu wel, maar waarom hebben we nog geen bericht uit Plymouth ontvangen? De situatie is zeer zorgwekkend, *messires.*'

'Het weer is omgeslagen, Pascal,' zei Fabien. 'Afgaande op de windrichting, is er storm vanuit het noorden op komst. Hoogstwaarschijnlijk is de vertraging veroorzaakt door het weer. We moeten geduld hebben, Pascal.'

Pascal legde zijn hand op zijn hart en maakte een buiging. 'Markies van Vendôme, ik smeek u naar me te luisteren: misschien hebben de Spanjaarden ons schip voor de kust van Spanje ontdekt en tot zinken gebracht. En wat denkt u van de Engelse ambassadeur in Madrid?'

'Wat wil je daarmee zeggen?' gromde Tuvy, zijn ogen tot spleetjes samengeknepen nu er over een landgenoot werd gepraat. 'Wil je hem van verraad beschuldigen? De volgende keer beschuldig je mijn eigen koningin nog. En ik denk niet dat ik dat zomaar over mijn kant zal laten gaan, Pascal.'

'Wees niet zo snel op je teentjes getrapt, Tuvy,' zei Fabien. 'Pascals vraag over ons schip in Spanje is terecht.'

Pascal grijnsde voldaan naar Tuvy en deze keek boos terug.

'Ik denk, sire Vendôme, dat jullie arrogante Fransen allemaal onder een hoedje spelen tegen ons, gezegende Engelsen. Maar ik wil daar wel aan toevoegen, sire, dat ik u er geenszins van beschuldig partijdig te zijn. O nee, geen seconde heb ik dat gedacht.'

'Daar doe je verstandig aan, *messire*,' zei Fabien, terwijl hij over zijn mooie Hollandse hemd met de wijde mouwen streek. 'Het loon dat ik jou en je gezegende bemanning betaal, heb je aan de gulheid van ons, arrogante Fransen, te danken.'

Een brede grijns verscheen op het gezicht van Pascal. 'Ik heb gehoord dat de Engelsen nooit een bad nemen.'

Tuvy keek hem boos aan. 'Dat heeft hier geen zier mee te maken. En ik sta vierkant achter de markies. Ik heb nog nooit een kwaad woord over hem gezegd.'

'Gezegende Engelsen noemt hij zijn landgenoten, *monseigneur*.' Nappier keek Tuvy grijnzend aan. 'De jaren dat Calais onder Engels bewind stond, hebben ons niets dan ellende opgeleverd.'

De Fransen lachten; de Engelse kapiteins zwegen beledigd. De Hollanders zagen het gekibbel tussen de Engelsen en Fransen geduldig aan.

'Basta, *messires*,' zei Fabien. 'In deze onderneming moeten we één front vormen. Het intolerante en tirannieke Spanje dreigt onze landen onder de voet te lopen. We hebben allemaal hetzelfde doel, namelijk deze slang de kop afhakken door zijn galjoenen tot zinken te brengen en ervoor zorgen dat Alva zonder soldaten en wapens komt te zitten.'

'Ja, sire, dat hebt u mooi gezegd,' zei Tuvy. 'U hebt lef en dat meen ik met heel mijn hart! De eerste zeeman die erin slaagt de Spanjolen een kopje kleiner te maken, moet beloven een paar paapse koppen te bewaren om in de hut van de kapitein te hangen!'

Er ging een luid gelach onder de mannen op.

Fabien keek Nappier aan. Hij wilde niet dat Nappier zou denken dat hij Nappiers gezag als *capitaine* van de *Represaille* probeerde te ondermijnen, omdat hij de *seigneur* van de mannen was. Hij vond zijn adellijke afkomst vaak een hindernis, want hij had er nooit behoefte aan gehad om op zijn strepen te staan. Hij gaf de voorkeur aan het gezelschap van mannen als Nappier en Andelot, die hij een verademing vond in vergelijking met vele arrogante edelen. Evenals zijn neef, prins Louis de Condé, kon hij goed overweg met soldaten en zeelieden en werd hij als een van hen beschouwd.

'Een goed idee,' zei Fabien. 'Via mijn contacten aan het Franse hof weet ik dat het leger van de hertog van Alva om soldaten, proviand en wapens zit te springen. Hij heeft de keuze deze over zee of over land aan te voeren. Als hij over land reist, zal hij grote vertraging oplopen. Bovendien weet hij dat het leger van Willem van Oranje klaarstaat om hem aan te vallen. Ben je het met me eens, Hendrik?' vroeg hij aan de Hollander, een gespierde man met vlasblond haar en staalblauwe ogen.

De Hollander keek hem ernstig aan. 'Onze prins Willem heeft inderdaad een leger op de been gebracht. Als uw admiraal De Coligny en prins De Condé een paar duizend man van hun legers aan onze prins zouden afstaan, dan zouden we samen Alva en zijn paapse inquisiteurs in de pan kunnen hakken.'

Fabien was minder optimistisch, maar hij begreep wat de Hollander hiermee wilde zeggen. 'Wat denkt u ervan, kapitein Nappier? Is het verstandig om een van onze mannen naar Plymouth te sturen om erachter te komen wat de reden voor de vertraging is?'

De zeelieden spitsten hun oren en keken Fabien en Nappier aandachtig aan. Ze wisten dat Fabien een protégé en leerling van Nappier was geweest, maar ze waren getroffen door de vriendschappelijke toon tussen de *monseigneur* en de *serf*.

'Ik denk dat het een goed idee is, markies,' zei Nappier. Hij liep op en neer en was zichtbaar trots op zijn vertrouwenspositie. 'Hoelanger onze schepen in de haven blijven liggen, hoe groter het risico dat iemand ons in de gaten krijgt. Laat er over een ding geen misverstand bestaan, *messires...*' – hij liet zijn blik over alle kapiteins glijden – 'hoewel Calais weer in handen is van de Fransen, wemelt het hier van Spanjaarden en spionnen. Laten we hopen dat we nog niet door de mand zijn gevallen, maar als een van de Spanjaarden in deze stad ons herkent en een bericht naar Madrid stuurt, dan zullen de galjoenen niet uitvaren en is onze missie bij voorbaat al mislukt.'

Ze waren het er snel over eens dat Pascal voor zonsopgang naar Plymouth, de dichtstbijzijnde Engelse haven, zou varen om contact te zoeken met de bevriende spionnen aldaar. Ze hoopten dat hun contactpersoon op het Franse schip dat ergens voor de kust van Spanje ronddobberde inmiddels een boodschap van de page van de Franse ambassadeur had ontvangen. Er was afgesproken dat de page – een geheime hugenoot – een sloep naar de boot zou sturen met een boodschap voor de kapitein, die vervolgens meteen naar Plymouth zou varen. Als alles volgens plan was verlopen, was het uitblijven van een bericht uit Plymouth slechts te wijten aan het slechte weer.

De bijeenkomst liep ten einde en de geuzen vertrokken een voor een of met zijn tweeën en verdwenen tussen de donkere pakhuizen.

Toen Fabien de werf opstapte, merkte hij dat het minder hard was gaan regenen. Hij sloeg zijn cape om en zette zijn breedgerande hoed op. De lampen op de schepen die langs de steigers lagen aangemeerd glansden in de duisternis. Een paar van zijn mannen doken uit het duister op; Gallaudet stapte naar voren.

'Wat ben je te weten gekomen?' vroeg Fabien.

'Het is zoals u had vermoed, markies. Monsieur Arnaut Macquinet is inderdaad in Calais. Hij houdt zich schuil in een klein kamertje achter een winkel waar alençonkant wordt verkocht. Ik ben erachter gekomen dat de winkel het eigendom is van de familie Languet, allen hugenoten. Ze drijven handel met de Franse wevers in Spitalfields. Hij heeft geen brieven ontvangen uit Lyon of Parijs, zo is mij verteld. Hij weet dus niet wat zijn familie in het zijdekasteel is overkomen.'

'Dat had ik ook niet verwacht, Gallaudet. De post doet er heel lang over. En ik bedank voor de eer om hem te vertellen dat zijn jongste dochter van het leven is beroofd en zijn tweede dochter is verkracht. Hij kan dit tragische nieuws beter horen van iemand uit zijn naaste familie. Hij zal helaas op de brief van madame Claire moeten wachten. Er zit niets anders op. Niemand hier weet iets van deze zaak af. Zeg mijn mannen dat ze hun mond houden, anders zal er wat zwaaien.'

'Ik heb het begrepen en zal ze het nogmaals op het hart binden. Wilt u dat ik monsieur Arnaut op de hoogte breng van uw wens om hem te ontmoeten?'

'*Non,* nog niet. Maar vraag Julot de winkel in de gaten te houden.'

De volgende morgen was Fabien al op, voordat de zon was opgegaan. Hij droeg een leren broek en een wijd, linnen hemd met een open hals. Onder het genot van zijn *café* zag hij kapitein Pascals schip *De Vos* de haven van Calais uitvaren om de Noordzee over te steken in de richting van Plymouth.

De lichten van het schip waren gedoofd en als een donkere, spookachtige schaduw gleed het de haven uit, terwijl het eerste daglicht op de kabbelende golven reflecteerde.

De storm was gaan liggen en aan de hemel scheen de morgenster.

Hij moest aan Rachelle denken. Het zat hem dwars dat ze haar zin had proberen door te drijven door hem emotioneel onder druk te zetten. Hij leunde tegen de railing van het schip en sloeg de zonsopgang gade. Hij had zijn vrijheid boven alles gesteld en ongetwijfeld had hij haar boos en gekwetst achtergelaten.

Er was geen gemakkelijke oplossing voor de gecompliceerde situatie waarin ze verkeerden. Hij was jong en Rachelle zelfs nog jonger. Donkere onweerswolken pakten zich boven Frankrijk samen en pas als hun relatie tegen alle verdrukking in had standgehouden konden ze er zeker van zijn dat er sprake was van echte liefde. In het begin had hij een aantal problemen, zoals zijn maatschappelijke positie, de verschillen in godsdienst en de politieke situatie, simpelweg genegeerd.

Leven, liefde en hartstocht waren geen eenvoudige zaken. Het leven bood hun weinig bescherming tegen de wreedheden die overal werden bedreven. En alleen door te geven en vergeven kon de liefde die ze voor elkaar hadden opgevat tot bloei komen. Bovendien was hartstocht met een vrijblijvend karakter slechts lust: leeg, zonder waarde en voorbijgaand. Het was precies zoals hij in de Bijbel op zijn kasteel had gelezen: 'De liefde verdraagt alles.'

'Hallo! *Monseigneur capitaine!*'

Nappier liep over het dek van de *Represaille* naar Fabien toe. De veer op zijn hoed danste bij elke stap die hij zette. Zijn hand rustte op de met juwelen versierde schede die Fabien hem cadeau had gedaan, toen hij nog in dienst was bij de koninklijke wapenkamer in Parijs.

'We hoeven niet op Pascal te wachten. Zojuist hebben we bericht uit Plymouth ontvangen. De boodschapper zit bij de kok te eten.'

Fabien brak het zegel en las het korte bericht. *Begeeft u met grote spoed naar de plek van ons rendez-vous. De vogel heeft het nest verlaten.*

Hij keek naar de hemel en zag dat de zeemeeuwen zich door een opwaartse luchtstroom lieten meevoeren. 'De wind is gunstig. Wanneer kunnen we uitvaren?'

'Morgenochtend, markies; de kapiteins hebben een dag nodig om hun schepen van proviand te voorzien.'

'Gallaudet! Kom hier alsjeblieft. We gaan naar monsieur Arnaut.'

Fabien stapte zijn hut binnen en gordde zijn zwaard om. Hij pakte een donker hemd van de haak en hing dit over zijn schouders. Vlug zette hij zijn hoed op en liep over het dek naar de loopplank. Gallaudet haastte zich achter hem aan zonder zich te verbazen over de onverwachte actie van zijn *seigneur*.

'Wat gaan we precies doen, *monseigneur*?'

'We gaan een bezoekje brengen aan monsieur Macquinet. We moeten hem waarschuwen voor de spion die Julot heeft zien rondhangen in de buurt van de hugenootse winkel. Zodra we zijn vertrokken, kunnen we hem niet langer in het geheim beschermen.'

'De galjoenen zijn dus gesignaleerd op zee?'

'Inderdaad. We varen naar de plek van ons *rendez-vous* voor de kust van Holland. Daar zullen we ze opwachten en een verrassingsaanval uitvoeren. Verheug je je erop kennis te maken met de soldaten van de hertog van Alva, Gallaudet?'

'Mijn hart stroomt over van *bonhomie, monseigneur*.'

10

Tegen zonsondergang reden neef Bernard, Rachelle en Andelot Calais binnen. Langs de roze en lavendelblauwe hemel boven de zee tussen Engeland en het Europese vasteland dreven zilverkleurige wolken.

Zou er nog meer regen vallen? Vanaf Parijs waren de wegen modderig en glibberig geweest. Rachelle verlangde naar een warm bad en een comfortabel bed, in een herberg of het huis van de Languets, maar ze zag er verschrikkelijk tegen op om haar vader op de hoogte te brengen van de dood van Avril. Misschien was de brief van madame Claire al aangekomen. Als dat zo was, dan zou hij natuurlijk zo snel mogelijk naar Lyon vertrekken om bij zijn vrouw te zijn. *Stel dat zowel haar* père *als de markies al waren vertrokken?*

Rachelle bad vurig dat dit niet zo zou zijn.

De wielen van de koets en de paardenhoeven weerkaatsten op de keien van de mistige straten. In de hugenootse wijk stemde de aanblik van de vele zijde- en stoffenwinkels in de nauwe winkelstraat haar iets minder somber. Een van deze kantwinkels behoorde toe aan de Languets, een familie die oorspronkelijk afkomstig was uit Alençon en met wie de Macquinets al jarenlang zaken deden. De vervolgingen hadden hen uit hun *château* naar het onder Engels bewind staande Calais gedreven, waar ze een onderneming hadden opgezet die zijde naar Londen exporteerde.

Calais was voorheen een redelijk veilige plek voor de hugenoten geweest, maar dit was veranderd sinds de stad in de handen van de Fransen was gevallen, als gevolg van de militaire overwinning die de hertog van Guise een aantal jaren tevoren op de Engelsen had behaald. Calais was niet langer een veilige haven voor protestanten. De bisschop was een campagne begonnen om de hugenootse kerken te sluiten. Als de vervolgingen Calais zouden bereiken, dan zouden de protestanten gedwongen worden om naar het Engelse Spitalfields, aan de overzijde van de Noordzee, te vluchten.

Geholpen door de koetsier stapten Rachelle en Bernard uit op het plein voor de kantwinkel van de Languets. De koets reed verder naar de herberg, waar ze de paarden voor de nacht zouden stallen. Andelot, Romier en de soldaten die vanaf Parijs met hen waren meegereisd zouden ook in de herberg overnachten.

Ondanks haar vermoeidheid voelde Rachelle een grote *joie*, toen ze in de etalage van de winkel allerlei soorten kant zag uitgestald in verrassende patronen en verschillende kleuren, waaronder diverse tinten roze. In sommige patronen was gouddraad geweven, zodat het kant in zachte plooien over de kleding zou vallen, als het op mouwen en rokken en langs zomen en halzen werd genaaid.

'*C'est magnifique*. Ik moet zeker binnen kijken. Ik heb nog nooit zulk mooi kant gezien. Eén rol zal ik in ieder geval kopen en meenemen naar het zijdekasteel,' mompelde ze tegen neef Bernard. 'Mijn *mère* zal het prachtig vinden, en wie weet zal ik er Idelette ook een plezier mee doen.' Idelette hield van kant. De japon van de Engelse koningin zou er met dit kant nog mooier uitzien.

Haar blik viel op de waakzame, donkere gestalte van neef Bernard naast zich. Zijn ogen glansden onder zijn witte wenkbrauwen. Hij tuurde naar het raam op de eerste verdieping. Achter de geopende luiken en gordijnen zagen ze schaduwen bewegen.

'Ah! Ik denk dat we op tijd zijn, Rachelle. Laten we het huis via de achterdeur binnengaan. Ik vermoed dat Arnaut onverwacht bezoek heeft gekregen. Kom, ik weet zeker dat er een trap is die naar de achterdeur leidt.'

Rachelle was vergeten dat neef Bernard hier vaker was geweest, op doorreis naar Spitalfields, waar hij regelmatig bijbels voor Franse en Nederlandse dominees afleverde. Op het drukken of verspreiden en zelfs het bezitten van een bijbel in de Franse taal stond de doodstraf. Vaak zei Bernard: 'We moeten bereid zijn ons leven op te offeren als God dit van ons vraagt. Wij, ja wij alleen, dragen de fakkel van het Woord van onze hemelse Vader verder. Als de reformatie faalt in Frankrijk, dan vrees ik dat onze dagen als grote natie in Europa zijn geteld. *Tenez ferme* staat in Gods Woord: houdt stand in de strijd die nu woedt, want deze zal van beslissend belang zijn voor de komende generaties. We moeten getuigen van ons geloof en niet wegkruipen uit vrees voor vervolgingen. Want wat stelt het leven eigenlijk voor? Het is niet meer dan een damp. Laten we onze roeping vervullen, zolang het nog licht is.'

Rachelle was ervan overtuigd dat ze lang niet zo moedig was als neef Bernard en haar *père*, Arnaut.

Ze liep met Bernard om het huis heen. Via een nauw steegje achter de winkel kwamen ze uit bij een kleine stenen binnenplaats met een hoge rotsachtige muur. Een wijnrank met purperrode bloemen liep over de rand van de muur en een uit latten bestaande gewelfde doorgang. Ze gingen onder het poortje door en kwamen uit bij een nog kleiner hofje waar een lange stenen trap met geraniums aan weerszijden naar de achteringang van het huis leidde.

Rachelle kon zich de Languets niet goed meer voor de geest halen, want ze was nog heel jong geweest, toen de familie vanuit Alençon naar Calais was verhuisd. Ze kon zich slechts de vader en moeder des huizes en hun getrouwde zoon herinneren. Alle familieleden werkten in het bedrijf, terwijl ze in het geheim dominees zoals Bernard hielpen.

Rachelle klom de trap op en wachtte bovenaan op Bernard. Ze hoopte dat zijn wonden door de inspanning niet opnieuw zouden gaan bloeden. Hij slaagde erin om zonder te stoppen naar boven te lopen en tikte met zijn wandelstok driemaal op de deur, vervolgens tweemaal en daarna opnieuw driemaal.

Een ogenblik later werd de deur geopend door een kleine dienstbode die hen achterdochtig aankeek.

'*Bonjour*, Thérèse, ik ben het, Bernard Macquinet. Ik neem aan dat mijn neef Arnaut hier momenteel vertoeft?'

Op haar grauwe gezicht verscheen een glimlach. '*Oui, oui,* messire Bernard. Komt u binnen. Ze zijn allemaal in de *salle*. Ze zullen blij zijn dat u er bent. Messire Arnaut begon zich al af te vragen waar u bleef.'

De moed zonk Rachelle in de schoenen. Bernard had blijkbaar dezelfde gevolgtrekking gemaakt, want hij vroeg: 'Arnaut heeft dus geen post ontvangen uit het zijdekasteel?'

'*Non, messire*, we hebben geen enkele brief ontvangen.'

Rachelle wisselde een blik van verstandhouding met Bernard. Hij fronste zijn wenkbrauwen.

'Dan hebben we jullie heel wat te vertellen, Thérèse. Wil je zeggen dat we er zijn, *s'il vous plaît*? Dit is mademoiselle Rachelle, de dochter van Arnaut.'

Thérèse maakte een kleine buiging en op haar fletse gezicht verscheen een glimlach. Ze deed de deur verder open en nodigde hen uit om naar binnen te komen. Ze stapten een klein voorportaal binnen met een gebloemd kleed op de vloer. Achter een deur aan de rechterzijde klonken stemmen. Rachelle hoorde voetstappen naderen, stapte naar voren en zag Arnaut Macquinet in de deuropening staan. Hij was een steviggebouwde, breedgeschouderde man met een knap gezicht en een kuiltje in zijn kin. Arnaut droeg een jas van grijsgroen satijnbrokaat. Zijn wenkbrauwen hadden dezelfde kleur als zijn grijzende haar, dat vroeger een tint donkerder was geweest dan Rachelles dikke kastanjebruine lokken.

Een blije en verraste uitdrukking verscheen op zijn gezicht, toen hij Rachelle en neef Bernard in de hal zag staan.

'*Papa!*' riep ze met zowel blijdschap als droefheid in haar stem. Ze had haar vader al meer dan een jaar niet gezien en rende naar hem toe. Hij sloot haar in zijn armen en ze koesterde zich in zijn liefdevolle omhelzing. 'O papa, wat ben ik blij u te zien...'

Haar stem stokte, want toen ze haar hoofd optilde en over zijn schouder keek, zag ze markies Fabien staan. Hij stond in de kamer waaruit Arnaut zojuist was gekomen en keek haar waarschijnlijk even verbaasd aan.

Arnaut, die niet van hun relatie op de hoogte was en zelfs niet wist dat ze elkaar kenden, draaide zich om naar Fabien: 'Mag ik u mijn dochter Rachelle voorstellen; Rachelle, dit is de markies van Vendôme.'

Rachelle hervond haar kalmte. Vastbesloten om zich deze keer waardig te gedragen, keek ze hem koel en afstandelijk aan en maakte een buiging. '*Monseigneur,*' mompelde ze nauwelijks hoorbaar.

Zijn ogen verhardden zich, terwijl hij haar aandachtig aankeek. '*Mademoiselle,*' zei hij even koel en maakte een buiging.

'Rachelle, waarom ben je met Bernard meegekomen? Is je moeder er ook?'

'*Non, mon père.* Ik ben hier met neef Bernard en Andelot Dangeau; u herinnert zich hem waarschijnlijk nog wel.'

Hij glimlachte teder, zijn arm nog steeds om haar schouder geslagen. 'Maar natuurlijk herinner ik me je *petit beau* Andelot nog wel.'

Rachelle schaamde zich. Haar vader deed het voorkomen alsof Andelot en zij al jarenlang geheime geliefden waren. Arnaut draaide zich om naar Bernard, die een paar passen bij hen vandaan stond. Hij keek ernstig, omdat hij wist welke taak er hem te wachten stond.

'Ik begon bijna te denken dat je naar Genève was teruggekeerd en niet meer naar Calais zou komen,' zei Arnaut opgewekt. 'Je hebt mijn boodschap dus ontvangen?'

Hij heeft geen idee wat er op het zijdekasteel is gebeurd.

Rachelle wierp een blik naar Fabien. Hij keek naar Bernard en Arnaut. Uiteraard had de markies haar vader niet verteld wat er een paar weken geleden in Lyon was gebeurd. *Had Fabien gesproken over Arnauts brief die ze hem had laten zien?* Hij had geweigerd om hen te helpen met de bijbels. *Wat kwam hij hier dan doen?* Haar vader had geen contact met de markies gezocht, want hij wist niet dat deze in Calais was. Was Fabien van gedachten veranderd en wilde hij de bijbels alsnog naar Engeland vervoeren?

Rachelle bleef kalm en was voldaan over haar beheerste houding. Toen ze in Fabiens richting keek, zag ze dat deze haar aanstaarde. Ze keken elkaar aan en tot haar spijt voelde ze hoe haar wangen begonnen te gloeien. Ze stak haar kin naar voren, zoals ze de elegante dames aan het hof had zien doen en keek Arnaut aan.

'*Le marquis* is hier voor zaken.'

'Aha?' Bernard trok zijn witte wenkbrauwen op. 'Andelot heeft me verteld dat uw schip hier in de haven ligt.'

'Dat klopt, dominee Bernard, maar ik zal Calais binnenkort verlaten voor een uiterst belangrijke missie.'

'Laten we verder praten in de studeerkamer van monsieur Languet,' zei Arnaut. 'Komt u verder, *messires.*' Hij wees naar de deur van een andere kamer. 'Rachelle,' zei hij, 'Thérèse zal je naar de logeerkamer brengen, waar je wat kunt uitrusten en je opfrissen voor het avondeten.'

Ze mocht niet bij het gesprek tussen de mannen zijn, maar daar was ze aan gewend en ze wist dat het geen zin had om aan te dringen bij haar vader. Hij had zijn dochters geleerd om zich te concentreren op hun werk als couturières en *grisettes* en de gevaarlijke zaken aan de mannen in de familie over te laten. Haar lieve *père* had er geen idee van wat voor gruwelijke dingen ze had meegemaakt sinds zijn vertrek en hoe ze dankzij Gods genade niet was ondergegaan, maar sterker uit de beproevingen tevoorschijn was gekomen.

'*Mon cousin*, heb je een verwonding opgelopen?' vroeg Arnaut, toen hij zag hoe Bernard zijn rechterarm en schouder ontzag.

'Ik wil je waarschuwen dat het nieuws dat ik je breng, je geloof zal beproeven, neef Arnaut.'

Rachelle bleef gespannen op de onderste traptrede staan. Ze keek haar vader aan en haar hart bloedde toen ze eraan dacht hoe verdrietig hij zou zijn. Nadat Arnaut en Bernard de andere kamer waren binnengestapt, bleef ze alleen achter met Fabien.

Hij nam haar kalm op.

Vastbesloten haar waardigheid niet te verliezen, trotseerde ze zijn indringende blik. Nu was het moment aangebroken om haar reputatie, die door haar gênante gedrag tijdens hun laatste ontmoeting op het zijdekasteel een grote deuk had opgelopen, op te vijzelen. Ze zou niet meer aan zijn voeten vallen en hem smeken om een kruimeltje liefde.

Ze wachtte, met haar hand op de leuning, totdat hij naar de trap toe liep. Ze had hem nog nooit in deze kleren gezien – hij droeg een ruige leren broek, laarzen en een donker wijd hemd met lange mouwen. Hij had zijn zwaard in een met juwelen versierde lederen huls gestoken en droeg een breedgerande hoed van hetzelfde stugge leer, versierd met zilver.

'Je zei zojuist dat je uit Parijs bent gekomen. Wat had je in het Louvre te zoeken? Je weet toch dat ik soldaten op wacht heb gezet rondom het zijdekasteel om jullie te beschermen?'

Ze kreeg de indruk dat hij zich voorbereidde op een emotionele woordenwisseling, waarin zij hem zou smeken om in Frankrijk te blijven.

Ze trok haar ene wenkbrauw op. 'Om persoonlijke redenen, markies. Net zoals dat bij u het geval is, zijn er zaken die alleen mijzelf aangaan. Bovendien hoef ik u geen rekenschap van mijn daden af te leggen.'

Haar ernstige en waardige houding leek hem alleen maar meer te ergeren. Zijn felle blik bezorgde haar kippenvel.

'Ik heb niet de behoefte om u ook maar een seconde

langer op te houden,' ging ze verder. 'Ik ben niet naar Calais gekomen om u te zien, als u dat misschien had gedacht. Ik ben hier om mijn *père,* Arnaut, op te zoeken. Als ik had geweten dat u hier was, dan had ik gewacht tot u zou zijn vertrokken.'

De markies wist niet dat Sébastien in de Bastille gevangen was gezet. Evenmin was hij ervan op de hoogte dat ze naar Calais waren gereisd om hem te vragen een goed woord voor Sébastien te doen bij de koning. Ze wilde hem ook niet vertellen dat Grandmère was overleden, want haar emoties zouden haar weerstand breken op een moment dat ze sterk moest zijn. Het was verstandiger om Bernard of Andelot het slechte nieuws van Sébastiens arrestatie aan de markies te laten vertellen.

Rachelle veinsde onverschilligheid, hoewel ze met heel haar hart verlangde naar de knappe, maar onbereikbare man die voor haar stond.

Zijn blauwe ogen schoten vuur. Hij keek haar ernstig aan. 'Je bent niet alleen een mooie vrouw, maar ook onmogelijk.'

Rachelle stak haar kin naar voren. 'In dat geval zal ik u niet langer kwellen met mijn ergerlijke aanwezigheid, *monsieur.*' Ze draaide zich zo bevallig mogelijk om, zoals ze prinses Marguerite vaak had zien doen en maakte aanstalten om de trap op te lopen. '*Adieu, monseigneur.*'

Ze hoorde hem diep ademhalen. Ze had nog maar een stap gezet, toen zijn warme vingers zich om haar arm sloten.

Haar hart begon sneller te kloppen. Ze zag de warme glans in zijn ogen, die de spanning tussen hen alleen maar groter maakte. Hij trok haar naar zich toe.

'Je probeert me met opzet te kwetsen.'

Ze beefde. 'Ik verzeker u, markies, dat ik niet begrijp waar u het over hebt.' Ze keek hem strijdlustig aan. 'En ik wil u vriendelijk verzoeken mij los te laten.'

Zijn ogen vernauwden zich en hij trok haar dicht tegen zich aan, totdat ze het grove hemd tegen zich aan voelde; ze gaf geen gehoor aan haar verlangens, omdat ze wist dat ze hem slechts terug kon winnen door hem de indruk te geven dat hij haar zou verliezen. Ze keek de andere kant uit, omdat ze bang was dat hij haar zou kussen en ze zou bezwijken onder zijn liefkozingen. Nu al bonkte haar hart in haar keel.

Voetstappen op de trap brachten een onverwacht einde aan het moment. Hij liet haar los en deed een stap naar achteren, toen hij Thérèse bovenaan de trap zag verschijnen. 'O, pardon, ik wist niet dat u bezoek had...'

Rachelle wendde haar blik van Fabien af. Ze draaide zich om en liep langzaam de trap op, alsof er niets aan de hand was, maar haar knieën knikten.

Ze wist dat hij haar nakeek, maar toen ze bovenaan de trap was gekomen, durfde ze niet naar beneden te kijken. Ze was ervan overtuigd dat hij woedend was.

Ze had het gevreesde weerzien met hem na hun laatste ontmoeting in Lyon overleefd en ze hoopte dat ze in zijn achting was gestegen. Maar wat deed het er in feite toe? Ze waren van elkaar vervreemd en begrepen elkaar niet. Ze voelde zich niet beter dan toen ze zich aan zijn voeten had geworpen.

Eenmaal op haar kleine kamer waar ze zichzelf kon opfrissen, liet ze zich tegen de gesloten deur op de grond zakken en greep naar haar slapen.

Ik moet hem uit mijn hoofd zetten!

Markies Fabien staarde Rachelle na, die met opgeheven hoofd en een kaarsrechte rug de trap opliep. Ze was mooier dan ooit, hoewel ze een simpele blauwe cape met een bontkraag droeg. Haar jurk was ook sober – een donkere, nauwsluitende rouwjapon. Haar dikke kastanjebruine haar lag na de lange reis als een waaier over haar schouders. Hij had het

per ongeluk aangeraakt en zelfs nu kon hij de zachtheid ervan nog voelen. Toen hij haar bleke, verdrietige gezicht zag,
ging zijn hart naar haar uit, maar haar uitdagende blik had
hem woedend gemaakt.

'*Mille diables!*' Hij zuchtte en draaide zich boos om. Zijn
laarzen weergalmen over de houten vloer. Hij pakte zijn jas,
verliet het huis via de achterdeur en liep de stenen trap met
de geraniums af.

'Gallaudet!' riep hij.

De lenige, gespierde page, blond en kalm als altijd, verscheen onmiddellijk.

'Waar heb je uitgehangen?' vroeg Fabien ongeduldig. 'Wil
je dat de hele buurt wakker wordt?'

'*Non, monseigneur.* Het spijt me. Ik was alleen maar even...'

Fabien maakte een ongeduldig gebaar met zijn hand. 'Het
doet er niet toe. Kom, we gaan terug naar het schip.'

'Nu? Maar Andelot Dangeau wilde u graag zien en...'

Fabien keek Gallaudet vernietigend aan.

'Goed!' zei Gallaudet.

Eenmaal op straat snelde Gallaudet de markies vooruit om
de paarden te gaan halen en de Bourbonse soldaten op te
trommelen die in de buurt van de herberg rondhingen.

Fabien keek over zijn schouder naar de winkel van de
Languets. Hij voelde een vreemde woede in zijn hart. Als
hij zich niet over zijn frustratie heen zou zetten, zou hij een
belachelijk figuur slaan bij zijn mannen.

Rachelle had zich onmogelijk gedragen. Eerst had ze hem
gesmeekt haar niet in de steek te laten; nu wees ze hem koud
en onverschillig de deur!

Het was maar goed dat hij voorlopig niet zou terugkeren
naar Frankrijk. Een scheiding van een jaar zou hem – en haar
– goed doen. Hij had zijn gevoelens niet meer in de hand
– onmogelijk om er nog een touw aan vast te knopen. Hij
zou niet met haar trouwen.

Ik moet haar uit mijn hoofd zetten!

De *Represaille,* die in de propvolle haven van Calais lag aangemeerd temidden van verweerde schepen uit alle windstreken, werd met proviand geladen. Enkele schepen met toren-
hoge masten kwamen de haven binnenzeilen met krijsende
zeemeeuwen in hun kielzog.

Het was een drukte van belang in de haven. Grote schoe-
ners manoeuvreerden zich tussen de schepen door om hun
lading te lossen. Zware kisten met Spaanse olijfolie, kruid-
nagelen en kaneel uit het Caraïbische gebied werden uit het
schip getakeld. Op de kade stonden kisten met Franse wijn
en verfijnd Brugs kant te wachten om ingeladen te worden.
Scheepsknechten wankelden onder de last van balen ijzer,
terwijl door paarden getrokken karren de chaos compleet
maakten.

'Markies Fabien! Wacht!'

Fabien hoorde een bekende stem achter zich en bleef
staan. Hij draaide zich om in zijn zadel en keek achterom.
Andelot was op de treeplank van een kar gesprongen en
hield zich met een hand aan het rijtuig vast, terwijl hij met
zijn vrije hand naar de markies zwaaide.

Fabiens humeur knapte op, toen hij de jongeman zag die
hij bijna als *petit frère* had geadopteerd, hoewel Andelot, die
ongeveer vijf jaar jonger was dan Fabien, tot een knappe
jonge *messire* begon uit te groeien met wie hij rekening
moest houden. Fabien had al lang het vermoeden dat Andelot verliefd was op Rachelle, maar hij had dit geen seconde
serieus genomen. Nu vond hij het idee niet langer grappig
en hij nam Andelot aandachtig op, terwijl de koets aan kwam
ratelen.

Fabien sprong van zijn paard en gaf de teugels aan een van
de livreiknechten die het dier voor hem in de haven zou
stallen. Fabien zag hoe Andelot van de kar afsprong en buiten adem en breed grijnzend naar hem toe kwam rennen.

'Markies. Het is *bon* u weer te zien. Ik hoopte u in de winkel van de Languets aan te treffen, maar ik was te laat. Ik zag

u zojuist wegrijden, en kon u nog net op tijd tegenhouden. Vaart u al gauw uit?' Hij liet zijn blik over de haven glijden. 'Welk van deze prachtige schepen is van u, *monseigneur?*'

'Ik ben verbaasd je hier te zien. Ik had verwacht dat je oom, de kardinaal, je al naar de universiteit had gestuurd. Of heb je besloten me te vergezellen?' Fabien sloeg zijn arm om Andelots schouder en liep met hem naar het schip. Maar toen hij de nadenkende uitdrukking in Andelots ogen zag, besefte hij dat deze zijn opmerking serieus had genomen.

'*Sainte Marie!* Je bent echt veranderd, Andelot, *mon bon ami.*'

'Markies, uw aanbod om Parijs de rug toe te keren is heel verleidelijk, want ik zit diep in de put. Mijn studie aan de universiteit kan ik wel vergeten, want ik ben in ongenade gevallen bij de kardinaal van Lorraine.'

'Nu al? Dan heb je juist reden om een gat in de lucht te springen,' zei Fabien. 'Wat is de reden?'

Andelot keek hem schichtig aan. 'U bent de reden, markies. Hij eist van mij dat ik mijn vriendschap met u opgeef en mijn connecties met de Bourbons verbreek. Ik kan Thauvet als docent en de universiteit dus op mijn buik schrijven. Ook zou ik tot het *Corps des Pages* zijn toegetreden, maar die kans is nu ook verkeken.'

'Omdat ik blijkbaar het struikelblok voor je carrière ben, *mon ami*, zal ik je verdere opleiding voor mijn rekening nemen.'

'Ah, maar ik wilde niet zeggen dat...'

'Ik had het je al eerder willen voorstellen, maar toen werd je naar Chambord geroepen om kennis te maken met je nieuwe familie, de Guises. Als ik nu aan het hof was, dan had ik voor je opleiding binnen het *Corps des Pages* betaald en Gallaudet als je mentor aangewezen. Maar omdat ik waarschijnlijk pas over een jaar of nog langer naar het hof zal terugkeren, moet ik ergens anders een plaats voor je vinden. Ik moet erover nadenken welke adellijke familie geschikt voor je is. Ondertussen wil ik je uitnodigen om aan boord van de *Represaille* te komen.'

'Een *bon* naam voor een schip, markies, en zeer toepasselijk!' grijnsde Andelot. 'En u bent zeer edelmoedig, een betere *ami* kan iemand zich niet wensen. Misschien zou ik graag als uw lakei meevaren.'

'Aan boord van een piratenschip heb ik geen lakei nodig.'

'Als kok dan?'

'*Non*,' zei hij ernstig, 'zonder jou is het eten al erg genoeg. Andelot, *mon ami*, je hebt het in je om geleerde te worden en als het aan mij ligt, zal dat ook gebeuren. Bovendien wil ik dat je op de *mademoiselle* past.'

'De *mademoiselle*?'

'Er is er maar één,' zei Fabien en keek hem ernstig aan.

'Ah, *oui*... mademoiselle Rachelle.'

Zwijgend liepen ze naar het schip, totdat Andelot hem vroeg: 'Wat vond u van het verhaal van de handschoenen, markies?'

Fabien keek hem verbaasd aan. 'De handschoenen?'

'Heeft ze het u dan niet verteld?' vroeg Andelot verbijsterd.

Fabien bleef op de kade staan. 'Wat verteld?'

Andelot staarde hem met gefronste wenkbrauwen aan. 'Heeft ze ook niets over oom Sébastien gezegd?'

'Wat valt er over hem te vertellen? Hij is tijdens het bloedbad in Amboise omgekomen.'

'Ah, markies, in dat geval heb ik u een heleboel te vertellen. Sébastien is de reden dat wij met dominee Bernard naar Calais zijn meegereisd. Als het doel van zijn reis slechts was geweest om zijn illegale lading naar Engeland te verschepen, dan waren mademoiselle Rachelle en ik niet met hem meegekomen.'

Fabien keek hem ernstig aan. 'Kom, laten we in dat geval in mijn hut verder praten.'

Fabien en Andelot liepen verder over de kade. Met gefronste wenkbrauwen vroeg Fabien zich af waarom Rachelle zich zo onredelijk had gedragen. Wilde ze dat hij zich niet meer met haar bemoeide?

Ze liepen de loopplank over en gingen aan boord van de *Represaille*. Ondanks zijn sombere stemming was Andelot enthousiast over alles wat hij om zich heen zag, terwijl ze over het dek naar de hut van de kapitein liepen.

'Dit schip zal beroemd worden, markies, ik weet het zeker. Ik wil u graag het gewijde kruis schenken dat een reizende monnik me een paar jaar geleden heeft gegeven. Het komt uit Rome, uit het Vaticaan. De paus heeft het gezegend.' Hij stak zijn hand onder zijn hemd. 'Als u het in uw hut hangt, zal het u beschermen tegen noodweer en de Spaanse armada.'

'Je kunt het beter zelf houden. Misschien zal het je bescherming bieden tegen de kardinaal. Het zal hem in ieder geval plezier doen het je te zien dragen.'

Andelot knikte bedachtzaam. Fabien opende de deur van zijn hut. Hij glimlachte. 'Buig je hoofd, voordat je naar binnen gaat, het is een lage deur.'

'Markies Fabien, soms denk ik dat u diep in uw hart geen katholiek bent.'

'Waarom denk je dat? We hebben het er al zo vaak over gehad.'

'Dat klopt, maar...'

'Zelfs mademoiselle Rachelle gelooft dat ik een katholiek ben, en haar hugenootse neef Bernard ook. Daarom houden de Macquinets me liever op afstand.'

'Als u sympathieën koestert voor Genève, dan kunt u dit beter aan hen vertellen. U zou haar ouders en dominee Bernard er een plezier mee doen.'

'En zou ik jou er ook een plezier mee doen, *mon ami*?'

'*Bien sûr...*' Hij sprak niet verder en keek de markies zuur aan.

'Wat kan ik je te drinken aanbieden?'

'Een kruik bier, *s'il vous plaît.*'

Fabien trok een lelijk gezicht. *Bier, de drank van het gewone volk en de knechten.* Hij opende de deur van de hut. 'Gallaudet, ga bier halen bij Percy, de kok.'

Na een poosje kwam Gallaudet terug met twee bekers en een groezelige aardewerken kruik. Vol verachting wees Fabien ernaar. 'Wat heeft dit te betekenen?'

'Bier, monseigneur. Daar had u om gevraagd. Percy heeft me deze kruik gegeven.'

'Hij vindt het blijkbaar tijdverspilling om kruiken af te wassen?'

'Hij zegt dat het bier zijn smaak verliest, als je de kruiken wast.'

'Zo, heeft hij dat gezegd? Hoe kan dit brouwsel zijn smaak verliezen, als het sowieso geen smaak heeft? Maar misschien is het wel de reden dat het fermenteert.'

Gallaudet glimlachte en schonk de twee bekers vol. Hij maakte een buiging en bood het met een gracieus gebaar Fabien aan. '*Monseigneur.*'

Andelot en Fabien hieven hun beker op.

'Op de eigenaar van de *Represaille*! Een goede vangst toegewenst, *monseigneur!*'

Fabien maakte ook een buiging. Hij bracht een toost uit. 'Op de ondergang van de Spaanse galjoenen.'

'Daar sluit ik me bij aan!' zei Gallaudet.

'Dat ze maar allemaal op de zeebodem mogen belanden!' zei Andelot.

Fabien nam een slok, duwde de deur van de hut open en haastte zich naar buiten om het brouwsel uit te spugen.

Fabien dacht na over wat Andelot hem zojuist over Sébastien had verteld. De *salle de la question*! Dat Sébastien voor de inquisitie zou worden gesleept, legde een domper op zijn blijdschap dat hij nog in leven was. Hij leefde, maar hoelang nog?

'Weet je zeker dat de kardinaal van Lorraine dit heeft gezegd, Andelot? Sébastien zal zich moeten verantwoorden voor de inquisiteurs van Rome?'

'Inderdaad, markies Fabien. Het is afschuwelijk. In Amboise heb ik het uit zijn eigen mond gehoord. Hij heeft me vervolgens een officiële brief overhandigd die ik bij de *duchesse* moest afleveren.'

Fabien deed de deur open om het vertrek wat te ventileren. Hij kreeg het benauwd in de kleine ruimte met het lage plafond en had het gevoel in een kooi opgesloten te zitten.

Als we eenmaal op zee zijn, dan zal ik me beter voelen, sprak hij zichzelf moed in.

'Het nieuws over Sébastien heeft twee kanten,' zei hij tegen Andelot.

'We hopen allemaal dat u de koning kunt overhalen om Sébastien gratie te verlenen.'

'Nu de hertog en de kardinaal via hun nichtje Maria zo'n grote controle over François hebben?' Fabien schudde zijn hoofd. 'Ik heb meer kans om een draak te verslaan dan de jonge koning iets te laten doen wat tegen de wensen van de gebroeders Guise in gaat. Uiteraard zal ik alles doen wat in mijn vermogen ligt om Sébastien vrij te krijgen.'

Hij kon een brief schrijven aan zijn Bourbonse familie, maar omdat prins De Condé in het geheim betrokken was geweest bij de samenzwering in Amboise, bestond er geen enkele garantie dat een prins als Condé zijn vrijlating kon bewerkstelligen. De Guises waren constant aan het konkelen om hun greep op koning François te verstevigen. Ze zouden er niet voor terugdeinzen om hem te dwingen in te gaan tegen de wensen van een Bourbonse prins, zelfs als die rechtmatig aanspraak kon maken op de Franse troon.

'Hertogin Dushane heeft me naar u toe gestuurd om u te vragen een brief te schrijven. Ze zal proberen deze aan de koning te overhandigen, wat niet zal meevallen, omdat de kardinaal altijd in de buurt is.'

'De kardinaal is er zeer op beducht dat de politieke en religieuze tegenstanders van hem en zijn broer gehoor vinden bij de koning.'

Dit nieuws wierp een schaduw op zijn plannen. Als de Spaanse galjoenen niet koers hadden gezet naar de Lage Landen...

Fabien leunde met zijn armen over elkaar geslagen tegen zijn bureau. Hij staarde door de open deur naar het grijze water in de haven van Calais en hoorde de zeemeeuwen krijsen. Sébastiens arrestatie was niet het enige verontrustende nieuws dat hem had bereikt nu de *Represaille* op het punt stond om uit te varen. Andelot had hem verteld dat Rachelles *grandmère*, de geliefde *grande dame* van het zijdehuis Dushane-Macquinet, was overleden. Hij was ervan overtuigd dat de koningin-moeder een duistere rol had gespeeld in haar plotselinge overlijden.

Hij nam het zichzelf kwalijk dat hij het leven van Rachelle en haar familie in gevaar had gebracht door haar de sleutel te laten stelen van de afluisterruimte in Chambord. Als de koningin-moeder hen inderdaad vergiftigde handschoenen cadeau had gedaan, dan was de enige verklaring hiervoor dat ze erachter was gekomen dat Rachelle de sleutel uit haar slaapkamer had ontvreemd.

Maar waarom had ze Rachelle dan gespaard? Hij fronste zijn wenkbrauwen. Hij kon maar één reden bedenken: Catherine was van plan haar voor iets anders te gebruiken.

Fabien keek naar Andelot, die bij de deur stond.

'Heeft de dokter bevestigd dat Grandmère is vergiftigd?'

'*Non*, maar zou hij hardop durven zeggen dat hij de koningin-moeder van een moord verdenkt?'

'Dat is maar de vraag... het zou heel gevaarlijk zijn, zelfs al had hij het onomstotelijke bewijs ervoor in handen. Ambroise Paré is de beste arts in dit land; hij is een hugenoot. Zou hij zijn mond durven opendoen? Maar aan wie zou hij de zaak rapporteren? Aan de jonge koning François? Zeer onwaarschijnlijk.'

'Hertogin Dushane heeft om een lijkschouwing gevraagd. De dokter zal haar in het geheim verslag uitbrengen van zijn bevindingen.'

'En de handschoenen?'

'Die zijn spoorloos verdwenen. Vindt u het ook niet verdacht dat beide paren zijn zoekgeraakt?'

'Als Madalenna, de spion van de koningin-moeder, niet in Fontainebleau was geweest, dan had ik haar ervan verdacht het appartement van Madeleine te zijn binnengeglipt en de handschoenen te hebben weggenomen,' zei Fabien zonder omwegen. 'Er werken echter nog vele andere spionnen voor Catherine, onder wie een aantal dwergen die in gewiekstheid niet voor Madalenna onderdoen. Hebben jullie navraag gedaan bij de hofdames?'

'Mademoiselle Rachelle heeft dit inderdaad gedaan, maar niemand wist waar de handschoenen waren gebleven.'

Fabien vroeg Andelot hem nogmaals te vertellen wat hij met prins Charles had gezien in de sterrenwacht van Amboise. Als jongen wist Fabien al dat de koningin-moeder zich met zwarte kunsten bezighield. Er deden ook bepaalde geruchten de ronde over de jaren voor de troonsbestijging van Henri, Catherines overleden echtgenoot. Zo werd er beweerd dat ze de kroonprins, Henri's oudere broer, had vergiftigd, zodat Henri in zijn plaats koning kon worden.

'Ik was samen met Rachelle in de kamer van Grandmère, toen ze haar laatste adem uitblies, markies. Vlak voor het einde hoorden we allebei dat ze het woord *handschoenen* probeerde te stamelen.'

'Was dat nadat jullie haar hadden gevraagd of ze was vergiftigd?'

'Ja, eerst dachten we – althans ik dacht het – dat ze van een paar vergiftigde appels had gegeten.'

Fabien voelde een hete woede in zich opkomen. 'Hoe was mademoiselle Rachelle onder het overlijden van haar Grandmère?'

'Heel moedig, markies. *Oui,* heel moedig. Maar ze heeft iets grimmigs en verbetens over zich gekregen. Ze is ervan overtuigd dat de koningin-moeder haar Grandmère heeft vermoord en ik weet zeker dat ze zich op haar zou wreken als ze de kans kreeg.'

Fabien stond met zijn handen in zijn zij bij zijn bureau en keek gealarmeerd. Wraak paste niet bij het beeld dat hij van Rachelle had. De gebeurtenissen van een aantal weken geleden hadden haar diep geschokt en haar onschuld bedorven. Ze was labiel en angstig geworden. Maar Fabien geloofde dat ze in goede handen was, nu ze samen met haar vader naar Parijs zou reizen en vervolgens naar het zijdekasteel terugkeren.

Hij dacht ook aan haar moed om de sleutel van de afluisterruimte uit de slaapkamer van de koningin-moeder weg te nemen en was het met Andelot eens. Ze had de laatste tijd zo veel meegemaakt dat het niet eerlijk was om haar haar emotionele gedrag van de laatste weken aan te rekenen.

Gallaudet verscheen in de deuropening. 'Pardon, *monseigneur,* maar er is een bezoeker voor u die dringend met u wenst te spreken. Het is monsieur Bernard.'

Gallaudet was nog niet uitgesproken of de schaduw van de onverwachte bezoeker viel de hut binnen.

Een rijzige man gehuld in een lange zwarte jas met een witte bef en een breedgerande hoed, de typische dracht van de Geneefse dominees, verscheen in de deuropening. '*Bonjour, capitaine.*'

'Kom binnen, dominee Bernard. Maar eigenlijk ben ik niet de kapitein van de *Represaille,* maar is Nappier dat, een *ami* van mij en de beste schermmeester van het Louvre.'

'Aha, dat is interessant. U kunt dus met een zwaard omgaan?'

Waarom is hij hier en wat wil hij van mij? Als zijn bezoek iets te maken had met de Franse en Nederlandse bijbels en de overtocht naar Engeland, dan zou hij hem moeten teleurstellen, net zoals monsieur Arnaut, aan wie hij eerder die dag in de winkel van de Languets had verteld dat hij hem niet kon meenemen naar Engeland. Arnaut had dit zonder twijfel ook gemeld aan zijn neef Bernard. Fabien ging ervan uit dat de spion de winkel niet langer in de gaten hield, nadat hij Julot opdracht had gegeven om korte metten met hem te maken.

Bernard kwam de kamer binnen en Andelot schoof snel een stoel naar voren.

'*Merci,* ik zal maar direct ter zake komen, markies van Vendôme. Arnaut zal met Rachelle naar Parijs reizen om zijn oudste dochter te bezoeken. Uiteraard is het verheugend nieuws dat Sébastien nog in leven is, maar Madeleine heeft de steun van haar familie hard nodig, nu hij in de Bastille is opgesloten. De aanval op onze hugenootse gemeente, waarbij zijn jongste dochter Avril is omgekomen, weegt hem zeer zwaar. God geeft hem echter de kracht om staande te blijven. Arnaut zal deze beproeving te boven komen, want wij weten dat Christus met ons meelijdt. De wereld was onze Heiland vijandig gezind en Hij heeft ons gewaarschuwd dat zij ons op dezelfde wijze zal behandelen als Hem.

Andelot heeft me verzekerd dat u zeer welwillend tegenover onze zaak staat, markies van Vendôme. Ik heb uw hulp nodig om mijn geheime lading naar Spitalfields te vervoeren. Uw medewerking in deze zaak is van het allergrootste belang.'

'Dominee Bernard, ik zou u graag willen helpen, maar zoals ik mademoiselle Rachelle duidelijk heb gemaakt op het zijdekasteel en monsieur Arnaut deze middag, heb ik geen tijd. De *Represaille* vaart morgen al uit.'

'Ach ja, op het zijdekasteel hebt u me het een en ander verteld over de beruchte Spaanse oorlogsvloot.'

Fabien vroeg zich af waarom hij Bernard in vertrouwen had genomen, maar niet Arnaut.

'Wat ik toen niet duidelijk heb gemaakt, dominee Bernard, is dat uw geloofsbroeders, onder wie de prins van Oranje, erop rekenen dat we de o zo belangrijke Spaanse versterkingen vernietigen. Er is maar een manier om het probleem met de bijbels op te lossen.' Fabien leunde tegen zijn bureau aan en ging ernstig verder: 'Omdat ik begrijp hoe belangrijk uw missie is, ben ik bereid om u en uw bijbels naar Engeland te smokkelen, op voorwaarde dat het transport onze aanval op de Spaanse galjoenen op geen enkele manier zal belemmeren. Helaas betekent dit dat u getuige zult zijn van bloedige gevechten en het risico zult lopen daarbij zelf om het leven te komen. Mits de aanval succesvol zal verlopen, zullen we u en uw lading naar Engeland smokkelen.'

Fabien wachtte totdat zijn woorden tot Bernard waren doorgedrongen. Hij wist zeker dat de dominee zijn aanbod zou afwijzen. Hij zou waarschijnlijk zijn wenkbrauwen optrekken over Fabiens wilde plannen, en naar een andere oplossing zoeken.

'Morgen zetten we koers naar de Lage Landen,' ging Fabien verder. 'Zoals u ongetwijfeld begrijpt, moeten we profiteren van de gunstige wind.'

Er verscheen een uitdagende glimlach op het gezicht van Bernard. 'Hartelijk bedankt voor uw aanbod, markies Fabien. Ik zie Spanje ook graag een nederlaag lijden na de gewelddadige kolonisatie van de Nieuwe Wereld. Met de schatten die de Spanjaarden uit Amerika roven, financiert koning Filips grote legers die hij naar de gebieden stuurt waarover hij het bewind voert om de protestanten met wortel en al uit te roeien. De tere loten van de reformatie zijn weerloos tegen de laarzen van de inquisitie, of in de woorden van Rome, de contrareformatie.'

Fabien keek de dominee verbijsterd aan en vroeg zich af waar hij de moed vandaan haalde. 'Laat over het volgende bij u geen misverstand bestaan, dominee Bernard. U sluit zich aan bij een groep piraten, van wie de meesten niet de goedkeuring hebben van hun koning of koningin om Spaanse schepen aan te vallen.'

Bernard wreef over zijn korte puntbaard. '*Précisément*. Hetzelfde geldt voor veel dominees: ook zij beschikken in de meeste gevallen niet over de officiële goedkeuring van dezelfde koningen en koninginnen om bijbels te drukken in de landstaal. Evenmin hebben we de vrijheid om een bijbel in ons bezit te hebben, eruit te preken, of om hugenootse bedehuizen te bouwen.' Bernard glimlachte bitter. 'Dat is dus geregeld, markies? Ik verwacht geen voorkeursbehandeling aan boord van het schip, behalve dat ik Siffre, mijn trouwe bediende, graag mee zou nemen. Ik heb hem nodig om het verband om mijn schouder te verwisselen.'

Fabien deed nog een laatste poging om hem op andere gedachten te brengen.

'U zult uw lading op de een of andere manier in Spitalfields moeten zien te krijgen, geen eenvoudige taak, *monsieur*.'

'Daar hebt u gelijk in, maar het is niet de eerste keer. De Heer heeft me nog nooit in de steek gelaten in het verleden, en ik denk dat Hij ook deze keer zal voorzien.'

'Monsieur Bernard, u begrijpt toch dat ik me noodzakelijkerwijs een tijd lang als piraat zal gedragen en meedogenloos tegen de Spanjaarden zal optreden?'

'Ik begrijp dat volkomen, markies. Laten we hopen dat de koning van Spanje en die van Frankrijk dit niet begrijpen,' zei hij ironisch. 'Ik sta in principe niet achter uw plannen, die naar mijn mening alleen gerechtvaardigd zijn, als er sprake is van een bewuste provocatie, maar ik zal u hier verder niet mee lastigvallen.'

'En u bent bereid om aan deze expeditie deel te nemen, ook al weet u dat ik u pas naar de plaats van bestemming kan brengen, als we met de galjoenen van Alva hebben afgerekend?'

'*Précisément*.'

Er viel een stilte.

'*Bien!* Dat is dan afgesproken.' Bernard kwam uit zijn stoel overeind. Hij glimlachte naar Andelot, die het gesprek van een afstand aandachtig had gevolgd.

'*Adieu*, Andelot. Ik ben van plan om in de herfst naar Frankrijk terug te keren voor het colloquium in Fontainebleau. Ik hoop je daar te zien.'

'Dat hoop ik ook. *Adieu, monsieur*.'

Bernard liep naar de deur, zette zijn zwarte hoed weer op en streek zijn gesteven witte boord glad. Fabien was opnieuw getroffen door zijn gelijkenis met Calvijn.

'Siffre staat op het dek te wachten,' zei Bernard. 'Hertogin Dushane heeft haar betrouwbare page Romier en een paar soldaten met ons meegestuurd om mijn kostbare vracht in te laden. We zullen er direct aan beginnen, markies. *Merci*.'

Fabien moest zijn nederlaag erkennen. Hij was bezorgd dat deze sterke man, die hij op de een of andere manier graag mocht, in de problemen zou raken, want in de haven wemelde het van de spionnen. Het laatste wat hij wilde, was dat de godvruchtige Bernard gevangengenomen zou worden op verdenking van ketterij en net zoals Sébastien in de Bastille zou worden opgesloten.

'Een ogenblik, *s'il vous plaît*, dominee Bernard. Waar ligt uw schat opgeslagen?'

'In het zuiden van de haven. Pakhuis 23. Ik heb de sleutel. U hoeft u verder geen zorgen over ons te maken. Ik weet dat u en uw *capitaine* uw handen vol hebben aan het inladen van uw eigen spullen.'

'Er kan van alles misgaan. Ik wil niet dat u er zelf naartoe gaat. Het is beter te wachten tot het donker is. Ik zal Romier vragen om samen met Gallaudet en mijn soldaten voor het transport te zorgen.'

Fabien dacht iets van opluchting in Bernards blik te lezen, maar misschien was het slechts vermoeidheid. Fabien kreeg bloed voor het hart. *De man is in de zestig en een paar weken geleden heeft hij een grote tragedie meegemaakt.*

'Eerst zullen mijn mannen u en uw bediende – Siffre is

zijn naam, nietwaar? – naar uw hut brengen. Helaas is het een piepklein vertrek, *monsieur*.'

'Ik heb in nog veel ongerieflijker omstandigheden geslapen. *Merci,* markies.'

Door Bernard als gast aan boord van de *Represaille* te verwelkomen, zou Fabien de banden aanhalen met de Macquinets, en zou de Geneefse dominee ook nauwer bij zijn leven betrokken raken.

Met de armen over elkaar geslagen keek Fabien Bernard na, toen deze met Gallaudet en een oudere *monsieur* – waarschijnlijk zijn bediende Siffre – de loopplank afliep.

'Waarom heb ik het gevoel dat dominee Bernard hier niet toevallig op dit moment zijn opwachting heeft gemaakt?'

Andelot zei: 'Omdat u mijn zilveren kruis niet wilde dragen, markies, heeft God uw reis nu gezegend met de aanwezigheid van dominee Bernard.'

Fabien staarde Bernard peinzend na, totdat hij uit het zicht was verdwenen.

Vanaf de kade hoorde hij iemand schreeuwen: 'Pardon, *monseigneur* Vendôme, hebt u Andelot ergens gezien?'

Fabien zag dat het Romier was. Hij was gekleed in een groen en zilver uniform en droeg een schede met het wapen van hertogin Dushane. Vanuit de deuropening van de hut riep hij: 'Waarom wil je met hem spreken?'

'Monsieur Arnaut en zijn gevolg zullen weldra naar Parijs vertrekken. De koets zal op hem wachten voor het huis van de Languets. *Monsieur* heeft me gevraagd bij u te informeren of Andelot hen zal vergezellen. Hij zal binnen een uur vertrekken naar zijn zieke dochter in het Louvre.'

Fabien draaide zich om naar Andelot, die hem met gefronste wenkbrauwen aankeek.

'Ik kan u en monsieur Bernard misschien van dienst zijn tijdens de reis,' zei Andelot hoopvol.

Fabien glimlachte. 'Wil je met ons meegaan om van de frisse zeelucht te genieten en om de strijd aan te binden tegen de Spanjaarden? Dat denk ik niet, *mon cousin*. En ondanks je afkeer van geweld wil je met ons meevaren naar de kolonie van admiraal De Coligny? Je weet toch hoe de Spanjaarden zich wreken op protestantse geuzen?'

'We zullen zeggen dat we dit aan Frankrijk en Zijne Majesteit, koning François, verschuldigd waren.'

Fabien glimlachte ironisch. Hij wist dat Andelot zeer leergierig was. Boeken gaven hem een grote voldoening; hij interesseerde zich voor vreemde talen en theologie en was nieuwsgierig naar de ideeën van Johannes Calvijn, ook al wilde hij dit niet toegeven.

'Jij bent tot een ander leven geroepen, *mon ami*. Je zult je beter thuisvoelen in het *Corps des Pages* dan op een piratenschip.' *Als zijn missie zou mislukken, dan wilde hij niet dat Andelots bloed aan zijn handen zou kleven.* 'Het is al erg genoeg dat je je door mij de toorn van je oom op de hals hebt gehaald. Als je met me meegaat, dan maak je hem voorgoed tot je vijand. De kardinaal van Lorraine is een meedogenloos man, die niemand ontziet, zelfs jou niet. Andelot, wacht een paar minuten. Ik moet nog een paar brieven schrijven.'

Andelot riep naar Romier dat hij eraan kwam, terwijl Fabien naar zijn bureau liep om perkament, inkt en een ganzenveer voor de dag te halen.

Toen Andelot even later het dek weer op liep en de hut binnenging, was Fabien nog steeds aan het schrijven. Ten slotte ondertekende hij de brief met zijn Bourbonse naam en titel en verzegelde de brief met het zegel dat hertog Jean-Louis de Bourbon ooit had toebehoord en nu het zijne was, behalve dat hij de titel van hertog niet mocht dragen, omdat de koning van Navarre, prins Antoine de Bourbon, deze had geërfd. Fabien kwam achter het overvolle bureau vandaan en overhandigde Andelot twee brieven.

'Deze is voor de hertogin en de andere voor hertog Bellamont. Zij zullen voor de rest zorgen.' Hij gooide zijn scheepskist open en haalde er een leren geldbuidel uit en legde deze in de hand van een tegenstribbelende Andelot.

'Markies Fabien, ik kan dit toch niet aannemen...'

'Je zult het geld goed kunnen gebruiken. Je kunt ervan rondkomen, totdat je opleiding tot page is geregeld. Blijf in Parijs en maak van je verblijf daar gebruik om te studeren. Laat de stem van de rede klinken temidden van alle fanatieke retoriek. Heb de waarheid lief – in het bijzonder de waarheid die God ons in Zijn Woord heeft geopenbaard.'

'Zeg, markies, hebt u de verboden Franse bijbel gelezen?'

Fabien trok zijn ene wenkbrauw op. 'Op mijn twaalfde heb ik de Bijbel gelezen in de vertaling van Lefèvre d'Étaples.'

Fabien legde zijn hand op Andelots schouder. De ring die eens zijn vader Jean-Louis de Bourbon had toebehoord weerkaatste in het licht van de ondergaande zon dat via de geopende luiken naar binnen viel.

Misschien zullen we op een dag allebei de vruchten plukken van de kennis die je zult opdoen, Andelot.

De stilte werd verbroken door haastige voetstappen op het dek. Romier verscheen in de deuropening. Zijn neusvleugels trilden en hij nam zijn hoed af voor de markies.

'Pardon, maar de koets van de Macquinets staat klaar om te vertrekken. Ze hebben zojuist iemand hiernaartoe gestuurd om te vragen waar Andelot blijft.'

Andelot kon geen woord uitbrengen. Hij stopte de brieven onder zijn hemd.

'*Adieu,* markies Fabien. Geen beter schip dan de *Represaille* kan op de Hollandse wateren de strijd aanbinden tegen Spanje.' Hij grijnsde.

Fabien glimlachte. '*Adieu, mon ami* Andelot.'

Fabien liep met hem naar de loopplank en keek hem na, terwijl hij over de kade naar de koets van de Macquinets holde, die in de verte tussen een aantal andere karren en rijtuigen stond te wachten.

Fabien staarde naar het rijtuig, maar van Arnaut en Rachelle was geen spoor te bekennen. Ze bleven in de koets zitten. Hij had naar hen toe kunnen gaan om afscheid te nemen, maar wat voor zin had dit, nu Rachelle en hij zo uit elkaar waren gegaan?

Een zestal ruiters stond in de buurt te wachten met een paard voor Andelot. De koets reed langzaam de straat uit, gevolgd door de ruiters te paard. Andelot draaide zich om in zijn zadel en nam zijn hoed af als afscheidsgroet. Fabien deed hetzelfde. Een paar minuten later was de korte stoet uit het zicht verdwenen. Weldra zouden ze op weg naar Parijs zijn.

De zilte zeelucht, de geur van de haven, het krijsen van de zeemeeuwen en het deinen van het schip onder zijn laarzen maakten deel uit van zijn nieuwe leven. Zijn wereld was voortaan heel anders dan die waarnaar Rachelle en Andelot terugkeerden. Hij had een vreemd hol gevoel van binnen. Vastbesloten om niet achterom te kijken, klemde hij zijn kaken op elkaar en keerde de kade de rug toe.

Hij liep zijn hut binnen, ging aan zijn bureau zitten en schoof alle paperassen, landkaarten en in leer gebonden boeken opzij om de kaart van Holland en omgeving te bestuderen.

Na enige tijd besefte hij dat het koeler was geworden en dat het begon te schemeren. Hij stak de kaars op zijn bureau aan die een stuk korter was geworden van de vele avonden dat hij tot laat had doorgewerkt. Hij zag dat de kade in een grijze nevel was gehuld. Het was de perfecte avond om Bernards verborgen schat in te laden en in de donkere mist stilletjes koers te zetten naar het *Pas de Calais*. Als alles volgens plan zou verlopen, dan zouden ze over enkele dagen hun *rendez-vous* hebben met de galjoenen van de hertog van Alva voor de kust van de Lage Landen.

11

Het Louvre, Parijs

Rachelle keerde met haar vader, Arnaut, naar Parijs terug. Hertogin Dushane stond hen op te wachten in de *salle* van Madeleines appartement in het Louvre. Rachelles stemming klaarde zienderogen op, toen ze de glimlach op het gezicht van de hertogin zag.

'Het gaat beter met Madeleine?'

'Gode zij dank – het gaat inderdaad veel beter met haar! *Oui*, Arnaut, je dochter Madeleine is deze morgen zonder koorts wakker geworden. De dokter heeft gezegd dat ze langzaam, maar zeker zal herstellen.'

Met grote blijdschap, boog Arnaut over de hand van de hertogin heen en bedankte haar voor haar goede zorgen voor zijn dochter Madeleine, toen noch hijzelf, noch madame Claire bij haar konden zijn.

'Kan ik haar nu zien, *madame*?'

'Ze zal zo blij zijn om je te zien, Arnaut. De *bébé* is bij haar. Je zult je eerste kleindochter in de armen kunnen sluiten. De *docteur* is er ook. Ik weet zeker dat je hem graag wilt spreken, nadat je haar hebt gezien.'

Rachelle was blij dat Madeleine aan de beterende hand was, maar al gauw moest ze aan Grandmère denken. Ze vroeg zich af welke conclusies de dokter uit de autopsie had getrokken. Nadat hij een poosje bij Madeleine was geweest – hij wilde haar niet vermoeien – kwam haar vader de kamer weer uit en zei tegen Rachelle dat hij de dokter onder vier ogen wilde spreken.

Enige tijd later kwam de dokter weer naar buiten, maakte een buiging voor haar en verdween. Rachelle liep snel de *salle*

214

binnen waar haar vader uit het raam stond te staren naar de Seine. Hij hoorde haar binnenkomen en draaide zich om.

Hij zag er uitgeput uit en om zijn mond stonden diepe groeven van vermoeidheid.

'Wat zei hij over de manier waarop ze is vergiftigd?'

'Hij heeft geen enkel bewijs kunnen vinden dat ze is vergiftigd, mijn dochter.'

'Geen bewijs!' protesteerde Rachelle. Ze liep naar hem toe. 'Maar de handschoenen dan?'

Hij kneep vol begrip in haar schouder.

'Ze had naar alle waarschijnlijkheid een abces in haar longen,' zei hij zachtjes. 'De dokter gelooft dat Madeleines ziekte niet in verband staat met die van Grandmère.'

Van frustratie sloot Rachelle even haar ogen. 'Hoe verklaart hij dan dat ze allebei op hetzelfde moment ziek zijn geworden? Madeleine had dezelfde symptomen, maar zij had de handschoenen veel korter gedragen. Grandmère had ze al de tijd dat ze boodschappen aan het doen was aan. *Mon père*, de handschoenen van de koningin-moeder waren echt vergiftigd. Ik zal hier nooit een seconde aan twijfelen.'

'De handschoenen,' zei hij geduldig, 'zijn spoorloos uit het appartement verdwenen. Zonder die handschoenen hebben we geen enkel bewijs. Het is slechts een vermoeden.'

'Maar anderen hebben de handschoenen wel zien liggen. Madame Dushane heeft ze gezien, de hofdames...'

'De handschoenen zijn verdwenen, *ma petite*.'

'Wat zegt Madeleine?'

'Madeleine beweert dat ze misschien al ziek was, voordat ze de handschoenen aantrok. Ze voelde zich al een paar dagen niet lekker.'

Rachelle schudde haar hoofd en liet zich neervallen op de roze sofa. 'Ik weiger dit te geloven, *mon père*. Voor mij bestaat er geen enkele twijfel dat zij het was – *Madame le Serpent*! En ik zal haar nooit vergeven dat ze Grandmère van mij weggenomen heeft op het moment dat ik haar het hardst nodig had!'

Hij keek haar met een gekwelde uitdrukking aan. Toen pakte hij haar beide handen beet en kneep er hard in. 'Dochter, let op je woorden. Ik wil niet dat je zo over de koningin-moeder spreekt. Het is gevaarlijk. De wanden hebben hier oren. Stel je voor dat de koningin-moeder erachter komt. Ik heb al een dochter verloren...' Zijn stem stokte en hij kneep stevig in haar handen. 'Ik wil niet nog een dochter verliezen, door ziekte of door haar koppigheid om het bewijs te vinden voor een misdaad.'

Rachelle sloeg haar armen om hem heen. 'O, *mon père...*'

Hij drukte haar stevig tegen zich aan. Ze merkte hoe hij tegen zijn tranen vocht.

Ze hield veel van haar vader. In tegenstelling tot de introverte en stoïcijnse Bernard durfde hij zijn emoties te tonen. Beide mannen waren zo verschillend van karakter, maar desondanks waren ze de belangrijkste mannen in haar leven.

Natuurlijk was de markies er ook nog. Zijn ijzeren wilskracht en koppigheid waren weer heel iets anders.

'Beloof me, dochter, dat je in je onnadenkendheid geen dingen zegt die je in diskrediet kunnen brengen bij de koningin-moeder. Ze heeft zo veel spionnen aan het hof. Sommigen herken je meteen, maar er zijn anderen die je nooit zou verdenken. We moeten altijd op onze hoede zijn.'

Ze huiverde, toen ze zag hoe ernstig hij haar aankeek. *Uit angst werd de vergiftiging van Grandmère en Madeleine in de doofpot gestopt.* De handschoenen waren verdwenen en daarmee ook het bewijs dat iemand er vergif in had gestrooid. Niemand, zelfs niet de dokter, durfde de beschuldigende vinger naar de koningin-moeder uit te steken. En zolang de dokter niet wilde bevestigen dat Grandmère door vergiftiging om het leven was gekomen, deed het er niet toe wat Rachelle ervan zei en of haar vader het met haar eens was. Ze zag geen uitweg, want wie zou de koningin-moeder durven beschuldigen?

Ze hoorden voetstappen naderen, gedempt door het Aubussonse tapijt. Rachelle en Arnaut draaiden zich om en zagen een hofdame met goudblonde haren en slaperige ogen aan komen lopen. Rachelle wist weinig van deze bedienden af. Ze wist niet of ze hen eigenlijk wel kon vertrouwen, maar had altijd aangenomen dat ze Madeleine en de hertogin nooit zouden verraden. Na haar vaders waarschuwing, vroeg ze zich af of er ook maar iets simpel was aan het hof. Ze begon er steeds meer achter te komen dat het leven aan het hof haar helemaal niet beviel. De mensen hier waren vele malen ambitieuzer dan de *serfs* en burgers in Lyon.

'Messire Macquinet, *madame* heeft me gevraagd om u en de *mademoiselle* naar uw kamer te brengen, zodat u zich kunt opfrissen voor het *dîner* waarvoor zij u beiden heeft uitgenodigd.'

'*Merci, mademoiselle.* Een moment, *s'il vous plaît.*'

Nadat de dame was vertrokken, merkte Rachelle dat haar vader haar aandachtig aankeek, en ze voelde dat hij zich meer zorgen over haar maakte dan over Idelette, of zelfs Madeleine.

'*Ma petite*,' zei hij zachtjes, 'wat ons ook te wachten staat – goede tijden of slechte tijden – we moeten altijd leven in het vertrouwen dat onze waarachtige en getrouwe God niets bij geval laat gebeuren.' Hij legde zijn arm om haar schouder en liep met haar naar de deur. 'Madame Xenia heeft ons een verstandig voorstel gedaan,' zei hij, de hertogin bij haar voornaam noemend. 'Het zal ons goed doen wat te rusten. We hebben zo veel met haar te bespreken, niet alleen wat betreft je zusje, maar ook Sébastien.'

De woorden "onze waarachtige en getrouwe God laat niets bij geval gebeuren" bleven dagenlang in haar hart naklinken en gaven Rachelle veel stof tot nadenken. Ze wist dat dit in de Bijbel stond, maar kon er met haar hart, noch met haar verstand volledig in meegaan. Hoewel ze vasthield aan het principe dat God getrouw en waarachtig was, en onveranderlijk, was ze teleurgesteld en ontgoocheld en werd ze gekweld door wraakzuchtige gedachten.

Ik weet dat Grandmère is vermoord en dat we het aan Gods genade te danken hebben dat Madeleine nog in leven is. Als ik die handschoenen kon vinden, zelfs al zou ik mijn eigen leven hiermee op het spel zetten, zou ik kunnen bewijzen dat ze vergiftigd zijn. Hoeveel anderen zal ze vergiftigen in haar egoïstische en meedogenloze ambitie?

In de dagen die volgden, maakte haar vader plannen om met Madeleine en *bébé* Jeanne naar Lyon te reizen, waar madame Claire met smart op hen zat te wachten. Ze had al een aantal malen per brief gevraagd hoe het met hen ging. Rachelles arme *mère* wilde zo graag naar Madeleine toe komen, maar ze had haar handen vol aan de zorg van Idelette en sir James Hudson, die, zo schreef ze: *bijna familie was geworden. Zijn opgewekte karakter is een grote bemoediging voor ons en hij verontschuldigt zich talloze malen voor de overlast. Ik zeg hem dan dat we voor hem zorgen uit dankbaarheid aan onze Verlosser, die ons met Zijn zegeningen overlaadt. Hij verbaast zich erover dat ik zulke dingen kan zeggen na het verlies van Avril. Ik vertel hem dat ik mijn jongste dochter niet heb verloren. Ik weet waar ze is – op een veel betere plek dan Frankrijk. Ik verlang ernaar je weer te zien...*

Arnaut overwoog om Rachelle naar het zijdekasteel te sturen om voor Idelette te zorgen, zodat haar moeder naar Parijs kon komen. Madeleine knapte zienderogen op onder de goede zorg van de dokter, maar zoals Rachelle had verwacht wilde ze in Parijs blijven, waar haar man Sébastien in de Bastille was opgesloten.

Rachelle zag hoe Madeleine vocht om sterker te worden. Met de baby in haar armen, opende haar zuster haar hart voor haar.

'Ik moet weer beter worden. Jeanne heeft me nodig. Ze heeft Sébastien en mij allebei nodig. O, Rachelle, als de Heer mij niet de kracht geeft om verder te gaan, wat zou ik zonder mijn man moeten beginnen? Ik wil hem niet verliezen. Ik zou willen dat we allemaal uit Frankrijk konden vluchten om een nieuw leven op te bouwen in Spitalfields. Volgens neef Bernard, is het een veilige haven voor geloofsvervolgden.'

Rachelle nam Madeleines wens om Frankrijk te verlaten nauwelijks serieus. Voor haar waren het de woorden van een bange vrouw en moeder, die vocht voor haar leven en dat van haar man en kind.

'Zeg, Madeleine. Weet jij wat er is gebeurd met de handschoenen die Grandmère en jij cadeau hebben gekregen van de koningin-moeder?'

Madeleine, die als enige in de familie zwart haar en donkere ogen had, bewoog zich ongemakkelijk in de kussens.

'Ze pasten me niet. Een van de dames heeft ze waarschijnlijk meegenomen.'

'En Grandmères handschoenen ook?'

'Ik weet het niet, Rachelle. Ik wil er liever niet over praten.'

Madeleine hield bij hoog en bij laag vol dat de handschoenen niet waren vergiftigd, maar dat zij en Grandmère het slachtoffer waren geweest van een onbekende ziekte, waaraan Grandmère wegens haar hoge leeftijd was overleden. Rachelle voelde aan dat Madeleine dit uit alle macht wilde geloven, omdat de andere verklaring zo sinister was dat ze weigerde erover na te denken.

'Als ik Sébastien vrij kon krijgen, dan zouden we meteen vertrekken.'

'Waar zou je naartoe gaan?'

'Het maakt niet uit, als het Frankrijk maar niet is!' Met gefronste wenkbrauwen keek ze neer op de slapende Jeanne.

Rachelle schudde haar hoofd. 'Maar dit is ons thuis, ons geliefde vaderland, *ma soeur.*'

Madeleine zuchtte moedeloos. 'Je zou er anders over denken als je lieve markies van Vendôme in de Bastille zat opgesloten.'

Rachelle, die op de rand van het grote hemelbed met de lichtgroene sprei zat, rechtte haar rug.

'Hij is mijn markies niet en dat zal hij nooit worden. In Calais heeft hij me dit zelf verteld.'

Madeleine keek eerst verbaasd en daarna verdrietig. Ze was nu weer de wijze, oudere zuster en strekte haar arm uit om Rachelles hand te pakken.

'Het spijt me dit te horen, Rachelle. Ik was er al bang voor dat zoiets zou gebeuren. Vele *demoiselles* hebben tevergeefs geprobeerd zijn hart te winnen, maar jou is dat gelukt. En hoewel hij nog jong is en avontuurlijk ingesteld, kan hij desondanks besluiten om te trouwen en een gezin te stichten. De Bourbons zouden echter nooit...' Ze hield abrupt haar mond.

Rachelle stond op en sneed een ander onderwerp aan. 'Zelfs als Sébastien zou worden vrijgelaten, zou je dan zomaar toestemming krijgen om het hof te verlaten?'

'Wat? Denk je echt dat hij weer als adviseur van de koningin-moeder zou worden benoemd? Onmogelijk.'

Rachelle liet de zaak verder rusten.

'Zijn papa en madame Xenia er al in geslaagd om een onderhoud met koning François te regelen? De brief van de markies is onze enige hoop.' Madeleine legde haar handen om het gezicht van de slapende baby en keek haar teder aan.

Rachelle wilde haar beslist niet ontmoedigen. '*Non*. Hij zegt dat de koning weer ziek is.' Opgewekt voegde ze eraan toe: 'Maar we geven de hoop niet op.'

Tijdens de onzekere dagen en nachten die volgden, hield Rachelle haar zuster gezelschap, terwijl haar vader koortsachtig voor de vrijlating van Sébastien ijverde. Hij slaagde erin een groot aantal verzoekschriften te vergaren van tolerante katholieke edelen die in hoog aanzien stonden bij de koningin-moeder en de jonge koning.

Hertogin Dushane reisde naar haar landgoed in Orléans, in de buurt van Fontainebleau, om een persoonlijk onderhoud met koning François te regelen, zodat ze de brief van de markies aan hem of Maria zou kunnen overhandigen, maar tevergeefs.

'De achterdochtige kardinaal van Lorraine heeft haar een onderhoud met de koning geweigerd,' zei Rachelle. 'In plaats van de brief aan de kardinaal te overhandigen – die hem direct zou verbranden – heeft ze hem zelf gehouden. Ze zal het nog een keer bij de koningin-moeder proberen.'

'In dat geval ga ik zelf naar Fontainebleau,' zei Madeleine met een wanhopige uitdrukking in haar donkere ogen.

Rachelle legde haar hand op Madeleines arm. 'Je bent nog niet sterk genoeg en dat weet je. Laat dit nu verder aan *papa* en hertogin Dushane over.'

In een laatste, wanhopige poging schreef Rachelle een brief aan prinses Marguerite, waarin ze haar smeekte om een goed woord voor Sébastien te doen bij de koningin-moeder, maar ze kreeg geen antwoord. Later hoorde ze dat Marguerite in een zware depressie verkeerde, omdat er opnieuw sprake was van een huwelijk met Henri de Navarre en deze keer waren de onderhandelingen serieus.

Een paar dagen later knielde Rachelle voor het naaikoffertje van Grandmère neer. Ze ruimde haar naaigereedschap op met het oog op haar onafwendbare vertrek naar Lyon. Ze had weinig zin om naar huis te gaan, want ze had de maker van de handschoenen willen vinden in Parijs, maar ze had besloten te wachten, totdat Andelot een vrije dag had van zijn opleiding in het *Corps des Pages*. Na zijn vertrek uit Calais had hij een aantal brieven van de markies aan de hertogin overhandigd. De hertogin had op verzoek van de markies de rector van het *Corps* uitgenodigd. Ze had Andelot aan hem voorgesteld en de aanbevelingsbrief van de markies aan hem overhandigd. Andelot had een opleidingsplaats gekregen, maar om de kardinaal niet voor het hoofd te stoten, zou Andelot de kleuren van het huis van Bourbon en het wapenschild van de markies niet dragen, maar het groen en zilver van de hertogin.

Grimmig bekeek Rachelle de vertrouwde naaispullen voor de eerste keer na het overlijden van Grandmère. Ze pakte alleen de dingen in die belangrijk waren voor de komende generaties van de familie Dushane-Macquinet. Ze nam de speciale naalden, de gouden vingerhoed en Grandmères *châtelaine,* het kettinkje dat ze aan haar ceintuur droeg, uit het koffertje. Grandmère had deze spullen naar Parijs meegenomen om wat kleding voor Madeleine en de baby te maken.

'Dat is nu allemaal voorbij,' mompelde Rachelle. 'Hoe hadden we in Chambord ooit kunnen vermoeden dat de zijdedochters nooit meer samen zouden werken.'

Was het echt allemaal voorbij?, sprak de stem van haar geweten. Rachelle dacht aan de intensieve training die ze van jongs af aan had genoten. Als ze de lessen van Grandmère niet in praktijk zou brengen, zou al deze kennis verloren gaan. Idelette en zij waren deelgenoot gemaakt van alle familiegeheimen. Hun kundigheid op het gebied van zijde zou niet verloren gaan, zolang zij met hun vak bezig bleven en hun kennis doorgaven aan hun eigen dochters en de volgende generatie zijdekwekers, wevers, ontwerpers en *grisettes.*

Ze sloot haar vingers om de gouden vingerhoed alsof het een kostbare robijn was.

Het was niet voorbij. Hadden prinses Marguerite en de koningin-moeder niet gezegd dat de Macquinets Marguerites uitzet zouden maken? De koningin-moeder...

Rachelle kneep krampachtig in de gouden vingerhoed.

Ik ben een Macquinet, een dochter uit het zijdehuis. In navolging van Grandmère, zal ik gaan waarheen mijn werk me zal leiden.

Toen Rachelle haar spullen had ingepakt, verliet ze haar kamer en kwam haar *père,* Arnaut, tegen die met een brief in zijn hand naar haar toe liep.

'Dochter, je moeder heeft me gevraagd of je naar huis komt. Ik ben het met haar en de jonge James Hudson eens. Hij begint zich ongerust te maken over de japon van Hare

Majesteit, de koningin van Engeland. Hij wil de japon over vier weken meenemen naar Londen.'

Gelukkig had madame Claire ook geschreven dat ze naar Parijs wilde komen om bij Madeleine en *petite* Jeanne te zijn. Ze had haar kleindochter nog nooit gezien en verlangde erg naar haar.

Haar zoektocht naar de handschoenen zou moeten wachten. Toen ze aan de japon dacht, kreeg Rachelle opeens zin om aan het werk te gaan. Het was bijna een opluchting dat ze naar het zijdekasteel zou terugkeren, terug naar haar zijde. Ze zou Idelette het nieuwe kant, zo *beau*, laten zien dat ze in de winkel van de Languets had gekocht. Ze vroeg zich af hoe het met haar zusje ging. Behalve via madame Claire had ze niets van haar gehoord.

Rachelle geloofde dat haar moeder graag naar Parijs wilde komen, omdat ze verwachtte dat Sébastien spoedig zou sterven. Madeleine zou haar hard nodig hebben.

Ondertussen waren Arnaut en de hertogin nog even koortsachtig bezig om de koning over te halen Sébastien gratie te verlenen. Diep van binnen wist Rachelle dat er weinig hoop was. Sébastien was aangeklaagd wegens hoogverraad jegens de koning en ook voor ketterij.

De volgende dag vertrok Rachelle per koets naar Lyon, geëscorteerd door twee soldaten van de hertogin. Ze glimlachte en zwaaide achter het raam naar haar vader, terwijl de paarden in een rustige draf de binnenplaats over liepen en de poort uitreden langs de Seine. Weldra waren ze op weg naar Lyon, naar huis, waar haar zijde was en waar haar een belangrijke taak wachtte: ze zou een *belle* japon voor een andere koningin maken, een protestantse koningin die de vervolgde Franse hugenoten met open armen ontving.

De reis zou verschillende dagen duren. Rachelle leunde met haar hoofd tegen de leren leuning en sloot haar ogen. Ze zou alleen maar aan zijde denken. Ze zou zich volledig aan de jurk wijden totdat deze af was. Maar zelfs toen ze zich de zilverachtige jurk met de roze veren voorstelde, werd ze achtervolgd door de blauwe ogen van Fabien en kreeg ze een wee, leeg gevoel in haar maag. Ze perste haar lippen stijf op elkaar en staarde door het raam naar de Parijse straten, zonder ze echt te zien. *Waar is hij nu? Zou hij af en toe aan me denken?*

Hij zou minstens een jaar wegblijven. Een eeuw vergeleken met de tijd die ze met elkaar hadden doorgebracht.

Er is slechts plaats voor één ding in zijn hart: het verlangen om tegen de laffe en fanatieke Spanjaarden te vechten.

De Bastille

Elk deel van zijn lichaam deed pijn. Schreeuwde hij – graaf Sébastien Dangeau – zo hard of waren het de anderen?

Dagen- en nachtenlang hoorde hij niets anders dan gegil. De pijn hield nooit op. Hij bevond zich in een folterkamer in een van de onderaardse kerkers van de Bastille. Het schijnsel van fakkels wierp spookachtige schaduwen op de donkere muren. Het wemelde van de ratten en kakkerlakken. De stank was ondraaglijk. Het knetterende vuur in de vele haarden en het geluid van zware ketenen gaven hem de indruk dat hij een afgrijselijke nachtmerrie beleefde. Misschien zou hij wakker worden in zijn appartement in het Louvre en de frisse wind en zon in zijn gezicht voelen. Er was geen andere uitweg dan de dood, die hem in de armen van Christus zou dragen.

Hier in de folterkamers van de Bastille werden de meest barbaarse martelingen uitgevoerd op zowel mannen als vrouwen: moordenaars, verraders en de aanhangers van de nieuwe religie.

Sébastien werd voor de zoveelste keer naar de pijnbank geleid. Hield het ooit op?

Ergens in een haard brandde een vuur. Ernaast stond een

rek met roodgloeiende scharen, tangen en poken, klaar om gebruikt te worden op de arme slachtoffers. Zonder ophouden klonken er gregoriaanse gezangen en in lange gewaden gehulde mannen met trieste gezichten bewogen zich langzaam langs de donkere muren en boden hem een crucifix aan om die te kussen.

Sebastien had het gevoel dat zijn keel was dichtgeschroeid. Zijn lippen waren gebarsten en zijn tong was zo zwaar dat hij nauwelijks een woord kon uitbrengen. Hij had al lang de hoop opgegeven een slok water aangeboden te krijgen. De dood zou hem spoedig uit zijn lijden verlossen. Hij zou de muren van jaspis zien in het huis van de Vader en engelen zouden hem verwelkomen in de naam van Hem die de dood had overwonnen – Jezus Christus. Wat was die naam hem dierbaar – het was zijn enige hoop.

God was hem nabij in zijn lijden. Zijn lichamelijke pijn was bijna net zo groot als zijn angst om voor de verleiding te bezwijken. Als hij deed wat ze van hem vroegen, zou er meteen een einde komen aan zijn martelingen.

Hij had een gruwelijke pijn in zijn knie. Hij was zo vaak flauwgevallen dat hij niet meer wist of hij bij bewustzijn was of droomde. Zijn linkerhand was verminkt met een ijzeren handschoen. Hij kon zich niet meer herinneren wanneer ze zijn knie hadden verbrijzeld. Een uur geleden? Een week? Een maand?

Eerst hadden ze hem niet gemarteld. Ze hadden gehoopt dat hij mee zou werken en hun de naam zou verraden van elke hugenoot aan het hof die mogelijk betrokken was geweest bij de samenzwering van *seigneur* Renaudie in Amboise. Weken had hij doorgebracht in een smerige cel, totdat ze hem op een dag hadden weggeleid, omdat hij niet had samengewerkt. Dat was het begin geweest. Aangeklaagd wegens verraad, wegens het onderdak verlenen aan vijanden van Zijne Majesteit, was hij uren- en dagenlang ondervraagd.

'Ik weet er niets van... ik had er niets mee te maken... ik

ken niemand aan het hof die de koning zou verraden... ik ben een loyaal dienaar van koning François...'

Toen arriveerde een andere inquisiteur gehuld in een kerkelijk gewaad. Hij vroeg Sébastien op zeer vriendelijke toon of hij zijn vrouw, *belle* madame Madeleine graag wilde zien en zijn pasgeboren dochter Jeanne.

Er stonden andere mannen in lange gewaden om hen heen. Ze keken hem droevig aan en droegen kaarsen en crucifixen.

'Graaf Sébastien Dangeau, bent u bereid uw loyaliteit aan de moederkerk te bewijzen door het gezegende kruisbeeld te kussen? Door deel te nemen aan de heilige sacramenten? Door de mis bij te wonen?'

De vragen werden herhaald... en herhaald...

'Graaf Sébastien, bent u bereid uw ketterij te verloochenen en uw dwaling te belijden? Bent u bereid de mis bij te wonen om te bewijzen dat u zich volledig onderwerpt aan de sacramenten van de Kerk die de enige weg tot behoudenis zijn?'

De hoofdinquisiteur met zijn grote, droevige bruine ogen haalde een zakdoek voor de dag en pinkte een traan weg. 'Helaas moet u op de pijnbank blijven liggen, graaf Dangeau. U wachten nog de duimschroef, de gloeiend hete tangen en poken, de schaar waarmee uw tong in tweeën zal worden geknipt, en de 'ijzeren maagd', de kist die uw lichaam met ijzeren punten zal doorboren. Maar *messire,* waarom zou u nog langer lijden, terwijl uw lieve Madeleine de trotse moeder is geworden van een gezonde dochter? Wilt u hen niet zien? Om vrijgelaten te worden, hoeft u maar heel weinig te doen. Zweer uw ketterij af en woon voortaan elke dag de mis bij. Als u dit doet, dan laten we u vrij, zodat u weer bij uw vrouw en dochter kunt zijn. Als u blijft weigeren, dan zullen we helaas genoodzaakt zijn om *madame* op dezelfde wijze te ondervragen als u.'

Sébastien hoorde amper wat hij zei, zo ondraaglijk was de

pijn. Grote, zoute zweetdruppels prikten in zijn ogen; met moeite probeerde hij zijn ogen open te houden.

'Messire Sébastien, hij die in het vlees heeft geleden, is vrij van zonde. Het lijden van dit ogenblik betekent niets. Als uw ziel en die van uw vrouw Madeleine en gedoopte baby zijn gered, zult u erkennen dat deze pijn tot uw verlossing heeft geleid. Tenzij u blijft volharden in de leugen en uw ketterij niet afzweert.'

Sébastien deed zijn ogen dicht. Hij klemde zijn kaken zo hard op elkaar dat hij bloed proefde.

'O God, *non,* Vader, help mij!'

'Hij zal u helpen, *messire,* maar alleen als u de duivelse leer van Calvijn en Luther afzweert. We zullen uw *bébé* ook wegnemen, *messire,* en onderbrengen in een klooster, waar ze niet blootgesteld zal worden aan ketterij. U en *madame* zullen haar nooit meer terugzien. Wat is uw beslissing? Ons geduld begint op te raken, *messire.* Zal ik soldaten naar uw appartement in het Louvre sturen om uw vrouw te gaan halen?'

'*Non, non,* ik smeek u, niet mijn vrouw, *s'il vous plaît,* niet Madeleine...'

De tranen stroomden over zijn wangen.

'U weet wat u moet doen, *messire.*'

Sébastien verkeerde in grote tweestrijd; even voelde hij weer de vrede in zijn hart die hij op bepaalde momenten gedurende zijn beproeving had ervaren; hij kreeg nieuwe kracht.

Maar toen dacht hij aan Madeleine op de pijnbank. Zijn lieve, tedere Madeleine... en hij werd met afgrijzen vervuld.

Als ik alleen aan mijzelf hoefde te denken, dan zou ik misschien tot het einde volhouden, maar ik moet overleven om ervoor te zorgen dat mijn vrouw en dochter naar Engeland kunnen ontsnappen. Als ik sterf, dan leggen ze Madeleine op de pijnbank – dit mag niet gebeuren.

Sébastien hoorde zijn eigen schorre stem als de kreet van een dier in doodsnood door de kerker klinken. 'Ik – ik zal alles doen wat u van me vraagt, *monseigneur – oui,* alles.'

De man in het religieuze gewaad glimlachte minzaam naar hem. 'Eindelijk een verstandig woord, graaf Sébastien.' Hij wenkte de wachters en knikte naar de andere mannen in toga.

'Draai het palwiel los, bevrijd hem uit zijn ketens, geef hem te eten en te drinken, maak een bad voor hem klaar en verzorg zijn hand en knie. Er is reden tot grote dankbaarheid. De graaf heeft zich bereid verklaard aan de mis deel te nemen. Ik zal de kardinaal van Lorraine van het blijde nieuws op de hoogte brengen.'

Laten derhalve ook zij, die naar de wil van God lijden,
hun zielen aan de getrouwe Schepper overgeven,
steeds het goede doende.

1 Petrus 4:19

12

Het zijdekasteel, Lyon

De scharlakenrode bloesem van de bougainville die langs de muur van de kasteeltuin groeide, weerde zich dapper tegen de windvlagen die vanaf de heuvels en boomgaarden het gebouw belaagden.

Het *château* was niet langer een veilige haven voor Rachelle, nu Grandmère er niet meer was. Minder dan een jaar geleden waren Rachelle en haar zusje Idelette als *grisettes* in opleiding met Grandmère naar Parijs en vervolgens Chambord gereisd om japonnen te naaien voor *reinette* Maria Stuart-Valois en haar schoonzuster, prinses Marguerite. Nog geen jaar geleden... maar Rachelle had de indruk dat in die korte tijd meer was gebeurd dan in alle voorafgaande jaren.

Hoe kon je leven zo radicaal veranderen? Als een orkaan die een spoor van verwoesting in het landschap achterlaat. Waarom stond God dit toe? Haar familie diende de Heer toch? Waarom had dit lot de goddelozen niet getroffen?

Haar geweten begon te spreken. In gedachten zag ze neef Bernard voor zich staan. Hij keek haar met zijn donkere, glanzende ogen aan en verweet haar dat ze geen vertrouwen in Gods leiding had:

'"In wervelwind en storm is Zijn weg, wolken zijn het stof Zijner voeten," zei de profeet Nahum. Maar hadden dood en verderf het laatste woord? *Non.* "En de regen viel neer en de wind waaide tegen het huis aan, en het viel in, want het was niet op de rots gebouwd."'

'De rots is Christus, Rachelle. Ook al wankelen de bergen en worden ze naar het midden van de zee gedragen, toch blijft Hij ons Fundament. Hij zei tegen Zijn discipelen dat

Hij zou opvaren om een plaats voor hen in de hemel te bereiden, maar dat Hij zou terugkeren om hen naar huis te brengen. Wij zien uit naar een stad met fundamenten, waarvan de Bouwheer God zelf is.'

Rachelle haalde diep adem en duwde de brede, bewerkte deuren van het ruime atelier open en ging, zoals elke morgen na het ontbijt, aan het werk.

In deze ruimte bevonden zich de familiegeheimen van het zijdehuis Dushane-Macquinet. Zijde werd ook wel de 'nieuwe stof' genoemd, hoewel het materiaal al eeuwenlang bekend was in het verre oosten. Via de zogenaamde zijderoute werd de stof naar Europa geïmporteerd.

Niemand zei een woord over de verdachte omstandigheden waarin Grandmère was overleden, hoewel de familieleden zonder twijfel veel aan haar dachten. Misschien, zo dacht Rachelle, wisten ze dat ze overstuur zouden raken als ze begonnen te spreken over het *petite* zilvergrijze dametje. Slechts eenmaal had Rachelle zich niet langer kunnen inhouden en was ze over de handschoenen begonnen.

'Ze zijn op de een of andere manier vergiftigd. Ik weet het bijna zeker. Andelot is het met me eens. De hertogin is op haar hoede en zelfs neef Bernard koestert deze verdenking.'

Madame Claires blik sprak boekdelen en Rachelle hield verder haar mond. Later nam ze Rachelle terzijde. Ze legde haar handen op haar armen en zei zachtjes: 'Met dit soort gesprekken is niemand gebaat, *ma chère*. Je zuster Madeleine is nog in het Louvre. Ik zal haar binnenkort gaan opzoeken. We moeten op onze hoede zijn. Sébastien is in de Bastille gevangengezet en het laatste wat we in deze omstandigheden willen, is de aandacht van de koningin-moeder op ons vestigen.'

Rachelle zag dat de rimpels rondom de lichtblauwe ogen van haar moeder dieper waren geworden.

Haar vader Arnaut had haar precies dezelfde waarschuwing gegeven. Daarom hield Rachelle voortaan haar mond over deze kwestie. Hoewel ze er niet meer met anderen over sprak, bleef ze erover piekeren. Als ze de kans kreeg, zou ze de waarheid aan het licht brengen.

Kort na haar terugkeer uit Parijs, vertrok haar moeder naar het Louvre om Madeleine bij te staan. Rachelle begroef zichzelf in het werk. Ze was van 's ochtends vroeg tot 's avonds laat bezig aan de japon die James Hudson mee wilde nemen naar Engeland.

'Je hebt een groot talent,' zei hij, terwijl hij zijn donkere hoofd schudde en grijnsde. 'Wacht maar tot mijn vader je ontmoet en je schetsboek doorbladert. Sommige van je ontwerpen zijn verbluffend. Ik ben met name geïnteresseerd in de japon met de klokkende mouwen. Wie weet? Misschien slaat dit model in Londen aan.'

'Dat zou fantastisch zijn. Voor de mouwen moet een dunne, luchtige stof worden gebruikt met ragfijn goud- of zilverdraad. Wat denk je ervan?'

'Ja, en we zullen de jurk 'La Rachelle' noemen.'

Voor het eerst in lange tijd, barstte Rachelle in lachen uit. Ze was flink opgeschoten met de japon voor koningin Elizabeth, tot grote vreugde van James, zoals ze hem op zijn verzoek was gaan noemen, die van plan was om over twee weken naar Engeland terug te keren.

Idelette hield zich meestal afzijdig. Ze werkte meestal 's avonds aan de jurk, in haar eentje. Zelfs het kant dat Rachelle uit Calais had meegebracht, kon haar geestdrift niet wekken, zoals Rachelle had gehoopt. Idelette uitte haar bewondering voor het kant, maar daar bleef het bij.

Rachelle had geprobeerd haar uit haar isolement te halen, maar haar zusje gaf er de voorkeur aan om alleen te zijn. Rachelle bad vaak dat dit zou veranderen.

'Ik schaam me voor de plekken op mijn gezicht,' had ze Rachelle uitgelegd. 'Kijk eens naar mijn mond. Het is walgelijk. De wond is aan het genezen, maar als ik eet, voelt mijn mond gezwollen aan en begint hij steeds te bloeden.'

'*Chère* zusje, je bent zo dapper. Verlies de moed niet. Over een maand zie je er niets meer van.'

'Tenzij er een litteken achterblijft...'

'Ik kan je een paar trucjes leren die ik van prinses Marguerite heb geleerd om de littekens te verbergen totdat ze zijn weggetrokken.'

Idelette kreunde. 'Ach, Marguerite! Trouwt ze met de zoon van koning Filips of met de hugenoot, prins Henri de Navarre?'

Rachelle herinnerde zich dat de koningin-moeder haar had verteld dat Rachelle met prinses Marguerite naar Spanje zou reizen. Ze huiverde. Hopelijk was ze het vergeten. *Het is al gevaarlijk genoeg om het raadsel van de giftige handschoenen op te lossen, maar een heel ander verhaal om in het gevolg van Madame le Serpent naar Spanje met zijn afschuwelijk inquisitie te reizen.*

'Marguerite houdt slechts van één *monsieur*: Henri de Guise, de zoon van de hertog.' Rachelle had moeite om de walging te onderdrukken die ze in zich voelde opkomen bij het uitspreken van zijn naam.

'Marguerite zal nooit toestemming krijgen om met hem te trouwen. Een Guise als schoonzoon zou de positie van Catherines eigen zonen bedreigen.'

Een aantal weken later zat Rachelle zuchtend in het atelier en wreef over de dikke rimpel op haar voorhoofd. Ze liep naar de lange werktafel waarop de zilverroze japon was uitgespreid die zacht glansde in het licht dat de kamer binnenstroomde. Vandaag zou ze met de grootste zorg de pareltjes op het lijfje borduren. James had haar verteld dat de Hudsons de parels hadden gekregen van een rijke Engelse koopman die zijn koningin graag wilde behagen. De enige voorwaarde was dat ze de koningin zouden vertellen van wie de parels afkomstig waren.

Rachelles gedachten dwaalden af. James Hudson had eens gezegd dat de Engelse koningin prachtige handen had. 'Er wordt gezegd dat ze graag met haar handen pronkt. Ze draagt in het bijzijn van buitenlandse hovelingen en ambassadeurs het liefst geen handschoenen, met de bedoeling dat deze aan hun eigen hoven vertellen hoe fraai haar handen zijn.'

Rachelle glimlachte. Welke vrouw was niet dankbaar voor iets aantrekkelijks in haar uiterlijk? Rachelle was trots op haar dikke, glanzende kastanjebruine haar en blijkbaar vond de markies het ook bekoorlijk. Ze was blij dat ze iets had wat de stoïcijnse markies blijkbaar had aangetrokken – maar niet kon bezitten. Gelukkig was ze niet voor hem bezweken in Calais en gesmolten onder zijn aanraking. Laat hem maar op zijn dierbare schip blijven – de *amour* van zijn leven.

Ze keek grimmig voor zich uit en haar mond vertrok in een sarcastische glimlach. *De liefde voor een schip, dat is toch wel een bijzondere liefde, olala!*

Ze pakte haar naald op en liet Grandmères gouden vingerhoed om haar vinger glijden. Haar frustratie en boosheid zakten even snel als ze opgekomen waren. *O, Fabien, wat zou ik graag willen dat je meer om me gaf dan wat dan ook in deze koude, liefdeloze wereld... net zo veel als ik naar jou verlang en van je houd.*

Ze fantaseerde erover hoe hij plotseling voor haar zou staan. Hij zou op zijn ene knie vallen, haar handen beetpakken en haar om vergeving smeken. Zijn donkerblauwe ogen zouden branden van verlangen. 'Wil je met me trouwen, *ma chérie*, je bent uniek voor mij. Je bent veel belangrijker dan mijn schip en de hoofden van de Spanjaarden die ik aan de wand van mijn hut heb gehangen.'

Ze moest om zichzelf lachen. 'Ga aan het werk. Je lijkt Nenette wel.'

Haar tijd was kostbaar. Ze was het aan de firma Dushane-Macquinet-Hudson verschuldigd om de Engelse koningin met haar werk te imponeren. Ze wilde dat de Hudsons een gunstige indruk aan het Engelse hof zouden maken en dat hun reputatie in Londen zou groeien.

Rachelle haalde haar naaigereedschap voor de dag en begon de parels op het lijfje te borduren, een lastige klus die uiterste concentratie en precisie vergde. Ze gebruikte een vergrootglas om ervoor te zorgen dat elke steek van haar met bijenwas ingewreven naald precies op de juiste plek was. Ze was ingespannen aan het werk, toen de deur werd geopend. Ze keek op en zag James Hudson glimlachend binnenkomen. In de weken na haar terugkeer uit Parijs had ze zijn gezelschap als balsem op haar gewonde hart ervaren.

'*Bonjour*,' zei hij. Het was een van de weinige Franse woorden die hij kende.

Vader Arnaut had erop gestaan dat Rachelle en haar zusters als kinderen Engels leerden, iets waar ze hem nu dankbaar voor was, anders zouden James' pogingen om Frans te spreken tot hilarische misverstanden leiden. Hij wist dit en moest vaak om zichzelf lachen.

Op krukken liep hij naar de werktafel toe en ging zitten, zoals hij elke dag sinds haar terugkeer uit Parijs had gedaan. Gelukkig had hij zijn been niet gebroken, zoals de dokter eerst had geloofd, maar een lelijke verstuiking opgelopen, die slechts langzaam heelde.

'Hoe denk je zo'n lange reis in je eentje te kunnen maken?' vroeg ze. 'Als je vader niet ziek was geworden, had ik je aangeraden om wat langer te blijven. Nenette zal je missen,' zei ze met een ondeugende twinkeling in haar ogen. Het was geen geheim dat haar *grisette* zeer gesteld op James was geraakt tijdens zijn verblijf op het zijdekasteel.

'Als dominee Bernard naar Spitalfields kan reizen, dan is er geen enkele reden dat ik, een gezonde jonge Engelsman, dit niet zou kunnen. Ik ben blij dat Nenette me zal missen.'

'We zullen je allemaal missen. Maar ik weet zeker dat je naar je huis in Londen verlangt.'

'Wat was gepland als een bezoek van twee weken aan Lyon zijn twee maanden geworden. Ik ben er niet rouwig om. De Macquinets zijn vrienden van me geworden,' zei hij. 'Ik had alleen gewild dat we elkaar in minder tragische omstandigheden hadden leren kennen.' Ze probeerde haar emoties te verbergen, toen hij verder sprak.

'Ik zou graag willen dat Idelette en jij met me mee zouden reizen naar Londen. De japon is per slot van rekening voornamelijk jouw creatie en die van je zuster.'

'Maar het is jouw ontwerp,' zei ze, terwijl ze vol overtuiging knikte. 'Ik geef toe dat ik heel graag bij het aanbieden van de japon aan koningin Elizabeth in St. James Court had willen zijn.'

'Je moet erbij zijn, Rachelle.'

Ze hadden in zulke droevige en tragische omstandigheden vriendschap met elkaar gesloten, dat ze de formaliteiten al snel achterwege hadden gelaten en elkaar bij de voornaam noemden. Dat vond ze helemaal niet erg, want zelfs Andelot noemde haar mademoiselle Rachelle.

'Misschien kom ik op een dag naar Engeland, met mijn vader, Arnaut, of neef Bernard. Voor zijn werk reist hij namelijk veel tussen beide landen op en neer.'

'*Op een dag* is dus de meest concrete toezegging die je me op het moment kunt doen. Maar weet dit, Rachelle: de dames aan het hof zullen verrukt zijn over deze japon die jullie naam als toonaangevende *couturières* in Engeland definitief zal vestigen. Vroeg of laat zul je naar Londen moeten komen.'

'En vergeet jezelf niet,' zei ze met een glimlach. 'Als ze de koningin in deze jurk hebben gezien zullen de dames allemaal voor een japon van de firma Hudson in de rij staan.'

Ze zag een twinkeling in zijn donkere ogen. Hij had een innemende glimlach en hoewel hij niet zo'n opvallende *beau* was als de markies, was hij een aantrekkelijke en interessante man, mede door zijn liefde voor zijde en zijn creativiteit.

Tijdens zijn verblijf op het zijdekasteel had hij vele malen haar schetsboek bekeken, haar complimenten gemaakt en suggesties gedaan. In de weken na haar terugkeer hadden ze samen aan de japon van de koningin gewerkt en was de tijd omgevlogen. Ze voelde zich bij hem op haar gemak en hij had haar nooit het hof gemaakt, waardoor ze zonder problemen hele dagen in zijn gezelschap kon doorbrengen. Ze vond hem even ongedwongen in de omgang als Andelot. Af en toe betrapte ze hem erop dat hij haar op een speciale manier aankeek, maar hij gedroeg zich altijd als een *ami*.

Misschien wist hij dat ze haar hart al aan een ander had gegeven en dat elke poging in die richting meer kwaad dan goed zou doen.

James leek genoegen te nemen met niet meer dan vriendschap. Hij was een van de geduldigste mannen die ze had ontmoet.

Toen de japon eindelijk af was en met grote zorgvuldigheid was ingepakt, begon hij met de voorbereidingen voor zijn reis naar Calais, waarvandaan hij per schip naar Engeland zou oversteken.

'Ik zal dominee Bernard in Spitalfields opzoeken, als ik eenmaal in Londen ben. Ik zal hem vragen je ouders over te halen jou en Idelette toestemming te geven om de volgende keer met hem mee naar Engeland te reizen.'

De morgen dat James Hudson uit het zijdekasteel vertrok, kwam Idelette niet naar beneden om hem gedag te zeggen onder het voorwendsel dat ze hoofdpijn had. James haalde een brief voor Idelette uit zijn zak. Uit zijn blik sprak medelijden en hij leek er begrip voor te hebben dat ze had besloten om in haar kamer te blijven.

Voor het eerst glimlachte hij niet. Zijn donkere ogen stonden somber.

'Kun je deze brief aan je zusje geven?'

Ze nam de envelop van hem aan. *'Oui, bien sûr.'*

Er verscheen een glimlach op zijn gezicht. 'Dag, Rachelle. *Merci* voor je gastvrijheid deze maanden. God zij met jullie allen, totdat we elkaar weer in Londen ontmoeten.'

Ze glimlachte terug en keek hem na, terwijl hij op zijn krukken naar het rijtuig liep. De kist met de *belle* japon voor de koningin was met een nog grotere zorg in de koets gezet dan die James de afgelopen maanden had genoten op het zijdekasteel.

Hij glimlachte en terwijl de koetsier hem de koets in hielp, riep hij naar Rachelle: 'De volgende keer dat je me ziet, ben ik zo fit als deze paarden.'

Ze lachte. 'Dat zou me niet verbazen.'

'Tot ziens!'

'*Au revoir*. God zij met je. Doe de groeten aan Bernard.'

'Dat zal ik doen. *Adieu*, Rachelle, *adieu*, Nenette!' Hij zwaaide naar Nenette die bij de ingang van het zijdekasteel stond. Rachelle zwaaide hem vanaf het bordes na met haar *grisette*, totdat de koets uit het zicht was verdwenen. Ze zou James missen. Zonder hem was het vreemd stil geworden op het *château*.

Weken later arriveerde een van de ruiters van hertogin Dushane na een lange rit uit Parijs op het zijdekasteel in Lyon met een boodschap van madame Claire. Snel opende Rachelle de brief en las hem. Er verscheen een blijde glimlach op haar gezicht. Ze snelde het huis binnen en vloog de trap op om Idelette te vinden.

'Sébastien is vrijgelaten, zusje. Luister...' ze zwaaide met de brief. 'Een boodschapper van de hertogin kwam deze zojuist brengen.' Hardop las Rachelle de korte brief voor.

Lieve dochters, we hebben lang moeten wachten op een blij bericht na de rampspoed van de afgelopen maanden! Jullie zwager Sébastien is vandaag uit de Bastille vrijgelaten. Hij is ziek, maar leeft. De koning heeft hem gratie verleend en na zijn herstel zal hij weer in dienst treden van de koningin-moeder. Ik hoef jullie niet te zeggen dat we allemaal gejuicht hebben van vreugde en vele tranen hebben geplengd tijdens het weerzien. Wij zijn God dankbaar dat Sébastien in leven is en met Madeleine en zijn dochter verenigd. Ik heb jullie père in lange tijd niet zo blij gezien, maar hij is tegelijkertijd van de ernst van de situatie doordrongen. Hij en Sébastien hebben vele gesprekken onder vier ogen gevoerd over alles wat is gebeurd. Jullie père is van plan om samen met monsieur James Hudson naar Spitalfields te reizen.

Jullie liefhebbende mère.
Jeremia 29:11

Rachelle gooide de brief in de lucht en rende stralend op Idelette af. Lachend en huilend, vielen ze elkaar in de armen.

Idelette haalde haar verborgen Franse bijbel tevoorschijn en ging zitten. Ze zochten het Bijbelvers op dat madame Claire onderaan haar brief had vermeld.

Idelette las hardop: '*Want Ik weet, welke gedachten Ik over u koester, luidt het woord des HEREN, gedachten van vrede en niet van onheil, om u een hoopvolle toekomst te geven.*'

Idelette staarde naar het raam aan de andere kant van de kamer en leek diep in gedachten verzonken te zijn. 'Ik hoop dat deze belofte ook voor mij geldt.'

Rachelle liep naar haar toe en pakte haar bij haar schouders. '*Oui, bien sûr,*' zei ze zacht. 'Je bent dierbaar in de ogen van God, en van ons allemaal.'

Idelette antwoordde niet.

Na drie weken arriveerde een uitvoeriger brief van madame Claire. Ze schreef hen dat Sébastien langzaam herstelde van zijn verwondingen, dat Madeleine ook vooruitging en dat de kleine Jeanne groeide als kool. Ze vroeg hoe het met Idelette ging en hoe de zaken er op het *château* voorstonden.

Madame Claire schreef ook dat tegen de tijd dat haar brief het zijdekasteel bereikte, de japon naar alle waarschijnlijkheid klaar zou zijn en monsieur Hudson weer op weg naar Engeland. Hij zou hen in het Louvre een bezoek brengen om met Arnaut te spreken over de samenwerking tussen het zijdehuis Dushane-Macquinet en de firma Hudson.

Idelette was bezig een purperrode en gouden draad op een gladde essenhouten spoel te winden, toen Rachelle de laatste regel van de brief hardop las: 'Onze God heeft Grandmère tot zich genomen, maar heeft balsem op onze wonden gegoten door ons een kleindochter te schenken.'

Rachelle keek naar Idelette. Haar wonden waren geheeld, maar ze hadden hun sporen op het gezicht van haar zusje nagelaten. Idelette maakte een vermoeide indruk, of misschien ging ze gebukt onder een last die ze met niemand wilde delen.

Rachelle vouwde de brief dicht en legde hem op tafel. 'Ik vraag me af tot wat voor vrouw Jeanne zal opgroeien. Madeleine is bezorgd over haar toekomst hier in Frankrijk.'

Idelettes mond verstrakte. 'Ik begrijp Madeleines bezorgdheid voor *petite* Jeanne heel goed.' Toen stond ze op en liep de kamer uit.

Later die dag zag Rachelle dat Nenette een paar munten haalde uit de roze pot die op de gangtafel stond.

'Hé, wat doe je daar, Nenette?'

Nenette keek om.

'Mademoiselle Idelette heeft me opdracht gegeven er een paar munten uit te halen.' Nenette hield een verzegelde brief omhoog. 'Ze heeft me gezegd dat ik de boodschapper moet vragen deze brief met grote spoed af te leveren.'

Rachelle zag dat hij geadresseerd was aan madame Claire in het Louvre. Met een onbehaaglijk gevoel keek ze de lege gang in.

Nenette stopte een paar weerbarstige rode krullen onder haar witte kanten *coif*. 'Ik maak me zorgen over haar,' fluisterde ze.

Rachelle keek haar grimmig aan. *Er was iets aan de hand. Idelette leek ergens bang voor te zijn.*

De volgende zes weken nam Rachelles ongerustheid over Idelette toe. Dat haar zusje helemaal niets wilde loslaten, maakte de situatie er niet beter op. Toen arriveerde madame Claires derde brief.

Rachelle keek gespannen toe, terwijl haar zusje de brief in stilte las. Er verscheen een opgeluchte uitdrukking op haar gezicht.

'*Papa* en *maman* keren binnenkort naar het zijdekasteel terug. Niet dat ik blij ben dat ze Madeleine in het Louvre achterlaten. Ik had gehoopt dat Madeleine met hen zou meekomen, maar *maman* zegt dat Madeleine in Parijs blijft, wat er ook gebeurt...' Ze las de brief zwijgend verder en zei toen: 'Er is verder geen nieuws over Sébastiens gezondheidstoestand.'

Rachelle was niet verbaasd dat Arnaut en Claire naar huis kwamen, als de vermoedens die ze over Idelette koesterde, bleken te kloppen. Net als ze dat voor Madeleine hadden gedaan, zouden haar ouders ook voor Idelette klaarstaan.

Idelette las de rest van de brief zonder een woord te zeggen. Ze vouwde hem op, maar overhandigde hem niet aan Rachelle zoals ze normaal gesproken deed. Rachelle respecteerde de privacy van haar zusje. Hun *mère* had waarschijnlijk een paar persoonlijke woorden aan Idelette geschreven.

Idelette keek haar ernstig aan. Haar gezicht was bleek en mager. Toen zuchtte ze en stond op van de sofa. Ze rechtte haar rug en bevochtigde haar lippen. 'Er is iets wat ik voor je heb verzwegen, zusje. Ik schaam me om erover te praten, maar *maman* zegt dat ik eerlijk moet zijn tegenover mijzelf en de anderen, en dat het mijn schuld niet is, maar zelfs dan... ik denk dat je het al weet.'

Rachelle knikte zonder een woord te zeggen. Ze hield haar handen krampachtig samengevouwen in haar schoot en ze keek naar de punten van haar schoenen.

Met vlakke stem vertelde Idelette wat Rachelle al lange tijd had vermoed: ze was in verwachting.

Rachelle had Idelette nooit verteld over de avond dat de markies en Gallaudet naar de herberg waren gereden – nadat ze erachter waren gekomen wie de leider van de bestorming op de schuilkerk was. Rachelle vermoedde dat een van de twee soldaten van de hertog van Guise met wie ze een duel waren aangegaan, de verkrachter van Idelette was geweest. Misschien zou Rachelle haar dit op een dag vertellen, als Idelette het onderwerp zelf ter sprake bracht.

Idelette ging naar haar slaapkamer en trok de deur achter zich dicht. Rachelle wist dat ze er geen goed aan zou doen achter haar aan te rennen. Idelette was altijd veel geslotener geweest dan haar andere twee spraakzame zusjes, Madeleine en Avril, en leek veel op hun moeder.

Rachelle duwde de bewerkte deuren van het atelier open en zocht vertroosting in de vertrouwde rollen zijde en fluweel. Ze verzonk in diep gepeins.

Geen wonder dat Idelette zo stuurs had gereageerd toen Rachelle haar had verteld dat Madeleine erover dacht om Frankrijk te verlaten met het oog op de toekomst van haar dochter Jeanne. Idelette zou ook een kind krijgen, maar de toekomst van haar kind, of ze nu een zoon of een dochter kreeg, was nog veel onzekerder. Haar kind zou geen liefhebbende *père* hebben die zou glunderen van trots na de geboorte van zijn eerste nakomeling. En Idelette zou de steun van een lieve echtgenoot missen. Tijdens de bevalling zou ze misschien verlangen naar de sterke armen van een man om haar heen die haar zou laten weten dat ze er niet alleen voor stond. In plaats daarvan had ze slechts wreedheid en egoïstische bruutheid ervaren.

Rachelles hart begon sneller te kloppen, toen ze door de kamer liep, maar ze putte geen troost uit de aanblik van de vertrouwde stoffen.

'Dit was ooit de vrolijkste kamer van het *château,* het kloppende hart van het zijdehuis, de plek waar de zijdedochters en *grisettes* in opleiding graag waren. En nu!' fluisterde ze hartstochtelijk.

Het atelier was ondanks al zijn schatten een sombere plek

geworden. De naalden die vroeger glansden in het zonlicht waren dof geworden en de scharen die ijverig door de stoffen roetsjten, lagen er werkeloos bij. Op de lange, met fluweel beklede planken lagen rollen zijde en brokaat als vochtige edelstenen te glanzen. Balen met prachtig kant uit Alençon, Brugge en Bourgondië lagen keurig op hun plaats. Avril en zij hadden de stoffen met de grootste zorg om met was ingesmeerde essenhouten stokken gerold. Rachelle keek het atelier rond en voelde een diepe pijn om alles wat ze verloren hadden.

'We hadden er net zo goed paardenhaar omheen kunnen wikkelen.'

Ja, op het oog was er niets veranderd, maar in werkelijkheid was alles anders geworden. Rachelle bekeek de jurken en rokken waaraan de naaisters bezig waren en haar blik viel op de roze jurk voor Avrils verjaardag.

Ze dacht aan alle lessen die Grandmère haar had gegeven: hoe ze patronen zorgvuldig moest uitknippen, hoe ze een perfecte stiksteek kon maken – ze herinnerde zich zelfs de discussies tussen haar *mère* en *grandmère* en *père* over de manier waarop ze de moerbeibladeren aan de zijderupsen moesten voeren. Wat hadden ze gekibbeld over het verzorgen van de cocons! Maar ondanks de oppervlakkige meningsverschillen waren ze in *bonhomie* met elkaar omgegaan. Ze dacht eraan hoe haar *père* altijd grapjes maakte met Grandmère, want zijn eigen moeder was gestorven toen hij nog heel jong was. Haar *mère* moest altijd lachen om hun gesprekken en vermaande Arnaut Grandmère niet zo te plagen.

Maar Grandmère had ervan genoten.

Ze dacht aan het jaloerse, maar onschuldige gekibbel tussen haar, Idelette en Madeleine, voordat ze met Sébastien was getrouwd, over wie Grandmère mocht helpen bij het maken van een speciale japon.

Voor de eerste keer begreep Rachelle waarom Madeleine Frankrijk de rug wilde toekeren, op zoek naar een nieuwe droom: de oude droom was begraven en definitief verleden tijd.

Een brute verkrachting en Idelette was in verwachting.

Haar droefheid sloeg om in woede en ze begon te beven. Welk recht had de zelfingenomen hertog van Guise om vanuit zijn hertogdom in Lorraine hiernaartoe te rijden om ketters uit te roeien? Terwijl de hertog beweerde een dienaar van God en verdediger van de waarheid te zijn, maakten zijn volgelingen zich aan verkrachtingen en plunderingen schuldig. Het 'Zwaard der Gerechtigheid' had Guise zichzelf genoemd.

Non, dacht Rachelle, *het zijn moordenaars en overspelers.*

Ze probeerde zich te concentreren op praktische problemen, maar steeds opnieuw werd ze overvallen door angst en walging. In een uitbarsting van woede gooide ze haar speldenkussen naar de mannequin aan de andere kant van de kamer. De levenloze pop keek haar koud aan, onbewogen door haar machteloze woede. Het speldenkussen landde met een plof op de grond en de witte pruik op het hoofd van de mannequin glinsterde als een stralenkrans in het zonlicht.

Ze liep naar het raam en liet haar slaap rusten tegen het raamkozijn, terwijl ze het kanten gordijn door haar vingers liet glijden. Er moest een uitweg zijn, God moest een bedoeling hebben met de zware beproevingen die haar tot in het diepst van haar wezen hadden geschokt. God had hen niet in de steek gelaten. Dat zou ze nooit geloven.

'Ook al is het nog zo donker om ons heen, God zal ons verlossing zenden.' Hoe vaak had ze neef Bernard dit niet horen zeggen?

Ze drukte haar handpalmen tegen haar slapen, sloot haar ogen en probeerde te denken aan Gods wijsheid en oneindige liefde. Wat had neef Bernard ook al weer geschreven in de brief die hij in het geheim voor haar had achtergelaten in Calais?

Rachelle liep naar haar bureau en opende de lade waarin

zc een aantal speciale dingen bewaarde, die ze tijdens een korte pauze vaak voor de dag haalde. Er lagen papieren in waarop ze Bijbelverzen uit de Franse bijbel had geschreven en een aantal brieven. Ze vond de brief die ze zocht en liet haar ogen over de woorden glijden totdat ze bij het gedeelte kwam waar Bernard haar had bemoedigd met het verhaal van Lazarus: 'Lazarus was ziek geworden en lag op sterven. Zijn twee wanhopige zusters, Marta en Maria, stuurden een boodschap naar de Here Jezus om zo gauw mogelijk te komen – *"kom onmiddellijk naar ons toe, o Heer!"*

Desondanks zei Jezus tegen Zijn discipelen: "En het verblijdt Mij om u, dat Ik daar niet geweest ben, opdat gij tot geloof komt".

Ma chère Rachelle, de Heer stond het toe dat Zijn discipelen in een grote storm op zee belandden... zij kwamen naar hem toe en zeiden: "Here, help ons, wij vergaan!" En Hij zeide tot hen: "Waarom zijt gij bevreesd, kleingelovigen?"

Ma chère, de apostel Paulus werd door honger en dorst gekweld, leed verschillende malen schipbreuk, werd in de boeien geslagen, gegeseld en gestenigd. Maar ondanks al deze beproevingen schreef hij: "In dit alles zijn wij echter meer dan overwinnaars, door Hem, die ons liefgehad heeft." Hij wist dat ook al gaan we door een diep dal, niets ons zal kunnen scheiden van de liefde van God, die in Jezus Christus is.'

13

Fontainebleau

Vol ongeduld wachtte Catherine de Médicis in het paleis van Fontainebleau op haar spion Madalenna die ze eerder die dag had weggestuurd om een boodschap te doen. Zoals een vogel die van tak tot tak fladdert zonder een rustplaats te vinden, bleef haar geest doormalen over de intriges die de hertog en kardinaal hadden beraamd om de Valois van de troon te stoten.

De zaal, die ze als werkkamer had ingericht, ademde de geest van de koningen uit het verleden en was gedecoreerd met goudkleurige en blauwe fresco's en draperieën van zilver- en goudkleurig brokaat. Rusteloos liep ze over het crèmekleurige tapijt met de karmozijnrode bloemen dat contrasteerde met haar zwarte japon en sluier.

Die vervloekte familie! Veel te lang al hadden de Guises haar het leven zuur gemaakt. Ze haatte hen. *De fanatieke en zelfingenomen hertog! De verdorven en schijnheilige kardinaal! Kon ik ze maar vergiftigen.*

Er liep een rilling over haar rug. Ze durfde geen vergif meer te gebruiken. Er deden bepaalde geruchten de ronde... ze moest ervoor zorgen dat ze niet herkend werd, als ze de winkel van haar geheime apothekers, de gebroeders Ruggiero, in de haven bezocht.

Catherine vermomde zich vaak. Als ze in Parijs was, verliet ze haar appartement dikwijls via een geheime uitgang en begaf zich dan te voet naar hun winkel op de kade. Ze genoot ervan zich incognito onder de mensen te begeven. Na haar bezoek aan de winkel, bleef ze vaak op de markt treuzelen om te horen wat de Parijzenaars te zeggen hadden over de koningin-moeder. Ze beleefde een pervers genoegen aan dit soort stiekeme bezigheden, net zoals ze ervan genoot om hovelingen af te luisteren. 'Die Italiaanse,' noemden de Parijzenaars haar, 'de buitenlandse.' Ze hadden geen goed woord voor haar over. Maar de Guises daarentegen... de fantastische *Balafré*, zoals ze de hertog noemden! Hun dappere opperbevelhebber en held. Sommigen zeiden dat François weliswaar koning van Frankrijk was, maar de hertog van Guise koning van Parijs.

Nee. Ze zou de hertog of de kardinaal niet durven vergiftigen, voor het geval de verdenking op haar zou vallen. Ze moest een andere plan bedenken. Een huurmoordenaar, ja. En machiavellistisch als ze was, zou ze de een of andere gebelgde hugenoot de moord in de schoenen schuiven. Ze grinnikte. Ja, haar tijd zou komen. Ze moest alleen geduld hebben. En als ze geen slome hugenoot kon vinden, dan kon ze altijd nog de grandioze markies Fabien de Vendôme gebruiken.

Ze begon sneller te lopen, alsof haar hersens koortsachtig aan een oplossing werkten.

Nadat de hugenootse opstand in Amboise met succes was neergeslagen, hadden de hertog en de kardinaal haar zoon François opdracht gegeven om de Bourbonse prinsen, Louis de Condé en zijn broer, Antoine, de koning van Navarre, naar Fontainebleau te roepen om zich te verantwoorden voor de samenzwering in Amboise, die in maart had plaatsgevonden.

Catherine perste haar lippen stijf op elkaar. De Guises hadden prinsen van koninklijken bloede uitgedaagd. Die dwaze François had niet in de gaten dat Maria's ooms hem gebruikten om hun eigen macht te vergroten.

Ze zou de komende weken en maanden met de grootste voorzichtigheid te werk moeten gaan om de plannen van de Guises, die steeds machtiger werden, te verijdelen. Als ze erin zouden slagen om de Bourbons uit te schakelen, wat zou hun volgende stap zijn? De hertog probeerde momenteel een huwelijk tussen zijn zoon, Henri de Guise, en haar dochter, prinses Marguerite, te arrangeren.

Daar komt niets van in! Als ze niet met de zoon van de koning van Spanje trouwt, dan huwt ze met Henri de Navarre.

Haar mond vertrok. De protestanten lieten haar koud, maar zonder de hugenoten aan het hof zouden de Guises het *palais* bestormen en zich tot koning laten kronen.

Ze trommelde met haar vingers op de schoorsteenmantel. Hoe kon ze voorkomen dat de Guises Frankrijk zouden regeren door middel van haar oliedomme zoon en zijn vrouw – Maria Stuart. Catherines gezicht vertrok van haat toen ze aan de kokette Maria dacht. Ze hadden François nooit toestemming mogen geven om het nichtje van de Guises tot zijn koningin te maken. *Waarom heb ik het ooit zover laten komen? Ah, maar Henri, mijn echtgenoot, stond erop uit wellust voor Diane de Poitiers. Die heks van een Poitiers! Wat had ik haar graag vergiftigd, maar Henri zou het meteen doorgehad hebben. Hij wist genoeg om me in het geheim te beschuldigen voor de dood van zijn broer, de kroonprins. Poitiers wilde dat François met Maria zou trouwen, en Henri deed wat zijn oude maîtresse van hem verlangde.*

Catherine dacht aan haar rivale, Diane, die ze twintig jaar lang had moeten dulden, totdat Henri bij een toernooi om het leven was gekomen. Daarna had ze de vrouw haar onbeschaamdheid van al die jaren betaald gezet.

Ik zal ook afrekenen met Maria Stuart.

Ze moest de lessen die ze tijdens haar jeugd in Florence had geleerd van Machiavelli, de protégé van haar vader Lorenzo de Médicis, in praktijk brengen. Machiavelli had geschreven:

Een voorzichtige prins kan en mag zich niet aan zijn woord houden, behalve wanneer hij dit kan doen zonder zichzelf schade te berokkenen; of wanneer de omstandigheden waarin hij de belofte aanging, zich niet hebben gewijzigd; het is echter belangrijk dat men in staat is om zijn ware bedoelingen te verbergen en dat men de kunst van het veinzen of huichelen machtig is; want mensen zijn in het algemeen zo dom en zwak dat zij er als het ware om vragen bedrogen te worden.

Catherine knikte. Ze had haar politieke scholing genoten in het paleis van de Médicis in Florence – en in het Vaticaan van haar oom, paus Clemens.

Ze had ze hier in Frankrijk allemaal zand in de ogen gestrooid. De hugenoten had ze tegen de Guises uitgespeeld en de Guises tegen de hugenoten, al naargelang dit haar uitkwam.

Ze hoorde voetstappen naderen en draaide zich om. Het was het Italiaanse meisje dat ze had meegenomen uit Florence, toen haar oom, paus Clemens, haar met een van zijn eigen schepen naar Frankrijk had gestuurd om met Henri Valois te trouwen. Madalenna was haar slaaf, net zoals de dwergen die ze in dienst had genomen.

Madalenna staarde haar met haar donkere, uitdrukkingsloze ogen aan.

Geïrriteerd fronste Catherine haar wenkbrauwen. Soms leek het meisje doofstom te zijn! 'En? Heb je nieuws?'

'*Oui, madame. La reinette* Maria is op weg naar de privévertrekken van haar oom, de hertog van Guise.'

'Is dat zo? Aha! Onze *petite fleur*. En zal haar listige oom ook deze keer moeten glimlachen als hij onze *belle petite* Maria met haar lieve en zonnige karakter ziet?' Catherines lippen krulden zich in een sarcastische glimlach.

'Ze leek het goed te maken, *madame.*'

'Ik dank alle heiligen daarvoor. En waar hangt onze vrome kardinaal uit? Is hij aan het bidden of met de hertog intriges aan het beramen tegen mij en de koninklijke familie?' Haar stem klonk schril van woede.

Madalenna bevochtigde haar lippen. 'De kardinaal is bij de hertog, *madame.* Ze wachten allebei op *reinette* Maria.'

'Ga ze afluisteren. Als iemand de privévertrekken van

mijn zoon, de koning, binnengaat, kom me dan onmiddellijk waarschuwen.'

'*Oui, madame!*'

Zodra Madalenna was vertrokken, liep Catherine via haar slaapkamer, op de muur waarvan de initialen *C M* in goud waren aangebracht, haar studeerkamer binnen en ontgrendelde de deur naar een geheime ruimte. *Maria is dus onderweg naar haar ooms.*

De vernuftige gebroeders Ruggiero hadden afluistergaten aangebracht in het vertrek. Al jarenlang gebruikte ze deze om gesprekken af te luisteren en zelfs haar echtgenoot, Henri II, te bespioneren, als deze in het gezelschap van zijn maîtresse Diane was. Geduldig legde Catherine haar oor aan het gat dat in verbinding stond met de kamer van de hertog van Guise. Het duurde niet lang voor ze zijn stem hoorde:

'Ah, *ma chère* Maria, de brief van de koning is bij Antoine de Bourbon afgeleverd.'

'Zal Antoine gehoor geven aan de oproep van de koning, oom?'

'Er zit niets anders voor hem op. Hij moet met Louis voor de koning verschijnen, anders zal hij worden aangeklaagd wegens rebellie.'

'Wat moet François doen, *mon oncle?*' zei Maria met haar hoge stem.

Catherine knarsetandde. *Doen? Doen? Ik zal je vertellen wat een koning moet doen. Hij zou je ooms niet de kans mogen geven om via jou de baas over hem te spelen!*

De hertog van Guise zei: 'Het huis van Bourbon... een gevaar voor onze familie... ze moeten onschadelijk worden gemaakt...'

Hij ging zachter praten, en hoewel Catherine haar adem inhield en zich inspande om te horen wat hij zei, ving ze slechts flarden van het gesprek op.

Catherine luisterde als in trance. Toen hoorde ze de woorden die ze zo hartstochtelijk haatte.

'En moet ik Catherine blijven bespioneren?' vroeg Maria.

'Ja, houd haar in de gaten. Vertel me alles wat ze doet. Ze is niet te vertrouwen. Ze staat op veel te vriendschappelijke voet met de hugenootse admiraal De Coligny en de Bourbons.'

De stemmen stierven weg, omdat ze waarschijnlijk naar de andere kant van de kamer waren gelopen. Een ogenblik later duwde Catherine een stop in het afluistergat en sloot de geheime ruimte. Er volgde een onheilspellende stilte. *Ze was dus te vriendelijk tegen de hugenoten? Wat begreep die domoor van een hertog nou van haar tactieken? Ze legde hen in de luren om hen vervolgens de genadeslag toe te dienen! We zullen afrekenen met onze Bourbonnetjes, Louis en Antoine. Je wilt dus dat ze uitgeschakeld worden? Dat zullen we wel zien, hoogmoedige hertog!*

Catherine ging aan haar bureau zitten en schreef Sébastien een korte boodschap om naar Fontainebleau te komen.

Een statige koets getrokken door vier paarden reed op een grijze schemerachtige avond in rap tempo over de natte straatstenen het Louvre uit. Sébastien liet Parijs en de beruchte Bastille achter waar hij kort geleden nog als gevangene had vertoefd; weg van de weerzinwekkende stank, van de pijn en de folteringen. Voorwaarts! Naar Fontainebleau in Orléans. *Spoed je, want de koningin-moeder heeft je ontboden, haast je door de koninklijke jachtwouden, langs de tuinen en de bomen – zie je hoe de grijze duiven over de heuvels vliegen? Kijk niet achterom, Sébastien, probeer de maanden die je in de onderaardse kerker en folterkamers hebt doorgebracht uit je gedachten te bannen. Eén faux-pas en je belandt weer in de Bastille. Wees op je hoede aan het hof. Probeer zo onderdanig en vriendelijk mogelijk te kijken. Laat ze geen lucht krijgen van je plan om met Madeleine en Jeanne uit Frankrijk te vluchten.*

Hij probeerde zijn emoties in bedwang te houden. De reis kon hem in zijn overspannen toestand niet vlug genoeg gaan. Maar eindelijk zag hij het in de verte opdoemen: Fontainebleau, het *palais* van Franse koningen en koninginnen. *Kijk eens hoe het kolossale bouwwerk zelfgenoegzaam neerkijkt op ons, mindere stervelingen, zoals de grote stad Babylon die snoevend tegen haar vijanden zegt: 'Ik troon als koningin, ik ben geen weduwe en geen rouw zal ik zien.'*

De elegante kledij van graaf Sébastien, zijn luxueuze koets, zijn livreiknechten en pages in uniform, onder wie zijn nieuwste page in opleiding, zijn *neveu* Andelot, maakten hem in de ogen van de boeren aan wie ze voorbij stoven een voornaam en belangrijk edelman.

En dat was hij ook, althans voor het oog.

Ik ben graaf Sébastien Dangeau, lid van de adviesraad van de koningin-moeder, Catherine de Médicis, herhaalde hij tegen zichzelf, terwijl hij met grote moeite probeerde niet te beven. Maar het idee weer vrij te zijn, was alles behalve bemoedigend. Hij lachte om de reactie van de straatarme boeren en marskramers die ze tegenkwamen op de weg naar Fontainebleau. Ze keken hem vol ontzag aan, toen hij hen voorbijreed.

Ik ben machteloos, en ik weet het. Het besef zo zwak te zijn schokte hem tot in het diepst van zijn wezen.

Zijn gezonde hand trilde. Hij had last van zijn verbrijzelde vingers, maar hij wist dat zijn geestelijke pijn veel heviger was. Hoewel het al meer dan twee maanden geleden was, bleven de beelden hem hardnekkig achtervolgen.

Fontainebleau, dat op vijftig kilometer van Parijs lag, kwam steeds dichterbij. Spoedig zou hij zich kunnen terugtrekken in de oase van zijn luxueuze appartement. *Ontvlucht de waanzinnige vervolgingen. Je hebt je plaats als vooraanstaand hoveling toch weer ingenomen?*

Fontainebleau, een verborgen parel in het lieflijke landschap rondom Orléans, gelegen temidden van oude eiken en naaldbomen en langs de in het maanlicht glinsterende rivier de Seine, was oorspronkelijk een jachtslot, dat later was omgebouwd tot *château* en *palais*. Maar achter de vredige façade van statige bomen, lieflijk vogelgezang en onschuldige reeënogen loerde het gevaar: ook onder dit paleis bevonden zich onderaardse kerkers waarin gevangenen wegkwijnden, beroofd van alle hoop om ooit vrij te komen. Sébastiens hart ging sneller kloppen. Hoe hard hij ook zijn best deed om zijn emoties in bedwang te houden, telkens opnieuw werd hij overvallen door angst en vrees.

Velen van zijn geloofsgenoten waren in maart gruwelijk aan hun einde gekomen in Amboise. Hij schudde zijn hoofd. Ze waren op een verschrikkelijke manier verraden, maar niet door Christus. Zelfs in hun diepste lijden, hadden ze tot Hem geroepen en Zijn nabijheid ervaren.

Ik moet meer op Christus vertrouwen. Als ik door angst overvallen word, moet ik mijn gedachten op Hem richten. Hij strekt Zijn helpende handen naar mij uit, zoals Madeleine me steeds vertelt.

De tranen die hem plotseling in de ogen sprongen, verbaasden en ontstemden Sébastien. Mannen mochten hun emoties niet tonen. De zoute druppels stroomden over zijn wangen. Hij veegde ze af met een gebaar vol afkeer en voelde de diepe groeven in zijn verweerde gezicht. Hij sloot zijn ogen en haalde een hagelwitte zakdoek onder de kanten manchet van zijn blauwe en bordeauxrode overjas vandaan.

Zijn geweten begon weer te knagen: *ik ben een lafaard. Ik heb gebogen voor de inquisitie, terwijl betere christenen dan ik als martelaren zijn gestorven, omdat ze weigerden Christus te verloochenen.*

De koets helde over door een plotselinge rukwind. Het begon te schemeren en het werd donker in het rijtuig. Buiten hoorde hij zijn koetsier in zijn deftige uniform tegen de bedelaars schreeuwen dat ze uit de weg moesten gaan. Er hingen altijd mensen rond bij de poorten van de koninklijke residenties in de hoop een paar munten toegeworpen te krijgen. Sébastien hoorde de lange zweep een aantal ma len knallen waarna de koets zich moeizaam een weg baande door de menigte.

Zijn hersens werkten koortsachtig onder het ritmische geluid van de paardenhoeven.

Hij bevochtigde zijn droge lippen.

Hij wist dat hij nooit meer zou herstellen van zijn verwondingen. De pijn in zijn verbrijzelde knie liet hem geen seconde met rust. *Herinner je je de Bastille? Ze zullen je weer in de kerker opsluiten, als je weigert voor hun wil te buigen.*

Gruwelijke gedachten en herinneringen besprongen hem als demonen. *Op een dag zul je weer in de Bastille belanden. Zie je de roodgloeiende poken en tangen waarmee je ledematen worden afgerukt nog voor je? Herinner je je nog hoe de inquisiteurs tongen afsnijden; ogen uitsteken; voeten, handen en armen afhakken? Herinner je je het nog?*

Wees op je hoede. Laat geen woord los over je plannen om naar Engeland te vluchten; laat de koningin-moeder niet merken dat het lot van de ketters je aan het hart gaat, anders zou ze de oprechtheid waarmee je elke dag om twaalf uur de mis bijwoont in twijfel trekken. De zeurende pijn in zijn knie herinnerde hem er voortdurend aan hoe het geen haar had gescheeld of hij was als ketter op de brandstapel verbrand. Hij deed zijn best om de gruwelijke beelden uit zijn geheugen te wissen.

Sébastien had besloten om bepaalde zaken te verzwijgen, zelfs voor zijn vrouw Madeleine, maar de verminking van zijn linkerhand was niet zo gemakkelijk te verbergen. Gelukkig was het niet zijn rechterhand en kon hij hem met een zwarte fluwelen handschoen bedekken.

Hij zag de gruwelijke folteringen weer voor zich waarnaar ze hem gedwongen hadden te kijken en herbeleefde ze met een even grote afschuw. Hij kon de vreselijke beelden niet uit zijn geest bannen, noch kon hij de verschrikkelijke stank vergeten. Misselijk boog hij zich naar het kleine raam van de koets en duwde het raam open.

Zijn zakdoek, die hij altijd met zoete muskus parfumeerde,

bood hem geen soelaas. Hij rook de rottende lijken die soms expres werden achtergelaten om de gevangenen te kwellen. Hij stak zijn hoofd uit het raam en zoog met diepe teugen de frisse en vochtige buitenlucht in.

De koets ratelde de poorten van Fontainebleau binnen, maar zijn gekwelde hersens bleven doormalen over het verleden.

Hij keek achterom naar de weg, alsof hij verwachtte dat hij werd gevolgd door een schimmige geest, die een kromme, beschuldigende vinger naar hem uitstak, omdat hij zijn geloof had verloochend, terwijl al die anderen hadden standgehouden voor de Naam van alle namen. Hij zag slechts de koninklijke wachters met hun glanzende zwaarden en gekleed in smetteloze, met gouddraad bestikte zwart-rode uniformen, die hem verwelkomden in de koninklijke residentie.

De koetsier bracht de koets tot stilstand op de binnenplaats van Fontainebleau. Sébastien hoorde de paarden snuiven en hinniken. Een elegant gedoste lakei opende de deur voor hem en maakte een buiging.

Sébastien stapte de koets uit en wankelde even, maar Andelot Dangeau snelde onmiddellijk naar hem toe om hem te ondersteunen. Samen met een andere wachter had hij de hele reis voor de koets gereden op de goudbruine vos van de markies, terwijl de andere pages achter het rijtuig waren gevolgd.

Andelot had zich de toorn van de kardinaal van Lorraine op de hals gehaald door zijn avontuur met de jonge prins Charles in Amboise. Het was de vraag of de kardinaal boos zou blijven op Andelot en dit baarde Sébastien grote zorgen. Hij was eigenlijk blij geweest, toen hij hoorde dat de kardinaal Andelot uit zijn persoonlijke gevolg had verstoten. Sébastien wist dat de kardinaal zich tegenover de jonge koning François cynisch en autoritair gedroeg. Zou hij Andelot anders behandelen? Hij hoopte dat de kardinaal hem koel en onverschillig zou blijven bejegenen.

Sébastien nam het zichzelf kwalijk dat hij gehoor had gegeven aan het verzoek van de hertog en de kardinaal om Andelot naar het hof te roepen. Hij had uitvluchten moeten verzinnen en de kardinaal net zo lang aan het lijntje moeten houden, totdat deze zijn interesse in zijn neef had verloren. Zelfs als Sébastiens page zou Andelot in de intriges van de Guises verstrikt kunnen raken. Gelukkig leek Andelot tevreden met zijn huidige positie en had hij geen pogingen ondernomen om weer in de gunst van de kardinaal te komen. Dit was ongetwijfeld te danken aan het feit dat Sébastien Thauvet had benaderd op aandringen van de markies met het verzoek om Andelot les te geven. De markies had hem een zeer royale geldsom ter beschikking gesteld om Thauvet voor zijn diensten te betalen. Als de kardinaal erachter zou komen dat een Bourbonse markies de opleiding van Andelot aan het hof betaalde, dan zouden de poppen aan het dansen zijn. Tot nu toe had de kardinaal zich afzijdig gehouden. Meester Thauvet was een van de meest erudiete personen aan het hof, en in het geheim ook een hugenoot. Was de markies hiervan op de hoogte?

Sébastien voelde de kille regen in zijn gezicht striemen. Hij legde zijn zware, met zilverdraad bewerkte cape over zijn neerhangende schouders. Hij was niet oud, maar de laatste tijd hadden verschillende mensen hem voor de vader van Madeleine aangezien, hoewel hij slechts tien jaar ouder was dan zij. In de twee maanden die hij in de kerker had doorgebracht was hij sterk verouderd. Zijn eens gitzwarte haar was begonnen te grijzen.

Hij strompelde over de natte binnenplaats, omringd door zijn pages en livreiknechten, die hem allen op zijn wenken bedienden.

Een protserige jongeman hing in de buurt van de orangerie rond. Sébastien zag dat het Maurice was, de zoon van zijn zuster.

Graaf Maurice Beauvilliers liep als een pauw op hem af.

Hij droeg een opzichtige groenblauwe jas, een zwarte pofbroek met splitten en een grote sombrero met een karmozijnrode struisvogelveer.

'*Mon oncle*,' begon hij, 'ik moet u spreken. Het is dringend.'

Sébastien bleef staan. 'Dat gaat nu niet, Maurice. Ik ben al
te laat voor mijn onderhoud met de koningin-moeder.'

'Ik weet dat u op weg bent naar haar vertrekken. Daarom
heb ik u opgewacht en deze beestachtige regen en wind ge-
trotseerd. Ik wil haar graag een verzoek overhandigen, *mon
oncle*, en het kost u geen enkele moeite om dit voor mij te
doen.'

Sébastien begon zijn geduld te verliezen. Maurice was
door en door verwend door zijn moeder, gravin Françoise
Dangeau-Beauvilliers, die dag en nacht bezig was om Maurice' positie aan het hof te verbeteren. Sébastien was van mening dat hij er veel meer mee gediend was, als ze hem niet in
alles zijn zin zou geven.

'*Ma mère*, Françoise, uw zuster, heeft deze brief aan de
koningin-moeder geschreven, *mon oncle*. Zorg er alstublieft
voor dat zij hem krijgt.'

Maurice overhandigde hem een verzegeld perkament. Met
tegenzin nam Sébastien het van hem aan. Hij hield van zijn
zuster en *neveu*, maar na alles wat hij de afgelopen maanden
had meegemaakt vond hij hun intriges dwaas en frivool.

'Wat is haar verzoek aan de koningin-moeder?'

Maurice glimlachte, haalde een roze roos uit zijn mouw
en snoof eraan. 'Ik wil dat mademoiselle Rachelle naar het
hof terugkeert, zodat ik met haar in het huwelijk kan treden.
Ik ben smoorverliefd op haar en wil beslist met haar trouwen.'

Sébastien voelde zich driftig worden. Dit was een egoïstisch en dom idee. 'Wees niet zo dwaas, Maurice. Ik heb geen
tijd om me met dit soort zaken bezig te houden. Mijn jonge
schoonzuster is gelukkig op het zijdekasteel. Laat haar met

rust. In korte tijd heeft ze zowel haar zusje, *petite* Avril, als haar *grandmère* verloren.' Hij gaf de brief terug aan Maurice en haastte zich het paleis binnen.

Andelot Dangeau zag Sébastien Fontainebleau, het koninklijke jachtslot en *château* binnengaan, omringd door koninklijke wachters in rode en goudkleurige livreien. Catherine de Médicis had hem voor een onderhoud in haar vertrekken ontboden.

Welke nieuwe beproevingen zouden hem daar te wachten staan?

Andelot had het gesprek tussen Sébastien en Maurice over Rachelle gevolgd en ging steeds bozer kijken. Maurice stond hem met zijn ene hand in zijn zijde aan te kijken. Zijn hoed met de struisvogelveer stond schuin op zijn trotse hoofd met de donkere krullen. Zijn juwelen en ringen fonkelden in het licht van de fakkels die op de binnenplaats brandden. Andelot ergerde zich aan zijn fijne satijnen kleding en kon zijn ongenoegen niet verborgen houden voor Maurice. Deze deed net of hij hem niet herkende en haalde een gouden doosje vanonder zijn gordel vandaan. Hij opende het, haalde er wat snuiftabak uit en stopte het met gekunstelde elegantie in beide neusgaten. Vervolgens draaide hij zich om en keek naar Andelot, die naast de goudbruine vos van de markies stond te wachten.

'Je draagt dus de kleding van het huis van Dangeau? Het is geen geheim voor me, boer Andelot, dat die woesteling, je *ami, le marquis,* in je levensonderhoud voorziet en de geleerde Thauvet heeft betaald om een filosoof van je te maken.'

'Woesteling, neef Maurice? Waarom spreek je zo over de markies?'

'Tut, tut, denk je werkelijk dat ik niet weet dat de markies een zwak heeft voor varen en zwaardvechten?'

Andelot wierp vlug een blik om zich heen; de meeste

pages waren over koetjes en kalfjes aan het praten. 'Praat alsjeblieft niet zo hard!'

'Altijd neem je het voor hem op, hè? Nou, geen wonder, na al de zakken zilver waarmee hij je heeft overladen – en nu heb je op de koop toe zijn beste paard cadeau gekregen.' Hij knikte in de richting van de goudbruine vos.

'Dat is mijn paard niet,' zei Andelot kortaf. 'Ik zorg voor hem totdat zijn rechtmatige *seigneur* hem weer ophaalt. Waarom staat het je niet aan dat mijn *seigneur*, de markies, heeft besloten om voor mijn opleiding te betalen? Welke pages aan het hof hebben geen *seigneur* die in hun levensonderhoud voorziet?'

'Ik heb er geen probleem mee zolang je je plaats kent, Andelot. Denk maar niet dat je je zin kunt doordrijven bij oom Sébastien, omdat je toevallig een vriend van de markies bent. En zoals ik je al eerder heb gezegd, noem me geen neef.'

Andelot moest zich inhouden om Maurice niet aan te vliegen. 'Eer en roem, *mon comte*, worden je niet op een dienblad aangereikt, maar zijn het resultaat van je eigen inspanningen. Iemand die van hogere adellijke afkomst is dan jij, heeft me met klem gevraagd hem neef te noemen, maar desondanks heb ik geweigerd.'

'Weer die markies! Als hij terugkeert van zijn rooftocht op de Spaanse zilvervloot, zal hij erachter komen dat hij in ongenade is gevallen bij de koning! Dan zal ik mijn plan doorzetten om mademoiselle Macquinet naar het hof te halen. Vergeet niet dat mijn moeder gravin Françoise Dangeau-Beauvilliers is. Ze heeft contact met prinses Marguerite en de koningin-moeder. Vertel dat maar aan oom Sébastien, die jou maar steeds blijft voortrekken!'

En hij wandelde weg.

Andelot keek hem woest na.

Ondertussen was hertogin Dushane ook in Fontainebleau aangekomen. Romier, haar hoofdpage, kwam met zijn rinkelende belletjes aanlopen. 'Zeg, Andelot, de andere pages willen graag een weddenschap met je aangaan, want ze geloven niet dat de goudbruine vos van de markies van Vendôme is.'

'In het Louvre hebben we het daar al over gehad. Het is de hengst van de markies en dat weet je heel goed.'

Romier wreef langs zijn spitse neus. Hij legde zijn hand op Andelots schouder. 'Ik weet het, *mon ami*, maar de andere pages zeggen dat ze je alleen zullen geloven als je meedoet aan een race door de bossen. De goudbruine hengst tegen onze paarden. Wat vind je ervan?'

Andelot was in een prikkelbare stemming. Wekenlang hadden de pages van het *Corps des Pages* hem het leven zuur gemaakt en na de beledigingen van Maurice popelde hij om hun een lesje te leren. Hij liet zijn blik van de arrogante Romier met zijn spitse neus naar de uitdagende gezichten van de pages van de verschillende adellijke families glijden. Ze keken hem met een minachtend lachje aan en weigerden hem toe te laten tot hun elitaire vriendenkring.

'Ik weet zeker dat de goudbruine vos de wedstrijd wint, maar dat is op zich geen bewijs dat het de hengst van de markies is.'

'Dat klopt, maar toch willen ze een race houden.'

Andelot keek hem zuur aan. 'Goed dan. Ik doe mee aan de race en iedereen betaalt een zilveren munt aan de winnaar.'

'Ik zal vragen wat ze ervan vinden.'

De pages schaarden zich om Romier heen. Een minuut later kwam hij met een triomfantelijk gezicht terug. 'Ze stemmen ermee in. Wanneer zullen we de race houden?'

'Morgenochtend, als we klaar zijn met het werk voor onze *seigneurs*.'

'Afgesproken, tot morgenochtend dan; we spreken af bij de stallen.'

Andelot keek hen na, terwijl ze lachend wegliepen.

Wie het laatst lacht, lacht het best.

14

Het was koud en winderig de volgende morgen. Door de bomen was het kasteel van Fontainebleau zichtbaar. Het stak statig af tegen de hemel waarin donkere wolken zich samenpakten. Het waterige zonnetje op deze kille morgen zou spoedig achter de grijze wolkenmassa verdwijnen.

Het gedreun van paardenhoeven verbrak de stilte. Andelot was vanuit de koninklijke stallen de weg op gestormd. Hij was ervan overtuigd dat hij de anderen op hun stalpaarden met gemak zou verslaan met de indrukwekkende goudbruine vos van de markies. Hij lachte, toen hij page Romier en de andere pages met hun jonge livreiknechten, snel kleiner zag worden. Hij nam zijn mooie, gevederde baret van zijn hoofd en zwaaide spottend naar hen. Toen trok hij zijn baret weer over zijn oren.

Links van Andelot bevond zich moerasland waar veel op waterwild werd gejaagd. De krachtige hengst joeg een zwarte raaf de stuipen op het lijf. Hij gaf een rauwe kreet en scheerde langs de laaghangende takken die lange schaduwen over het pad voor hen uit wierpen.

De druilerige regen was in motregen overgegaan. De stemming van de pages met hun kletsnatte uniformen en vaandels was tot het nulpunt gedaald.

Andelot wierp een blik naar achteren. Hij had nog steeds een voorsprong van een paar honderd meter op Romier en besloot om een kortere weg terug te nemen. Hij leidde zijn paard het bos in. De overhellende en met elkaar verstrengelde takken vormden een dak boven zijn hoofd. Achter zich hoorde hij een boze schreeuw. De pages bewonderden zijn moed, maar durfden hem niet te volgen. Velen van hen waren zeer bijgelovig en kenden de verhalen uit de middeleeuwen waarin werd verteld dat er boze geesten, en zelfs ketters, in het bos woonden. Soms wisten ze niet wat erger was: een boze geest met gespleten hoeven of een volgeling van Johannes Calvijn. Volgens de geestelijken waren ze allebei even slecht. Als je hieraan twijfelde, kon je van ketterij worden beschuldigd; maar Andelot had geen tijd om te piekeren over demonen of de definitie van ketterij, want op deze – ondanks het miserabele weer – prachtige morgen wenste hij niet te denken aan de politieke ophef over de betrokkenheid van de Bourbons bij de opstand in Amboise en de praatjes die de ronde deden over markies Fabien. Meer dan eens had hij het woord *corsaire* of piraat horen vallen. Dat Maurice een zinspeling had gemaakt op zwaarden en schepen was een veeg teken.

De pages die op het pad waren achtergebleven trokken hard aan de teugels, zodat hun paarden steigerden. Plotseling leidde Romier zijn paard de andere kant uit en ging Andelot achterna.

Op de hengst van de markies reed Andelot langs bomen en struikgewas. Voor hem doken de laatste eikenbomen op. Hun donkere takken hadden zich verstrengeld met die van sparren, beuken en pijnbomen.

Er stroomde een donkere en kille beek door het in nevels gehulde landschap. Erachter bevond zich steeds dichterbegroeid struikgewas. Andelot draaide zich om in zijn zadel en zag dat Romier hem volgde op het beste paard van de hertogin, een hengst met een bruingevlekte huid. Andelot glimlachte, want Romier was even bijgelovig als de anderen die hem niet waren gevolgd.

Terwijl ze in volle galop door het bos reden, werd het steeds donkerder en plotseling doorkliefde een bliksemschicht de hemel. De motregen fluisterde tussen de donkere dennenbomen. Plotseling trok Andelot uit alle macht aan de teugels. De vos boorde zijn hoeven in de aarde en kwam abrupt tot stilstand. Romier reed niet ver achter hem aan, maar nam het zekere voor het onzekere en haalde Andelot niet in, zelfs al had dit hem onmiddellijk een voorsprong gegeven. Hij reed naar Andelot toe. Toen Andelot een dikke rimpel op Romiers voorhoofd zag verschijnen, wist hij dat deze zijn bezorgdheid deelde.

Verderop in het bos leek een schermutseling plaats te vinden. In de vochtige lucht hing de rook van een kampvuur. Hun paarden steigerden nerveus, toen ze angstige stemmen in de verte hoorden. 'Rustig maar,' fluisterde Andelot de hengst in zijn oor en leunde voorover in het zadel om het zwetende dier over zijn hals te aaien.

Romier trok bezorgd aan zijn handschoen. 'Wordt er gevochten?' vroeg hij zachtjes. 'We kunnen in dat geval beter terugkeren naar Fontainebleau.'

Andelot schudde zijn hoofd en spitste zijn oren. Het geluid dat hij door het geruis van de wind opving was niet dat van vechtende mensen, maar van jammerende vrouwen en kinderen.

'Er is daar iets gaande,' zei Andelot. 'Laten we poolshoogte gaan nemen.'

'Als er boeren slaags zijn geraakt, dan is dat hun probleem, niet het onze.'

'We kunnen toch even gaan kijken? Ik hoor vrouwen huilen.' Andelot reed voorzichtig verder op zijn goudbruine vos. Romier volgde hem met zichtbare tegenzin.

Langzaam baanden ze zich een weg door het struikgewas. Niemand leek de belletjes aan hun koninklijke rijtenue en de hoeven van hun paarden op de vochtige grond te horen. Vanachter de struiken zag Andelot wat er aan de hand was. Op een plek waar verscheidene bomen waren omgevallen als gevolg van een orkaan in het verleden, zag hij een aantal ongewapende boeren met hun vrouwen en kinderen angstig rondom een kampvuur staan. Een dominicaanse monnik was in woede tegen hen ontstoken. Hij was niet gewapend, maar een aantal van zijn begeleiders was dat wel. Ze wachtten waarschijnlijk op een teken van hem om de boeren te arresteren.

'Hugenoten,' fluisterde Romier. 'Kom, Andelot, we hebben hier niets te zoeken. Blijf liever bij die dominicaan vandaan, als je niet in de problemen wilt komen.'

'*Non*, we moeten iets doen, anders worden ze weggevoerd. Na Amboise kan ik dit soort dingen niet meer verdragen. Laten we gebruik maken van onze autoriteit.'

Romier keek hem aan alsof hij gek was. 'Autoriteit – *welke* autoriteit?'

'Kijk – nog even en ze worden gearresteerd. Wie weet welk gruwelijk lot hen te wachten staat, nu ze hier zijn betrapt?' Andelot gaf zijn paard de sporen.

'In de naam van de kardinaal van Lorraine, stop!'

Alle ogen richtten zich op Andelot. Hij was blij dat hij vandaag een opvallende cape over zijn hemd had aangetrokken en een mooie hoed in de kleuren van het huis van Dangeau had opgezet. Ze zagen hem op de vurige goudbruine vos zitten en staarden hem verbijsterd aan.

De hugenoten maakten van de verwarring gebruik om ervandoor te gaan. Andelot zag hoe een oudere *monsieur* die de samenkomst waarschijnlijk had geleid de struiken in vluchtte. Hij hield een boek tegen zich aangeklemd dat hij snel onder een omgevallen boomstam verborg, voordat hij verder rende en in het nevelige landschap verdween.

De geestelijke vroeg hem boos: 'Wie bent u, dat u het recht meent te hebben de Kerk in haar werk te storen? Dit zijn ketters – betrapt op een illegale samenkomst.'

Romier kwam aarzelend naderbij en keek woest naar Andelot. Vlug glimlachte hij naar de geestelijke. Hij maakte een diepe buiging in het zadel en nam zijn natte karmozijnrode hoed voor hem af.

'Ach, *monseigneur*, neemt u het ons alstublieft niet kwalijk dat we u gestoord hebben,' zei hij verzoenend. '*Mon ami* neemt zijn opleiding tot ridder heel serieus. Hij dacht dat u op het punt stond deze arme boeren te beroven en wilde zichzelf bewijzen als neef van... uh, *le cardinal.*'

'*Le cardinal?* Wat maakt u me nu weer wijs?'

'*Monseigneur,* we wisten echt niet dat u op het punt stond ketters te arresteren,' zei Romier met een innemende glimlach naar de geestelijke.

De geestelijke keek Andelot aan. 'Bent u familie van de kardinaal van Lorraine?' Hij monsterde hem van top tot teen.

Andelot nam zijn hoed niet af om de indruk te versterken dat hij een Guise was. 'Ik ben een telg uit het geslacht van Guise, *monseigneur.* Mijn naam is Andelot Dangeau *Guise.*' Vanuit zijn ene ooghoek zag hij dat Romier hem scherp aankeek.

'Aha? Als u werkelijk familie bent van de kardinaal, waarom wilde u voorkomen dat ik deze ketters arresteerde? De hele zomer heb ik ze in de gaten gehouden, maar ze zijn zo glad als een aal. Elke week komen ze op een andere plek samen. De kardinaal zal niet blij zijn met uw interventie. Men zou bijna gaan denken dat u het met opzet hebt gedaan.'

'Helemaal niet, monsieur Romier en ik hielden een race. We besloten – dat wil zeggen, ik besloot om via de bossen naar de stallen van Fontainebleau terug te rijden.'

De geestelijke bleef Andelot even aankijken. Hij zag een jongeman in de bloei van zijn leven en leek zijn oprechtheid ontwapenend te vinden. Toen betrok zijn gezicht, alsof de ketters die hem voor de zoveelste keer waren ontsnapt hem weer te binnen schoten. Hij fronste zijn zwarte wenkbrauwen.

'En hoe meent u zich te kunnen verantwoorden voor deze overtreding, sire Andelot Dangeau Guise?'

Andelot bewoog ongemakkelijk in het zadel en keek Romier hulpeloos aan, maar zelfs Romier was met stomheid geslagen. Andelot probeerde zich te herinneren wat het woord overtreding betekende. Hij begreep het begrip zonde, maar een overtreding was weer iets anders.

'Kunt u dit alstublieft herhalen, *monseigneur*?'

'U hebt dit nest ketterse klitten de kans gegeven te ontsnappen. Kan het zijn dat u, sire Andelot, in het geheim een ketter bent, ondanks dat u familie van de kardinaal bent? Ik heb gehoord dat er zelfs in het huis van Guise een of twee ketters zijn.'

Andelot glimlachte. 'Dat is zeer onwaarschijnlijk. Als ik mijn scholing bij monsieur Thauvet heb afgerond, zal ik waarschijnlijk tot geestelijke worden opgeleid. Ik heb zelfs geen idee wat er in de verboden boeken van de hugenoten staat...'

Romier viel hem snel in de rede, alsof hij vond dat Andelot niet genoeg berouw toonde. '*Monseigneur,* zoals ik u al heb verteld, is deze knaap,' zei hij over Andelot alsof hij twee keer zo oud was als hij, 'er zeer op gebrand om zichzelf als redder van de armen op te werpen. Ik hoop dat de Kerk hem, in ruil voor een schadevergoeding, deze overtreding niet zal aanrekenen.'

De geestelijke wreef peinzend over zijn kin. Zijn oog viel op de goudbruine vos. Andelot verstijfde.

'Dit paard is niet van mij,' zei hij vlug.

Romier leek overmoedig te worden door het schijnbare succes van zijn bemiddelingspoging. 'Laat hem een dubbele schadevergoeding betalen.'

'Dubbel!' Andelot draaide zich vol verontwaardiging naar hem om. 'En waarmee betaal ik die dubbele schadevergoeding, als ik me de enkele niet eens kan veroorloven?'

'Zwijg!' brulde de geestelijke zo onheilspellend dat Andelot als door de bliksem was getroffen. Voor het eerst drong de ernst van de situatie tot hem door.

Stel je voor dat ik op het matje wordt geroepen bij de kardinaal.

In de stilte die volgde, hoorde hij alleen de wind door de dorre bladeren waaien en de regendruppels op zijn hoed en rug tikken. De goudbruine vos snoof ongedurig en trappelde in de met mos begroeide, zompige aarde.

'Messire Andelot,' zei de dominicaan, 'kom morgenochtend vroeg naar het klooster van Sint Catherine. Daar zullen we de hoogte van uw schadevergoeding bepalen.'

Andelot boog deemoedig zijn hoofd en stuurde zijn paard in de andere richting. Hij keek Romier woedend aan en reed met zijn vriend achter zich aan terug naar de weg. Een eindje verder, aan de oever van de beek, hield Andelot halt.

Romiers gezicht was rood van ergernis. 'Jij, domme ezel! Je hebt ons er allebei bijgelapt. Bid maar vurig dat dit incident de kardinaal niet ter ore komt. Als hij van je avontuur hoort en ons beiden ter verantwoording roept... ik ben in dienst van een hugenootse hertogin en sta daarom extra onder verdenking. En je had het recht niet om jezelf een Guise te noemen.'

Andelot keek hem grimmig aan en leidde zijn paard weer in de richting waar ze zojuist vandaan waren gekomen. Hij ging in de stijgbeugels staan en tuurde het donkere bos in.

'Wat ben je nu weer van plan?' vroeg Romier.

'Ik vraag me af of alle hugenoten zijn ontsnapt.'

'Je kunt je beter zorgen maken over *onze* ontsnapping. Besef je niet dat de dominicaan kan terugkomen?'

'De oude dominee heeft zijn boek onder een boomstam verborgen.'

'Laat het daar maar fijn beschimmelen! Ik rijd zo snel mogelijk naar Fontainebleau terug om de hulp van mijn *madame* in te roepen. Hopelijk kan ik de dominicaan op andere gedachten brengen met een genereuze donatie van de hertogin aan het klooster van Sint Catherine. Als het om de veiligheid van haar eigen mensen gaat, is geen moeite haar te veel.'

'Ga je gang,' zei Andelot. 'Ik zal verder zoeken naar het boek.'

Romier keek hem ongelovig aan. 'Als ze jou met dit boek in je bezit vinden, Andelot, dan kan zelfs de hertogin niets meer voor je doen – vooral nu de dominicaan je er blijkbaar van verdenkt de hugenoten met opzet geholpen te hebben.

Het zal je niets baten jezelf een Guise te noemen. Het is heel vervelend dat je je morgenochtend bij het klooster moet melden.'

'Ben jij niet benieuwd naar wat de hugenoten achter gesloten deuren en in donkere bossen lezen? Ik heb me vaak afgevraagd hoe de Heilige Schrift klinkt in onze eigen taal.'

'Ik heb eruit horen voorlezen. De hertogin heeft een Franse bijbel, maar ze is wel zo verstandig om deze niet mee te nemen naar Fontainebleau, met de hete adem van de kardinaal en de koningin-moeder in haar nek. Andelot, *mon ami*, houd je hier verre van. Als je de adder met rust laat, zal hij je niet bijten.'

'Wat voor kwaad steekt er nu in één blik? Als toekomstig geleerde moet ik toch op de hoogte zijn van hun leer?'

Romier schudde zijn hoofd. Hij stuurde zijn paard de andere kant op en reed weg.

Andelot zag hem tussen de berken verdwijnen. Toen reed hij met zijn paard in de richting van de weide waar de samenkomst van de hugenoten had plaatsgevonden.

Hij bond zijn paard aan een tak vast en liep naar de plek waar de omgevallen bomen lagen. De zon stond nu in het westen en de schaduwen begonnen te lengen.

Er was geen spoor meer van de dominicaan te bekennen. Andelot luisterde aandachtig. Het was opgehouden met regenen en de laatste druppels vielen van de bomen.

Het kampvuur smeulde na in de vochtige lucht waarin de geur van rook was blijven hangen.

Ze hadden hier beter geen kampvuur kunnen maken en zich dieper in het bos moeten verbergen.

Het paard snoof nerveus en schudde zijn manen in de wind, alsof hij hem smeekte niet verder te gaan, maar Andelot werd naar de boomstam gezogen. Waarom was hij zo nieuwsgierig? Hij had een sterke drang om te begrijpen wat mannen en vrouwen bezielde hun levens op het spel te zetten om in een verboden Franstalige bijbel te lezen. Wat dreef hen? Wat voor mensen waren Calvijn, Luther en Beza om mannen, vrouwen en zelfs kinderen aan te moedigen om hun levens in gevaar te brengen?

Andelot liep naar de half vergane boomstronken. Hij trok zijn ene handschoen uit en liet zijn hand over de plek glijden waar hij de oude dominee het boek had zien verbergen.

Ondanks de kille wind, voelde hij het zweet op zijn voorhoofd. Toen stuitte zijn hand op het boek. Hij haalde het tevoorschijn en stopte het onder zijn hemd. Schichtig keek hij om zich heen. Hij kon hier niet blijven, maar had een schuilplaats gezien in de buurt van de beek waar hij eerder die dag langs was gereden. Verscholen achter wat rotsblokken en overhangende takken kon hij het boek rustig bekijken.

Hij klom in het zadel en bereikte zijn schuilplaats op het moment dat het weer begon te regenen.

Hij bond de hengst onder een boom vast en liep door de struiken naar de rotsen. Vervolgens klom hij een eindje omhoog en spreidde zijn zadeldeken uit op de bodem van een spelonk in de rotsen. Hij liet zijn blik glijden over de weg die hij zojuist had bereden. Een poosje bleef hij zo zitten, totdat hij er zeker van was dat de livreiknechten van de dominicaan hem niet waren gevolgd. Toen haalde hij het verboden boek onder zijn hemd tevoorschijn.

Hij opende het. Zijn blik viel op de eerste bladzijde en hij kreeg een opgewonden gevoel.

'Het is de Bijbel... vertaald in het Frans,' mompelde hij vol ontzag. In het voorwoord stond dat de vertaling op de Hebreeuwse en Griekse grondtekst was gebaseerd. Deze bijbel was niet in het Latijn vertaald, maar in zijn eigen taal, woord voor woord.

Pas op, Andelot, je weet welke straf er staat op het lezen van de Bijbel in wat wordt gezien als een onheilige taal, of het nu het Engels, Nederlands of Frans is. Het is ketterij om de Heilige Schrift in de volkstaal te vertalen, en evenzeer om zo'n bijbel in je bezit te hebben of te lezen.

Andelot had gezien dat de kardinaal de verbranding van vele honderden bijbels in de straten van Parijs had bevolen. Hij had de Franse vertaling een vorm van 'zwarte magie' genoemd. De arme eigenaar van de boekwinkel was gearresteerd en op de pijnbank gelegd, omdat hij had geweigerd de namen te noemen van de personen die hem de bijbels uit Genève hadden geleverd en die van zijn klanten die een exemplaar in zijn winkel hadden gekocht.

Andelot wist dat de Kerk in 1408 een bul had uitgevaardigd waarin verboden werd de Heilige Schrift in het Frans te vertalen, of er zelfs in het Frans over te spreken, op straffe van de brandstapel. Waarom Rome juist het Latijn tot een heilige taal had verklaard, had Andelot niet durven vragen uit angst de indruk te wekken het gezag van deze roemruchte bul in twijfel te trekken.

Hij veronderstelde dat de Kerk deze verordening had ingesteld om de Heilige Schrift te beschermen tegen ketters. Hierdoor was de Bijbel echter het alleenrecht geworden van de geestelijkheid, die als enigen het Latijn beheersten, zodat slechts zeer weinigen toegang tot het Woord kregen.

Met trillende vingers sloeg Andelot de bladzijden om. Hij ging met zijn rug tegen de rotswand zitten en keek naar de hemel. Ver weg, in de bergen, zag hij een bliksemschicht flitsen, gevolgd door een donderslag. Hij keek naar de bijbel. De wind blies de bladzijden terug en hij zag dat het boek in Genève was gedrukt.

Hij hoorde de regen tikken.

Desondanks zou hij er zelf kennis van nemen.

Het Evangelie van Matteüs.

Hij liet zijn blik verder glijden.

De geboorte van Jezus Christus geschiedde aldus.

Terwijl hij het Evangelie van Matteüs doorlas, daalde de zon, die zich achter de wolken schuilhield, verder aan de hemel. Toen het even minder hard regende, zag hij een eekhoorn over de dorre bladeren het bos in vluchten.

Een ieder nu, die deze Mijn woorden hoort en ze doet, zal gelijken op een verstandig man, die zijn huis bouwde op de rots. En de regen viel neer en de stromen kwamen en de winden waaiden en stortten zich op dat huis, en het viel niet in, want het was op de rots gegrondvest. En een ieder, die deze Mijn woorden hoort en ze niet doet, zal gelijken op een dwaas man, die zijn huis bouwde op het zand. En de regen viel neer en de stromen kwamen en de winden waaiden en sloegen tegen dat huis, en het viel in, en zijn val was groot.

De uren verstreken, maar in gedachten reisde hij terug in de tijd naar de heuvels van Judea, waar hij op een grasvlakte luisterde naar de machtige stem van de Here Jezus. Voor de eerste keer las hij het Evangelie van Matteüs in zijn eigen taal. Hij ontdekte vele zaken over Jezus die hij nooit had geweten.

Ik wist niet hoe bijzonder Zijn woorden waren. Zijn hart brandde in hem, terwijl hij las over Zijn wonderen en gelijkenissen, Zijn kruisiging en opstanding.

En de elf discipelen vertrokken naar Galilea, naar de berg, waar Jezus hen bescheiden had. En toen zij Hem zagen, aanbaden zij...

En Jezus trad naderbij en sprak tot hen, zeggende: Mij is gegeven alle macht in de hemel en op [de] aarde. Gaat dan henen, maakt al de volken tot Mijn discipelen en doopt hen in de naam des Vaders en des Zoons en des heiligen Geestes en leert hen onderhouden al wat Ik u bevolen heb. En zie, Ik ben met u al de dagen tot aan de voleinding der wereld.

Andelot bleef zitten, niet in staat zich te bewegen door het wonder dat zich in hem voltrok.

De zon stond laag in het westen en hij zou Fontainebleau pas na zonsondergang bereiken. Sébastien zou zich afvragen waar hij bleef. Eén blik op zijn gezicht als hij de kamer binnenliep en zijn oom zou weten dat er iets bijzonders was gebeurd. Andelot voelde een nieuwe liefde in zijn ziel voor de persoon van de Here Jezus. Er brandde een onbekende hartstocht in hem om meer over Hem te weten te komen. De gedachte dat hij nu de rest van het Nieuwe Testament kon lezen, deed zijn hart sneller kloppen.

'Here Jezus, U bent veel groter en wonderlijker dan ik had gedacht!' zei hij hardop. Hij keek opnieuw naar de donkere hemel, maar nu voelde hij slechts liefde en vreugde. Zijn angst had plaatsgemaakt voor dankbaarheid, want nu begreep hij dat toen zijn Heiland had geleden en aan het kruis was gestorven, Hij had betaald voor de schuld van Andelots zonde. Hij boog zijn hoofd, dankte God en gaf alles wat hij was en ooit hoopte te worden aan Jezus Christus, de Zoon van God, die had gezegd: 'Ik ben met u al de dagen tot aan de voleinding der wereld.'

Hij deed de bijbel dicht en stopte hem onder zijn hemd. De oude dominee zou deze schat die meer waard was dan al het goud op aarde zeker missen. Maar Andelot wilde er geen afstand van doen, totdat hij het boek ten minste een keer had doorgelezen. De dominee zou na verloop van tijd waarschijnlijk terugkeren naar de plek waar hij zijn bijbel had achtergelaten, maar erachter komen dat het boek was verdwenen.

Misschien zal ik hem een briefje schrijven en hem vertellen dat ik zijn bijbel heb. Ik zou dan in het geheim een afspraak met hem kunnen maken. Ik kan ongetwijfeld heel veel van hem leren. Maar eerst moet ik terugkeren naar Fontainebleau om de lettre *te schrijven.* Oui, *dat zal ik doen. Ik zal een ontmoeting met de dominee regelen.*

Terwijl Andelot door de donkere bossen terugreed naar Fontainebleau, dat hij tussen de bomen door in de verte zag oplichten, herinnerde hij zich dat hij zich morgenochtend vroeg bij de monnik van het klooster van Sint Catherine moest melden. Hoe zou hij zijn boete kunnen betalen?

Ik zal naar hem toe gaan en zeggen: 'Mijn schuld is volledig betaald, monseigneur, *met het bloed van Christus en bezegeld met Zijn opstanding uit de dood!'*

Andelot lachte vol vreugde en begon te neuriën, hoewel hij geen gezangen, maar slechts liturgische gebeden kende. Maarten Luther had een lied geschreven. Hij had het Rachelle en Idelette in Lyon horen zingen, maar hij kende de woorden niet. Iets over een *vaste burcht... en een *toevlucht voor de Zijnen*? Hij haalde zijn schouders op en begon zijn eigen lied te zingen. De melodie verjoeg het duister niet, maar zijn hart was vol vreugde en de woorden vloeiden automatisch over zijn lippen...

'Here Jezus, U hebt mij vrijgemaakt,
U hebt mijn ogen voor U geopend.
Ik zal Uw woorden voor altijd in mijn hart bewaren!
Gezegend is de dag dat ik Uw Woord vond, verborgen onder een boomstam.
Slechts één blik was genoeg: nu weet ik dat U mij nooit zult loslaten.
U hebt het zelf in Uw Woord beloofd.'

De volgende morgen reed Andelot net na zonsopgang naar het klooster dat op grote afstand van de bewoonde wereld lag. Het was een vochtige morgen na de regen van de vorige dag en een fijne nevel hing als een sluier over het donkere landschap. Hij had een zak munten bij zich en vroeg zich af wat de monnik zou zeggen, als hij wist dat een deel van het geld afkomstig was van markies Fabien. Romier had er nog wat munten bij gedaan, toen Andelot tegen hem had geklaagd: 'Als jij hem niet had verteld dat ik bereid was een schadevergoeding voor mijn overtreding te betalen, ja, zelfs een dubbele schadevergoeding, zou ik nu niet met zo'n vervelende schuld opgezadeld zitten.'

'*Saints!* Durf je nu ook nog met allerlei excuses voor je domme blunder aan te komen? Jij, *mon ami*, was degene die de hugenootse samenkomst zo nodig moest verstoren. Had ik je niet gewaarschuwd om je je er niet mee te bemoeien?'

'Inderdaad, maar als dienaar van een hugenootse hertogin zou je moeten weten dat ik geen overtreding heb begaan. Luister, Romier, op een dag zal ik je een geheim toevertrouwen dat je leven radicaal zal veranderen.'

'Ha! Dat moet ik nog zien. En wat is dit *merveilleux* geheim?'

'Dat vertel ik je pas als de tijd er rijp voor is.'

Romier tikte tegen zijn voorhoofd en keek hem sceptisch aan. 'Je bluft, maar ik zal wachten. Hier – nog een paar munten. Ik zal het deze keer door de vingers zien – maar weet dat je nu op de blaren zit van je roekeloze gedrag.'

Toen Andelot bij het klooster van Sint Catherine aankwam, trof hij de dominicaanse monnik aan zijn bureau aan. Hij was aan het werk bij het schijnsel van een kaars. Het was weer begonnen te regenen. Zachtjes tikten de regendruppels tegen het raam. Andelot zag hoe moe de geestelijke eruitzag, alsof hij de hele nacht geen oog had dichtgedaan. Hij had donkere kringen onder zijn ogen en keek zorgelijk. Andelot kreeg medelijden met hem.

Op zijn bureau stond een geldkist met daarnaast een lijst met geldboetes voor de verschillende soorten overtredingen.

Waarom is het een overtreding om hugenoten te laten ontsnappen, als ze slechts bijeenkomen om samen uit de Schrift te lezen?

Andelot plaatste de zak met munten op zijn bureau.

De geestelijke tilde de zak op. 'Dit is voldoende; ga heen in vrede.'

Een seconde lang keek Andelot hem vragend aan. Hij herinnerde zich iets wat hij ooit over de Duitse reformator Maarten Luther had gehoord. Had de handel in aflaten hem er niet toe aangezet om de Schrift zelf te onderzoeken? *Ga heen in vrede.* Konden zonden die je tegen een heilige God had bedreven je worden kwijtgescholden door het betalen van een geldboete?

Andelot fronste zijn wenkbrauwen. Hij stond op het punt

om een kritische vraag aan de monnik te stellen, maar bedacht zich op het laatste moment. Hij had zich al genoeg problemen op de hals gehaald. Hij boog zijn hoofd en ging er vlug vandoor.

Dagenlang bleef hij aan de dominicaan denken. Hij had met de man te doen, als hij aan de donkere kringen onder zijn ogen dacht en de zorgelijke rimpel op zijn voorhoofd. Zou deze dominicaan in al zijn vroomheid ooit de vrede ervaren die hij andere overtreders meende te kunnen schenken?

Het koninklijk paleis van Fontainebleau was sinds jaar en dag de favoriete residentie van de Franse koningen. Vanaf de twaalfde eeuw had het als jachtslot dienstgedaan, totdat koning François I aan het begin van de zestiende eeuw de beste Italiaanse renaissanceschilders en beeldhouwers opdracht had gegeven om het *palais* te restaureren. Nu was het een van de mooiste koninklijke *châteaus*.

Hoewel Andelots dagen gevuld waren met het leren van Grieks en Latijn en het bestuderen van de werken van Erasmus, voelde hij zich bevoorrecht om hier aan het hof te verkeren in gezelschap van Sébastien. Andelot genoot van de mooie omgeving van het *palais-château*, want Fontainebleau lag midden in de bossen. De lucht was fris en zuiver en hij was blij om niet langer in de stank van Parijs te verkeren die in de zomer ondraaglijk was. Hij zei dit tegen graaf Sébastien, die met hem instemde, maar plotseling zeer ernstig werd.

'In dit paleis met zijn uitgestrekte bossen en jachtwouden krijgen de hovelingen volop de gelegenheid om zich te wijden aan hun favoriete bezigheden: jagen, paardrijden, boogschieten, overdadig eten en drinken en natuurlijk...' – zijn stem klonk sarcastisch – 'intriges smeden. Zet je hart niet op ijdele zaken, Andelot. Dominee Bernard zou hetzelfde zeggen. De gunst van koningen is hetzelfde als de nevel op een hete zomermorgen. Ze verdwijnt en laat geen spoor meer achter.'

Andelot dacht over deze merkwaardige waarschuwing na; om naar het hof te mogen terugkeren, had Sébastien het ervoor over gehad om alles te verloochenen wat hij voor waar had gehouden. Hij was overladen met alles wat hem eerder was ontnomen: macht, rijkdom en status, en dit alles met een religieus sausje overgoten. Maar Sébastien leek er onverschillig onder te blijven. Het was Andelot niet ontgaan dat zijn oom nu elke dag de mis bijwoonde die werd opgedragen door de kardinaal van Lorraine en in de buurt van de koninklijke familie zat. Andelot ging er ook naartoe, en hoewel hij een beter begrip van Gods Woord begon te ontwikkelen, had hij er in tegenstelling tot vele hugenoten geen probleem mee om aan de communie deel te nemen. Desondanks moest Andelot toegeven dat bepaalde zaken waaraan hij voor Sébastiens vrijlating uit de Bastille veel waarde had gehecht, hem nu zo zwaar begonnen te wegen als ketenen om zijn voeten. Andelot hield van zijn oom en maakte zich grote zorgen over hem. Soms gedroeg hij zich heel vreemd. Andelot had hem eens betrapt met een landkaart van Engeland, die hij met een vergrootglas centimeter voor centimeter bestudeerde. Probeerde hij markies Fabien te traceren, of was het iets anders?

Twee weken nadat Andelot op Fontainebleau was aangekomen stond er op een avond een voor die tijd van het jaar ongewoon harde wind op de muur van het *château* waarachter Sébastiens appartement zich bevond. Andelot zat in het voorvertrek dat door de pages werd gebruikt. De grote kaarsen op zijn bureau wierpen een helder licht op het boek dat hij las.

Voordat hij naar Parijs was teruggekeerd om er een aantal weken aan de universiteit te doceren, had meester Thauvet Andelot een leeslijst gegeven en hem opgedragen om een scriptie te schrijven.

Andelot had de boeken aan de ene kant van zijn bureau gelegd, samen met andere in leer gebonden manuscripten en papieren. Hij gluurde over zijn schouder naar de zitkamer om zich ervan te vergewissen dat hij niet werd bespioneerd. Er was niemand in de kamer. Slechts het geluid van de wind was hoorbaar. Hoewel deze ruimte was gereserveerd voor Sébastiens hoofdpage, gaven de twee deuren in de kamer toegang tot twee andere vertrekken. Eén ervan was Sébastiens slaapkamer met daarachter zijn studeerkamer; de andere was een zitkamer met een open haard waarin nu een vuur brandde.

Andelot was op zijn hoede. Heel vaak kwam een hooggeplaatste dienaar van een van de adellijke families via de gang de zitkamer binnen zonder te kloppen en begon Andelot te commanderen alsof hij de eerste de beste livreiknecht was. Andelot ergerde zich, als hij op deze manier in zijn studie werd gestoord.

Behoedzaam schoof hij de werken van Erasmus terzijde die Thauvet hem had opgedragen te bestuderen en haalde de Franse bijbel onder de stapel boeken vandaan die zich op tafel bevond. Hij kon de bijbel bij zijn andere boeken bewaren, want niemand besteedde aandacht aan wat hij las, behalve zijn docent, die nu in Parijs was. Andelot had de Franse bijbel verborgen in de versleten omslag van een van zijn eigen boeken.

Het was niet zijn bedoeling om de bijbel van de oude *pasteur* te houden. Een aantal malen had Andelot een zorgvuldig geformuleerd briefje voor hem achtergelaten onder de boomstronk waar de man het boek had verborgen, maar waarschijnlijk dacht deze dat het een valstrik was, want hij had geen antwoord van hem gekregen.

De wind huilde om het kasteel. Andelot vond de bladzijde waar hij de vorige avond was gestopt en ging verder met de brief van de apostel Paulus aan de gemeente van Rome. Deze brief had hem een gepast begin van zijn ontdekkingstocht geleken, want het Vaticaan bevond zich ook in Rome.

Want wij zijn van oordeel, dat de mens door geloof gerechtvaardigd wordt, zonder werken der wet.

Terwijl Andelot over deze tekst nadacht, werd hij opgeschrikt door voetstappen in de andere kamer. Door de wind had hij niet gehoord dat de gangdeur open was gegaan. Voordat hij het wist, stond de secretaris van de kardinaal van Lorraine naast zijn bureau en keek op hem neer. Andelot keek naar de lange gestalte die dreigend boven hem uittorende. Zijn hart ging als een razende tekeer. Hij keek recht in de ogen van monseigneur Jaymin, een vertrouweling van de kardinaal van Lorraine.

Help mij, God!

'Ah, ben jij het, Andelot... waar is je *seigneur,* graaf Sébastien?'

Andelot zag dat Jaymin een officieel schrijven in zijn grote hand hield. De knokige vingers van de man waren Andelot meteen opgevallen, toen hij hem voor het eerst had ontmoet.

Andelot deed zijn bijbel dicht om de indruk te geven dat hij Erasmus aan het bestuderen was en stond vlug op. 'Graaf Sébastien is een eindje gaan lopen, *monseigneur.* Kan ik hem een boodschap overbrengen?'

'Op een avond als deze? Het zal weldra gaan regenen. Ik zou in zijn plaats liever bij het vuur zitten lezen. Sébastien en zijn nachtelijke excursies,' zei hij, vriendelijk lachend. 'Hij heeft bovendien last van zijn knie.'

Andelot glimlachte en probeerde zijn bonkende hart tot bedaren te brengen. Hij hoopte dat hij niet buiten adem klonk, toen hij antwoordde: 'Hij maakt graag een ommetje, *monseigneur.*'

Jaymin had een hoekig lichaam, een kaal, glimmend hoofd en melancholieke bruine ogen boven een grote haakneus. Andelot, die iets korter was dan markies Fabien, maar geenszins klein van gestalte, reikte slechts tot zijn borst. De pages maakten graag grapjes over Jaymins lengte. De koningin-moeder, zo zeiden ze, hield er dwergen op na, terwijl de kardinaal van Lorraine zich met reuzen omringde.

'Ik ben verbaasd dat je je *seigneur* niet hebt vergezeld op zijn nachtelijke *promenade*.'

'Hij heeft me toestemming gegeven om te studeren.'

'Ach ja, natuurlijk.' Zijn blik viel op het boek op het bureau waarop Andelots hand losjes rustte.

'Een wijs man, meester Thauvet. Je mag van geluk spreken dat je hem als docent hebt. Hij zal spoedig terugkeren naar het hof. De kardinaal is er zeer in geïnteresseerd hoe je hem als docent hebt kunnen regelen.' Hij glimlachte.

Andelot glimlachte terug. Hij durfde de naam van markies Fabien niet te noemen. Hij zweeg even en zei toen: 'Regelen, *monseigneur*?'

'Meester Thauvet is een zeer gevraagd docent bij de adellijke families. Zijn honorarium is heel hoog. De kardinaal vraagt zich af hoe Sébastien het voor elkaar heeft gekregen om hem voor jou te huren, als je bedenkt dat...'

Als je bedenkt dat de kardinaal zich niet langer voor zijn neefje Andelot interesseert, waarom zou Thauvet ermee instemmen om hem les te geven? Hij kon Sébastiens naam ook beter niet noemen.

'Ik mag inderdaad van geluk spreken, monseigneur, geheel onverdiend bovendien. Niet graaf Sébastien, maar hertogin Dushane heeft meester Thauvet als docent voor me geregeld. Dat heeft ze gedaan, zo meen ik, omdat ik ben opgegroeid op een van haar landgoederen in Lyon. Ze heeft zich mijn lot aangetrokken. Ze wist hoe teleurgesteld ik was, toen de kardinaal afzag van zijn plan om me naar de universiteit van Parijs te sturen, omdat ik hem had geschoffeerd.'

Het gaat goed. Ik zie de verandering in zijn ogen. Hij kijkt minder achterdochtig.

'De kardinaal zal blij zijn dit te horen. Hij heeft nog eens nagedacht over je straf, Andelot. We mogen niet vergeten dat je familie van hem bent en hoewel de kardinaal het zeer druk heeft gehad met een aantal belangrijke zaken, heeft hij me gevraagd je te laten weten dat hij je niet is vergeten.' Hij glimlachte, waarbij zijn sterke, rechte tanden zichtbaar werden.

'*Merci.*' Andelot boog zijn hoofd. *Ik wou dat hij me wel was vergeten.*

'De kardinaal wil graag weten wat voor soort boeken Thauvet je hier in Fontainebleau laat lezen.'

Andelot hield zijn hand op het boek. 'O, zo veel verschillende boeken, *monseigneur*. Heel interessant allemaal. Ik ben bezig aan een scriptie over Erasmus.'

'Aha! De geleerde uit Oxford. Iemand met protestantse sympathieën, is het niet?'

'Erasmus? O, dat wist ik niet.'

'Hij heeft ons een herziene editie van het Griekse Nieuwe Testament beloofd. Vanuit Oxford is hij naar Rome gereisd om onderzoek te doen.'

Andelot glimlachte. 'Rome...'

'En Erasmus heeft ook een Latijnse Bijbelvertaling gemaakt, nietwaar?' hoorden ze Sébastiens krachtige stem achter zich. Hij was de kamer binnengekomen via de gangdeur.

'Een Latijnse tekst waarin de fouten van Hieronymus verbeterd zijn,' zei Jaymin, terwijl hij zich naar hem omdraaide.

Sébastien nam zijn hoed af en Andelot haastte zich om zijn natte cape aan te nemen.

'Het is gaan regenen.' Sebastien liep met slepende gang naar de open haard om zichzelf aan het vuur te warmen.

Andelot hield beide mannen in de gaten, terwijl hij de jas van de graaf ophing en hem een glaasje wijn inschonk. Sébastien viel niet op in een kamer waarin zich mannen als de hertog van Guise en de kardinaal van Lorraine bevonden, of zelfs Jaymin. Hij was bescheiden, sprak met zachte stem en nam zelden uit zichzelf het woord. Maar ondanks de schijn was hij een waakzaam en schrander man die men gemakkelijk onderschatte. Had Catherine de Médicis hem daarom als een van haar belangrijkste raadgevers benoemd? In tegenstelling tot de Guises werd hij niet gedreven door eerzucht. Het welzijn van mensen die hem lief en dierbaar waren, kwam voor hem op de eerste plaats en na Amboise en de Bastille vermeed hij conflicten. Hij had dik sluik haar dat hier en daar grijs begon te worden en op zijn voorhoofd in een korte pony was geknipt. Aan het hof droeg hij echter een kunstig geweven pruik die tot over zijn schouders viel. Hij had grote ogen – de enige opvallende trek in zijn niet bijzonder knappe, maar sympathieke gezicht – en brede kaken. Als hij thuis was bij Madeleine, droeg hij dezelfde sobere, donkere kledij als de hugenootse leiders, zoals admiraal De Coligny en de grote Franse theoloog Theodore Beza. Maar aan het hof, waar hij nu was, droeg hij kleding van het fijnste satijn en fluweel en geverfd leer met gouden en zilveren versieringen.

'Ah, u bent dus bevriend met Erasmus,' zei Jaymin, die naast Sébastien voor de haard kwam staan en het glas aannam dat Andelot hem als een volleerd page zwijgend aanbood.

'Je bent misschien vergeten, Jaymin, dat meester Thauvet een *ami* van mij is. Hij zou zich in mijn gezelschap vervelen als we niet konden discussiëren over belangrijke theologische vraagstukken.' Hij hief zijn glas naar Jaymin.

Jaymin glimlachte en hief zijn glas ook. 'Op Zijne Majesteit, koning François II.' Hij nam een slok, zuchtte voldaan en staarde in de vlammen.

'Je vraagt je af of de Bourbonse prinsen ook op het welzijn van de koning zullen proosten. Ze zullen daartoe ruimschoots de gelegenheid krijgen.'

'Zijn ze naar het hof ontboden? Deze morgen had de koningin-moeder nog geen beslissing genomen.'

'Maar de koning wel,' zei Jaymin met iets superieurs in zijn stem. 'Samen met de hertog van Guise heeft hij een koninklijk bevelschrift opgesteld. Er zal morgen een boodschapper naar Navarre vertrekken. Als de prinsen Louis en Antoine de Bourbon niet naar Fontainebleau komen, zal dit als rebellie tegen de koning van Frankrijk worden uitgelegd.'

Andelot liep terug naar zijn bureau. Vanuit zijn ene ooghoek zag hij het boek. Sébastien en Jaymin hadden het weer over Thauvet en Erasmus. Andelot pakte het boek om het onder een stapel manuscripten en papieren te verbergen.

'De kardinaal wil dat ik hem verslag uitbreng van je vooruitgang en hij wil ook weten wat voor boeken je leest, Andelot,' zei Jaymin. Hij liep van de haard naar het bureau en stak zijn hand uit naar het boek dat Andelot in zijn handen had.

'Andelot, waarom vergeet je toch steeds mijn slaapkamerdeur open te laten, zoals ik je al zo vaak heb gevraagd,' zei Sébastien op ongewoon scherpe toon. 'De haard moet mijn slaapkamer verwarmen, anders gaat de kou in mijn botten zitten.'

Andelot klemde het boek tegen zich aan en liep snel bij Jaymin vandaan om te doen wat Sébastien van hem had gevraagd.

Hij snelde naar de slaapkamerdeur en deed hem open. Hij hoopte dat zijn gezicht geen enkele emotie verried, toen hij zich omdraaide. Plotseling griste Sébastien het boek uit zijn handen en opende het.

'Zo!' Sébastien hinkte naar een van de stenen muren in de zitkamer waarop het licht van de fakkels lange schaduwen wierp. De wind wakkerde aan en het vuur knetterde in de haard.

Andelot bleef met zijn handen achter zijn rug en rechte schouders staan. De vlammen weerkaatsten op zijn zwart met witte uniform.

Sébastien vuurde een paar vragen over Erasmus op hem af, terwijl hij net deed of hij uit het boek citeerde. Andelot stotterde van verlegenheid, terwijl Jaymin hem geamuseerd gadesloeg.

Volledig van zijn stuk gebracht keek Andelot Sébastien met open mond aan. Het licht van de fakkels scheen op zijn grijzende haren en zijn gebogen schouders.

Sébastien voerde een toneelstuk op en het enige wat Andelot kon doen was de rol spelen die Sébastien hem had toebedeeld. Andelots respect voor zijn bescheiden oom groeide.

Onbeholpen stamelde hij een paar Griekse woorden, waaruit zijn onkunde bleek.

Sébastien keek hem boos aan. 'Heeft de hertogin voor niets zoveel geld betaald voor Thauvet?'

Hij zweeg, terwijl Andelot zijn schouders ophaalde.

'Wat zeg je?' zei Sébastien bars, terwijl hij quasiverveeld naar het plafond staarde. 'Heb je je studie verwaarloosd, omdat Thauvet hier niet is?'

Andelot stamelde enkele woorden en ging toen in het Frans verder, zijn zinnen doorspekt met Latijnse uitdrukkingen.

Sébastien kreunde en viel toen in het Grieks tegen hem uit: 'De volkstaal is verboden. Je mag noch bidden, noch gezangen zingen, noch de Schrift citeren in het Frans. Begrepen?'

Andelot knikte. 'Ja, *seigneur* Sébastien.'

Sébastien sloeg het boek dicht en legde het achteloos op tafel. 'Morgenochtend vroeg kom je je direct bij me melden. We zullen je lesrooster aanpassen en er een extra uur Grieks aan toevoegen.'

'Goed, *monseigneur*.' Andelot liep terug naar zijn bureau, trok zijn stoel naar achteren en ging zitten. *Hoe wist Sébastien dat ik een bijbel in mijn handen had? Hij probeerde me te beschermen.*

Andelot deed net alsof hij weer aan het werk was gegaan, terwijl hij de mannen vanuit zijn ene ooghoek gadesloeg.

Ze hadden het opnieuw over de Bourbonse prinsen. Jaymin, die weer bij de haard was gaan staan, haalde met een nonchalant gebaar een perkament uit zijn kerkelijke gewaad en overhandigde het aan Sébastien.

'Vraag de koningin-moeder dit te ondertekenen, Sébastien. Graaf Crussol zal morgenochtend naar Navarre rijden om deze brief bij Antoine de Bourbon af te leveren. Spionnen hebben ons geïnformeerd dat Louis en zijn vrouw daar momenteel als gasten verblijven.'

'Ja, *bien sûr*, ik zal het morgenochtend vroeg direct in orde maken.' Hij liep met Jaymin naar de deur. 'Weet de koningin-moeder dat de Bourbons zich hier voor de opstand in Amboise moeten komen verantwoorden?'

'Is er iets aan het hof wat de koningin-moeder ontgaat? Ze heeft meer spionnen dan Chantonnay,' zei Jaymin met een verwijzing naar de Spaanse ambassadeur.

Jaymin vertrok en Andelot stond direct op. Sébastien hinkte naar de gangdeur en deed hem op slot. Toen liet hij zich neerzakken in een stoel bij het vuur en greep naar zijn hoofd. Hij kreunde.

'Andelot, het is heel dom van je om hier een bijbel te verbergen.'

Geschrokken keek Andelot hem aan. 'Hoe wist u dat?'

'Ik heb het vanaf het begin geweten. Mij treft echter nog veel meer blaam, omdat ik heb gedoogd dat je met een bijbel rondloopt onder de neus van de kardinaal van Lorraine. Ik zag je lezen en kon direct zien dat het niet Erasmus was. Toen je er niet was, heb ik je boeken bekeken en de bijbel gevonden. Ik had hem moeten verbranden, maar dat kon ik niet over mijn hart verkrijgen.'

'Verbranden!'

'Wat wil je liever tot as zien vergaan: dit boek of je eigen lichaam? Ik heb hugenoten op de brandstapel zien branden – ik heb hun verschroeide vlees geroken. Onze familie heeft al te veel leden verloren. Wil je dat we jou ook nog kwijtraken?'

Andelot staarde hem aan. Hij was bezorgder om het asgrauwe gelaat van zijn oom dan om het feit dat deze zijn geheim had ontdekt. Hij viel op zijn ene knie naast de stoel en voelde de warmte van het vuur.

'*Mon oncle – monseigneur*. Vergeef mij. Niet dat ik er spijt van heb in de Bijbel te lezen. Ik dank God dagelijks voor Zijn Woord. Ik had het boek echter niet hiernaartoe moeten brengen, omdat ik u hiermee in grote problemen had kunnen brengen. Ik had voorzichtiger moeten zijn en de bijbel in het bos moeten verbergen, zoals de hugenootse dominee voor mij had gedaan.'

Sébastien keek hem indringend aan. 'Hoe kom je precies aan deze Franse bijbel, Andelot?'

'Een groepje hugenoten had zich in het bos verzameld, maar ze werden betrapt door een dominicaanse monnik van het klooster van Sint Catherine vergezeld door een aantal gewapende mannen. Ik zag dat de oude dominee een boek verborg onder een paar boomstammen, voordat hij op de vlucht sloeg. Later ben ik teruggereden naar die plek en heb hem daar gevonden. Ik heb geprobeerd contact met hem te zoeken, maar tevergeefs, en daarom is het boek nog steeds in mijn bezit. Het is een onbeschrijflijk gevoel, monsieur Sébastien, om de Schrift in je eigen taal te lezen – om het Nieuwe Testament voor het eerst in zijn geheel te lezen, en in begrijpelijk Frans – het is een grote *honneur*.'

Sébastien depte zijn bleke, klamme voorhoofd met een zakdoek.

'Je weet welke straf je boven het hoofd hangt, als men dit boek in je bezit aantreft?'

'Ik zal u dit zeggen, monsieur Sébastien: toen *père* Jaymin het boek wilde pakken – voelde ik de vlammen als het ware al aan mijn voeten likken. Uw afleidingsmanoeuvre heeft me het leven gered.'

'Je bent nu dus één van ons. Dat is een reden tot dankbaarheid. Maar als hugenoot loopt je leven constant gevaar.'

'Ik weet niet of ik een aanhanger van de nieuwe religie

ben. Alles is nieuw voor mij. Maar als je een bijbel in je bezit hebt en daaruit leest, betekent dat nog niet dat je geen *bon* katholiek kunt zijn.'

'Jaymin vermoedt iets. Ik zag de argwaan in zijn ogen. Wat kwam hij hier doen, denk je? Ja, hij kwam me een brief brengen, maar ook omdat de kardinaal je in de gaten houdt.'

'Ik zag inderdaad dat hij achterdochtig was.'

'Jaymin is sluw. Een vriendelijke man, maar een loyaal dienaar van de kardinaal. Nu zijn argwaan is gewekt, zal hij je voortaan nog beter in het oog houden.' Hij kwam met moeite uit zijn stoel overeind. 'We moeten die bijbel verbranden. Ik vind het een treurige zaak, maar er zit niets anders op.'

Andelot was ontzet. *Verbranden?* Maar hij had het boek net gevonden. Hij had het zelfs nog niet helemaal gelezen.

'*Monseigneur*, ik smeek u, sta me tenminste toe om het boek terug te brengen naar de plek waar ik het heb gevonden, voor de hugenootse dominee. Misschien zal hij nooit aan een andere bijbel kunnen komen.' *En ik ook niet*, dacht hij treurig. 'Ik zal direct gaan,' zei hij. 'Op de goudbruine vos ben ik er in een mum van tijd.'

'Je beseft niet hoeveel gevaar je loopt, en ik ook. Het is goed mogelijk dat monsieur Jaymin heeft besloten om je te laten schaduwen.'

'Laat me het boek dan verbergen in mijn slaapkamer, totdat ik de kans krijg om het weer in het bos te verstoppen.'

Sébastien fronste zijn wenkbrauwen en staarde naar de zwarte handschoen om zijn linkerhand. Toen keek hij Andelot peinzend aan, alsof hij overstag dreigde te gaan voor zijn jeugdige leeftijd en innemende manier van doen.

'Ik begrijp hoeveel dit voor je betekent. Desondanks speel je met vuur, Andelot. Als je het niet over je hart kunt verkrijgen het boek te verbranden, dan moet je het als een schatkist vol robijnen verbergen en morgen naar die boom terugbrengen. Om je de waarheid te zeggen: als je met deze bijbel wordt betrapt, dan kan ik niets meer voor je doen. En als bekend wordt dat ik het oogluikend heb toegelaten, dan zal ik het er deze keer niet levend afbrengen.'

Sébastien ging staan. Hij keek Andelot streng aan. Opnieuw was hij de *seigneur* en Andelot zijn page. 'Verberg de bijbel zo goed als je kunt.'

De bijbel lag op de tafel in de slaapkamer, verborgen in de kaft van een werk van Erasmus. Hij zou er afstand van moeten doen. *Er is maar een manier,* dacht hij, *ik moet de woorden uit mijn hoofd leren. Ik heb een goed geheugen; dat kan me niet worden afgenomen en ik kan me de woorden herinneren wanneer ik maar wil, zelfs in gezelschap van de kardinaal. Ja, misschien is dit de beste manier om delen van de Schrift bij me te dragen, zonder bang te zijn om gearresteerd te worden: ik moet ze uit mijn hoofd leren.*

Sébastien zag dat Andelot naar de slaapkamer liep om de bijbel te gaan halen. Zijn enthousiasme voor Gods Woord had Sébastien getroffen. Hij kon het niet over zijn hart verkrijgen om de jongeman te bevelen het boek tot as te verbranden.

Hij legde zijn gezonde hand op zijn klamme voorhoofd. Hij was op zijn goede knie voor de kardinaal van Lorraine neergebogen en had zijn dwaling aan hem beleden. De schaamtevolle herinnering knaagde aan zijn geweten. Madeleine wist dit niet; hoe zou hij het haar ooit kunnen vertellen? Vele andere broeders waren niet bezweken in de Bastille of in Amboise. Ze hadden nog veel grotere pijnen geleden en de dood had hen uiteindelijk uit hun lijden verlost – terwijl hij een einde aan zijn beproeving had gemaakt door zijn geloof te verloochenen.

Zou God hem vergeven? Hij geloofde van wel, want anders zou hij niet door genade alleen, door het geloof in Jezus Christus, behouden worden. Hij was er echter ook van overtuigd dat er een grote beloning in de hemel was weggelegd voor degenen die als martelaren waren gestorven voor

Christus. Terwijl hij, Sébastien, ondanks zijn behoudenis in Christus, zijn kroon had verloren.

Hij zuchtte diep. *Sébastien, je bent een grote lafaard. Zag je het vuur in Andelots ogen branden? Hij heeft een grote honger naar het Woord. Hoe kon je hem bevelen zijn bijbel in de haard te gooien en tot as te laten verbranden?*

Stel je voor dat Jaymin vanavond terugkwam met een aantal soldaten en de kamer zou laten doorzoeken? *Non,* Jaymin zou niet met grof geweld te werk gaan. Hij vermoedde iets, ja, maar hij zou het masker niet van iemands gezicht rukken. Hij zou geduldig afwachten. Jaymin was een vreemde man. Hoewel hij een loyaal dienaar van de kardinaal was, ja, zijn beste *ami* en trouwste bondgenoot, had hij medelijden met ketters. Hij zou geen vreugde beleven aan de ontdekking dat Andelot een verboden bijbel in zijn bezit had, noch zou hij hem met plezier voor de kardinaal slepen. Hij zou het doen, omdat hij heilig geloofde in de leer van Rome; maar hij zou zijn plicht met tegenzin vervullen.

Sébastien pakte de brief voor de koningin-moeder die Jaymin had achtergelaten van het bureau en las het koninklijke bevel dat de Guises namens de jonge koning hadden opgesteld.

U herinnert zich ongetwijfeld de lettres die ik u heb geschreven betreffende de opstand in Amboise, en ook aangaande mijn andere oncle, prins De Condé, uw broer, die vele gevangenen van medeplichtigheid hebben beticht, een beschuldiging die ik in eerste instantie als ongeloofwaardig van de hand heb gewezen.
Ik heb besloten om de zaak verder te onderzoeken, ingegeven door de wens mij niet de rest van mijn leven zorgen te hoeven maken over de tomeloze ambitie van bepaalde onderdanen. Ik beveel u, mon oncle, *samen met uw broer naar Orléans te komen, ongeacht of hij hiermee instemt of niet. Mocht uw broer weigeren aan mijn oproep gehoor te geven, dan zie ik mij genoodzaakt om als koning mijn gezag te laten gelden.*

Sébastien beet op zijn lip. De Bourbons zouden zich wel tweemaal bedenken, voordat ze hun veilige hugenootse bolwerk in Navarre zouden verlaten om zich naar het hol van de leeuw te begeven! Dit was zeker het werk van de Guises.

Hij begon door de kamer te ijsberen. *En wat ben je van plan voor de Bourbonse prinsen te doen?* Hoe zou hij markies Fabien ooit onder ogen durven komen, als hij niet tenminste probeerde diens familie te waarschuwen dat ze in de val werden gelokt?

Wat kon hij doen? Hij strompelde verder en sloeg nauwelijks acht op de toenemende pijn in zijn knie, zo diep was hij in gedachten verzonken.

Wat deed hij in vredesnaam aan het hof als raadgever van de koningin-moeder, die er een kast vol vergiften op nahield voor haar politieke tegenstanders; die meer vertrouwen stelde in astrologen dan de Heilige Schrift – had ze zelfs maar enig idee wat er in het boek stond? Wie had daar enig idee van? Sébastien herinnerde zich wat admiraal De Coligny ooit had verteld; hoe geschokt hij was toen hij de Schrift voor het eerst in zijn eigen taal las en ontdekte dat er van een groot aantal dogma's van de rooms-katholieke kerk geen woord in de Bijbel was terug te vinden.

Tot nu toe was Sébastien erin geslaagd om tussen de klippen door te laveren. Geen gemakkelijke opgave, zo had hij Madeleine verzekerd toen hij haar had gedwongen om haar Franse bijbel op het zijdekasteel achter te laten. Hij was dankbaar dat ze de vervolgingen die in Frankrijk woedden, tot dusver hadden overleefd. Hij had consequent vermeden om zijn mening over bepaalde zaken te geven. Nu vermeed hij zelfs het woord *overtuiging* en sprak in plaats hiervan over *begrip*, omdat dit woord ruimer opgevat kon worden. Hij had geleerd om zijn mening over Johannes Calvijn en Maarten Luther voor zichzelf te houden. Hij zou zijn mond houden, want hij wist dat hij anders stelling zou moeten nemen.

In geen geval mochten zijn plannen om met zijn familie

naar Engeland te vluchten, uitlekken. Zelfs Madeleine was er niet van op de hoogte, maar hij wist dat ze blij zou zijn. Ze maakte zich grote zorgen over de toekomst van Jeanne.

Het smeulende dennenhout in de open haard verspreidde een aangename geur en een behaaglijke warmte. Desondanks leken Sébastiens schouders gebukt te gaan onder een zware last na deze lange, vermoeiende dag. Hij zou het liefst in zijn stoel gaan zitten bij de open haard.

Hij piekerde over de val die was uitgezet voor prins Louis de Condé en prins Antoine. Hij durfde zelf geen boodschap naar Navarre te sturen, niet op dit tijdstip. Het was beter om dit via hertogin Dushane te doen. Ja, hij zou vanavond contact met haar opnemen. Dat was het enige risico dat hij zou nemen.

Markies Fabien was er ook nog... kon hij hem maar waarschuwen voor het gevaar waarin zijn Bourbonse familieleden verkeerden, maar Fabien was op zee. Juist vandaag had de Spaanse ambassadeur Chantonnay met grote verontwaardiging een officiële klacht ingediend bij de koningin-moeder over de entering van een Spaans schip. Er was geen bewijs dat de markies bij de zaak betrokken was, maar als Fabien niet onmiddellijk naar het hof zou terugkeren, dan zou hij het risico lopen om in ongenade te vallen bij de koningin-moeder. Hoewel Sébastien had opgemerkt dat ze de laatste dagen steeds de andere kant had opgekeken als er over de markies werd gesproken. Hij vroeg zich af waarom.

15

De hertog van Guise had uitgebreide voorzorgsmaatregelen genomen in Orléans en Fontainebleau voor de komst van de Bourbonse prinsen Louis de Condé en Antoine de Bourbon, beiden familieleden van Fabien. Sébastien had gehoord dat alle wapens in de stad, tot keukenmessen toe, in beslag waren genomen. Guise, een geslepen militaire commandant, had de stad uitgekamd op Bourbonse soldaten, die zich misschien in huizen hadden verborgen of zich hadden vermomd als boeren.

In het kleine koninkrijk van Navarre waren boodschappen van diverse hugenootse edelen, onder wie de hertogin Dushane, afgeleverd bij Antoine de Bourbon: *Gevaar. Blijf in Navarre en kom niet naar het hof.*

Sébastien was ongerust, maar kon verder niets doen. Vanuit de raadzaal van het paleis keek hij naar buiten en zag piekeniers met hun glanzende lansen op wacht staan. De soldaten van de hertog stonden langs de weg opgesteld en een aantal van hen hield zich in de bossen schuil.

De prinsen van Bourbon werden rond het middaguur bij het paleis verwacht om zich voor de koning tegen de aanklacht van hoogverraad te verdedigen. Sébastien liet Andelot bij de andere hoofdpages van de verschillende adellijke families achter en nam als belangrijkste raadgever van de koningin-moeder plaats in de buurt van de koninklijke estrade. Hij droeg een zwarte cape met een opstaande kraag over een witsatijnen vest en een donkere pofbroek. Hij moest zich als een sluwe vos gedragen in dit slangennest. Ze geloofden dat hij een loyaal en trouw dienaar was; dat moesten ze blijven denken – dit was ook de reden dat hij zijn boodschap niet rechtstreeks aan Louis had gestuurd, zoals hij voor de rampzalige opstand in Amboise had gedaan. Al zijn gangen werden nagegaan door spionnen, daar was hij zeker van.

Hertogin Dushane stond ook onder verdenking, maar mengde zich niet in zaken die haar in contact konden brengen met de vijanden van Guise. Zo liet ze vandaag ook verstek gaan onder het excuus last te hebben van haar botten.

Er werd wat geschuifeld in de buurt van de koninklijke ingang en alle ogen richtten zich op de dubbele deuren die waren versierd met de gouden, boogvormige ranken van de koninklijke *fleurs de lis*. De deuren zwaaiden open en vier wachters in rood met witte uniformen en gepluimde helmen kwamen de zaal binnen, gevolgd door koning François, de koningin-moeder en *reinette* Maria Stuart-Valois. Sébastien en de hovelingen maakten een diepe buiging, terwijl het drietal plaatsnam op de koninklijke verhoging.

Sébastien rook onraad. Hij voelde de ingehouden, boosaardige vreugde van de hertog en zijn aanhangers. Hij had de jonge koning volledig in zijn macht. De beslissing om de Bourbons te dagvaarden was in feite door hem en de kardinaal genomen. De houding van de koningin-moeder in deze kwestie stelde Sébastien voor een raadsel. Waarom stond ze toe dat de twee Bourbons werden gearresteerd, terwijl ze hun steun nodig had in haar strijd tegen de Guises? Sébastien wist zeker dat ze iets in haar schild voerde. Hoewel hij op de hoogte was van de meeste listen die ze aan het hof had beraamd, wist hij deze keer niet wat ze van plan was. Op het oog werkte ze samen met de hertog.

De hertog liep over het koninklijke tapijt op en neer. Zijn korte, met goud afgebiesde cape veerde op bij elke stap die hij zette. Uit zijn energieke tred en de manier waarop hij over zijn korte puntbaard streek met zijn met edelstenen bedekte hand, bleek hoe zeker hij was van zijn zaak. Vervolgens verscheen de kardinaal van achter een zwaar gordijn van Genuees fluweel dat met een *oriflamme,* het embleem van de

Valois, was versierd. Zijn kostbare, wit met karmozijnrode gewaad ritselde zachtjes, toen hij naar de hertog toe liep. Sébastien kon zijn parfum ruiken. De met edelstenen versierde crucifix die om zijn nek hing weerkaatste het zonlicht op de ene helft van zijn gezicht.

'De Bourbons zullen spoedig hun opwachting maken,' zei hij tegen de koning en de koningin-moeder. 'Ze hebben hun kamerheren vooruitgestuurd om te zeggen dat ze er aan komen.'

'Zijn ze alleen gekomen?' vroeg de koningin-moeder.

Het was zoals Sébastien had gevreesd. De prinsen zouden gearresteerd worden. De schriftelijke verzekering dat ze geen kwaad te vrezen hadden, was een valstrik geweest.

De hertog van Guise boog naar koning François toe en zei zachtjes iets in zijn oor, maar Sébastien had hem verstaan.

'Denk eraan, sire, als ze binnenkomen, dan blijven we allemaal zwijgen.'

'*Monsieur le comte*,' zei de koningin-moeder. Sébastien stapte naar voren en maakte een kleine buiging voor haar.

'*Madame?*'

'De prins van Condé en de koning van Navarre weten dat u familie bent van één van de andere Bourbons, *le marquis de Vendôme*. Ze zullen deze bijeenkomst met een geruster hart tegemoet zien, als u hen begroet in de naam van de markies en hen met een verzoenende en vredelievende boodschap de poorten van het paleis zult binnenleiden.'

In de naam van de markies! Dit was een klap in het gezicht van Sébastien. *Verraad!*

Ze glimlachte naar hem en in haar felle donkere ogen glinsterde een boosaardig vermaak om zijn dilemma. Ze wist dat hij prins De Condé in zekere zin nog trouw was, ook al had hij het tegenovergestelde beweerd. Ze was erachter gekomen dat hij in maart het kasteel van Amboise was uitgeglipt om Condé te waarschuwen dat zij van Renaudies samenzwering op de hoogte was. Op dit ogenblik schiep ze

er een pervers genoegen in om hem te dwingen Condé in
de val te leiden, in plaats van hem te waarschuwen.

Sébastiens hart bonsde van boosheid. Hij probeerde zijn
haat voor haar te onderdrukken en vocht wanhopig tegen
de duisternis in zijn hart. Hij hoorde haar zachtjes lachen. Ze
vond het heerlijk om mensen die ze niet vertrouwde te zien
spartelen. Wist ze dat zijn loyaliteit slechts schijn was?

Hij moest zijn woede verbergen. Wat zou ze met Madeleine en Jeanne doen, als ze erachter kwam? Ja, hij wist dat ze
zijn geliefden had geprobeerd te vergiftigen! Hij had er geen
woord over gezegd tegen Madeleine, Andelot en de rest van
de familie Macquinet. Ze konden zijn leven onbedoeld in
gevaar brengen, omdat Catherine erachter zou kunnen komen dat hij wist wat er was gebeurd.

Zijn verbrijzelde hand begon te kloppen, alsof die dezelfde emoties onderging als zijn hart.

De hertog van Guise maakte een einde aan zijn vertwijfe-
ling. Hij haalde zijn schouders op en draaide zich om naar
de koningin-moeder. 'De markies van Vendôme is een ordinaire zeerover, *madame,* die aanvallen uitvoert op de Spaanse
vloot.' Toen richtte hij het woord tot koning François. 'Sire,
ik begrijp dat u en de markies als vrienden aan het hof zijn
opgegroeid, maar u moet dit soort sentimentele gevoelens
opzijzetten. De markies heeft ons een slechte naam bezorgd.
Koning Filips is woedend over het verlies van zijn galjoenen.'

'*Monsieur le duc,*' zei de koningin-moeder, 'we moeten onze
aandacht nu richten op de Bourbons.'

'Voordat u hier binnenkomt met de Bourbons, moet u ons
komen waarschuwen,' zei de kardinaal van Lorraine tegen
Sébastien.

Waarschuwen? Waarom moest hij hen waarschuwen? Wat
konden twee ongewapende mannen beginnen tegen een leger soldaten?

Niet de Guises, maar de Bourbons moesten gewaarschuwd
worden dat ze op een lafhartige wijze in de val waren ge-

lokt. Louis en Antoine hadden er in dat geval misschien voor gekozen met een leger van honderd soldaten naar Fontainebleau te komen, zodat de hertog van Guise zich wel tweemaal zou bedenken voordat hij de hand aan hen – prinsen van koninklijken bloede – zou slaan.

Hij maakte een buiging en strompelde de zaal uit. Hij keek strak voor zich uit, maar voelde de medelijdende blikken van enige aanwezigen.

Ze wisten dus al dat Fabien betrokken was bij de aanvallen op de schepen van de hertog van Alva. Dit zou een onaangename verrassing voor hem zijn, als hij naar Frankrijk zou terugkeren. Dat Guise al op de hoogte bleek te zijn, was een teken van zijn nauwe samenwerking met de Spaanse gezant. Sébastien had de verontwaardigde blik in de donkere ogen van de ambassadeur gezien, toen Guise melding had gemaakt van galjoenen die in brand waren gestoken.

De wind ruiste door de bomen rondom het *palais-château*. Sébastien reed met de koninklijke kamerheer de binnenplaats af, de Bourbonse prinsen tegemoet.

Over de gehele lengte van de oprijlaan naar het kasteel stonden aan beide zijden paleiswachten met lansen opgesteld; niet om de twee prinsen te verwelkomen, maar om ze te intimideren. Als ze eenmaal tussen de soldaten reden, was er geen weg terug. Ze konden alleen maar verder rijden. Sébastien reed langs de piekeniers die zich aan de ene kant van de weg hadden opgesteld, terwijl de kamerheer aan de andere kant reed. Sébastien hoorde hun uniformen in de wind wapperen. De belletjes aan hun lansen rinkelden onheilspellend.

Hij keek ernstig toe, toen de prinsen langzaam op hun zwarte paarden over de geplaveide weg kwamen aanrijden. De gezichten van de twee mannen stonden grimmig. Was het inmiddels tot hen doorgedrongen welk lot hen te wachten stond? Prins De Condé kreeg hem in de gaten en ze keken elkaar aan.

Ze droegen elegante kleding en fluwelen jassen en de tuigen van hun paarden waren met edelstenen versierd, maar ze waren alleen en dus kwetsbaar.

Het kon niet anders of ze wisten nu dat ze in de val waren gelokt. De Guises dachten blijkbaar dat niemand hen kon tegenhouden – zelfs de koningin-moeder niet, die in deze kwestie met hen samenspande. Doelbewust steunde ze dikwijls eerst de ene partij, en dan weer de andere partij om een wankel machtsevenwicht in stand te houden, waardoor zij haar positie kon beschermen.

Antoine en Louis reden langs de dubbele rij lansen de poorten van Fontainebleau binnen, waar Sébastien en de kamerheer hen begroetten.

'Hebt u de boodschap van de hertogin ontvangen?' siste Sébastien tussen zijn tanden, terwijl hij strak voor zich uit keek.

De hoeven van de paarden galmden ritmisch op de keien.

'Ja, *mon ami,* we hebben de waarschuwingen ontvangen. Maar laat geen enkele Fransman ooit zeggen dat ik, Condé, mijn koning niet onder ogen durf te zien. Ik zal gaan en hem mijn onschuld bewijzen. Ik heb geen reden om bang te zijn.'

'Ach, *monseigneur* Louis! Zelfs de meest dappere mannen onder ons hebben reden om te vrezen, als de Guises aan het konkelen zijn.'

'We kunnen het bevel van de koning niet naast ons neerleggen,' zei Louis. 'Als we weigeren onze opwachting aan het hof te maken, dan maken we ons schuldig aan verraad. De Guises zouden de jonge koning er in dat geval van overtuigen dat we een nieuwe samenzwering tegen hem aan het beramen zijn en daarom gearresteerd moeten worden, door een heel leger als dit nodig mocht zijn.'

'Dit weten de hertog en de kardinaal natuurlijk ook. Dat is precies hun opzet, zo kan ik u verzekeren.'

'Ja, maar we hadden weinig keus,' zei Condé. 'Geen gehoor geven aan een koninklijk bevel zal worden uitgelegd als rebellie.'

Als de prinsen ooit de illusie hadden dat ze als 'koninklijke neven' zouden worden verwelkomd, dan weten ze nu dat ze beter niet hadden kunnen komen.

Sébastien reed de prinsen vooruit om hun komst aan te kondigen.

Toen hij naar de raadzaal terugkeerde, keken allen hem vol verwachting aan.

Sébastien boog zijn hoofd. 'De Bourbonse prinsen zijn aangekomen. Ze zullen hier over een paar minuten zijn.'

De aanwezigen stelden zich langs de muur op en naast of achter de verhoging waarop de koningin-moeder en koning François zaten.

Sébastien gaf uit zelfbehoud geen uiting aan zijn gevoelens.

Catherine zat op haar troon naast haar zoon François. Wat een schijnvertoning, dacht ze met zowel minachting als medelijden. Zie hoe de hertog hem om zijn vinger heeft gewonden en de kardinaal zelfgenoegzaam naar hem grijnst. Ach, dit zou nooit gebeurd zijn in de dagen dat mijn echtgenoot koning van Frankrijk was! En de Bourbons! Wat een dwazen zijn het om gehoor te geven aan het bevel om zonder gewapende escorte naar Fontainebleau te komen. Als ze geen andere plannen met hen had gehad in haar strijd tegen de Guises, dan had ze hen zeker laten boeten voor deze stommiteit. Helaas had ze hen allebei nog nodig.

De bewerkte deuren van de zaal zwaaiden open en Antoine de Bourbon, koning van Navarre en de oudste prins uit het koninklijke geslacht van de Bourbons, liep haar en koning François tegemoet. Door zijn huwelijk met koningin Jeanne d'Albret was hij koning van Navarre geworden. Hun zoon, Henri de Navarre, had Catherine als huwelijkspartner voor haar dochter Marguerite in gedachten.

Antoine knielde op zijn ene knie voor koning François neer, maar François bleef roerloos zitten, overeenkomstig de instructies van de Guises, en maakte geen enkel verzoenend gebaar. In plaats daarvan gaf hij stilzwijgend aan dat Antoine eerst voor zijn moeder had moeten buigen.

Haar minachting was even groot als haar heimelijke vermaak om de situatie. Een buiging was niet genoeg voor Antoine, hij moest tweemaal buigen, en tegen de etiquette in had hij zich op zijn ene knie neergebogen voor koning François. *Ja, ze kon monsieur Antoine goed gebruiken in haar plan om de macht van de hertog te breken.* Antoine, dat doetje, was zo onderdanig dat hij zijn aanspraken op de troon nooit zou laten gelden. De Guises zouden moeten buigen voor Antoine! Hij leek in de verste verte niet op de trotse markies Fabien! Fabien was eropuit getrokken om tegen de Spanjaarden te strijden, terwijl Antoine zich in het stof neerboog voor de Guises in plaats van te protesteren tegen de wijze waarop ze hem behandelden.

François, die vlak naast haar zat, hield zijn ene oog op de hertog gericht en zijn andere op de kardinaal om te zien wat ze van hem verwachtten.

Ah, François, je zwakte ondermijnt mijn gezag en de reputatie van de Valois.

Vervolgens stapte prins De Condé naar voren. Catherine wist hoe de Guises over hem dachten. Ze waren bang voor Condé. Condé was zich er goed van bewust dat hij een prins van koninklijken bloede was. Hij was koel en arrogant, en negeerde de Guises en hun nichtje Maria, die zoals François volledig naar hun pijpen danste. *Louis heeft een charmante glimlach,* dacht ze.

Aha, dit is de slimste van het stel. Haar hersens werkten koortsachtig. *Te intelligent naar mijn zin om de Guises toe te staan hem te executeren. Als Condé er niet meer is, dan moet ik in*

mijn eentje het hoofd bieden aan de snerende kardinaal en de grim-
mige, fanatieke hertog. Ja, ik weet wat ze van plan zijn. Maar ik heb
ook een plan achter de hand.

Catherine liet haar koude slangenogen over de Guises
glijden. Ze stonden ontspannen tegen het hoge stenen raam
achter hun nichtje Maria geleund. *De spion van de familie!*
Denk maar niet dat ik je vergeten ben. Ik zal je per omgaande terug
naar Schotland sturen, als mijn tijd is gekomen. Waar haar ooms
waren, daar was *petite* Maria, altijd bereid om hen een plezier
te doen en haar man aan te sporen om hun adviezen op te
volgen.

De hertog van Guise zag de koningin-moeder in hun
richting kijken, het afgesproken teken. Ze deed wat van haar
werd verwacht en gaf hen daarmee de indruk dat ze mee-
werkte. Ze ging staan en keek prins Louis de Condé vriendelijk aan, wat haar geen enkele moeite kostte.

'*Monsieur le prince*, wilt u mij volgen. Ik wens u even onder
vier ogen te spreken over een belangrijke aangelegenheid.'

Even gleed er een blik van verbazing over het gezicht van
Condé, maar hij maakte een elegante buiging en volgde haar.
In zijn blik las ze dat hij haar de enige interessante persoon
aan het hof vond. *Aha, zo was hij dus.*

Catherine liep met Condé achter zich aan naar haar pri-
névertrek. Ze glimlachte even in zichzelf en hief haar hand
op naar de paleiswachten die zich in het voorvertrek hadden
verborgen. Zoals gepland, stonden ze klaar om in te grijpen.
Een ogenblik later nodigde ze Condé uit om binnen te komen. Hij keek nieuwsgierig, maar ze zag ook iets van argwaan in zijn blik. Ja, dit was een intelligente man. Ze keerde
hem de rug toe. Ze merkte hoe hij een schichtige beweging
maakte, toen er plotseling vele voetstappen in het vertrek
klonken. De wachten hadden hem omsingeld.

'Majesteit...' zei prins De Condé met nauwelijks verholen
woede in zijn stem.

Catherine zei geen woord. Ze was verbaasd dat ze geen

vreugde beleefde aan deze overwinning. Op de een of andere manier mocht ze deze prins die op haar verbeelding werkte. Ze stond zichzelf zelfs een paar romantische gedachten toe. Ze was echter geen dwaze, dweepzuchtige vrouw; nooit zou ze zich meer onderwerpen aan het gezag van een man. Daarvoor was ze te veel vernederd door haar man, koning Henri, en dat oude kreng, Diane de Poitiers.

De wachters, die onder bevel stonden van de hertog van Guise arresteerden Condé en namen zijn zwaard en dolk in beslag. Terwijl hij op waardige manier protesteerde tegen zijn arrestatie, werd hij naar de onderaardse kerkers geleid.

Antoine moest iets hebben gehoord, want hij verscheen verbijsterd in de deuropening. Ze stond hem koel en afstandelijk te woord.

'Majesteit, ik zal borg staan voor Louis,' schreeuwde Antoine. 'Er is geen reden om hem in de kerker op te sluiten. We zijn uit vrije wil naar Fontainebleau gekomen en uit vrije wil zullen we hier blijven, net zolang totdat we onze naam hebben gezuiverd van de valse beschuldiging dat we de koning verraden hebben.'

Ze zou hem geen antwoord geven, want het was nog te vroeg om haar eigen plannen ten uitvoer te brengen. De hertog van Guise en de kardinaal, die haar privévertrek ook waren binnengekomen, keken triomfantelijk.

Hij staat te grijnzen, omdat hij denkt dat alles volgens plan is verlopen.

Koning François stond met een plechtig gezicht naast de kardinaal. Maar zelfs nu nam de hertog het woord voor hem.

'Uw broer, Louis, staat onder arrest,' zei de hertog op kille toon tegen Antoine. 'Hij was nauw betrokken bij de opstand tegen de koning in Amboise. Hij zal een proces krijgen, en als hij schuldig wordt bevonden, dan zal hij ter dood worden veroordeeld.'

Ja, je ziet hem liever vandaag dan morgen sterven, hè? Zijn executie brengt jou een stap dichter bij de troon.

Antoine werd ook in hechtenis genomen, maar hij had de vrijheid om door de gangen en tuinen te wandelen. Catherine had haar redenen om hem hier in Fontainebleau te houden. Als de hertog van Guise er niet was zou ze Antoine in het geheim opzoeken. Soms verslond een slang zijn plooi niet onmiddellijk, maar hield hem in leven, zolang hij hem nodig had.

Kort nadat prins De Condé was gearresteerd voor hoogverraad, nam Catherine de beslissing om hem op een nacht in het geheim vanuit de gevangenis van Fontainebleau over te brengen naar het veiligere Amboise. De reden was dat ze via haar spion Madalenna had gehoord dat de Guises van plan waren om Condé in de kerker te vermoorden, nog voor zijn proces had plaatsgevonden. Ze wilden niet het risico lopen dat hij zou worden vrijgesproken. Dit was het zoveelste bewijs dat de Guises de Bourbons wilden uitschakelen om hun macht te vergroten. Haar eigen positie kwam hierdoor ook in gevaar. François werd ouder en Maria zou binnenkort meerderjarig worden en als koningin van Frankrijk regeren. Welke rol zou er overblijven voor haar, de koningin-moeder? Maria mocht haar niet. Ze had haar nooit gemogen, zelfs niet toen ze nog een verwend schoolmeisje was aan het hof van Catherines echtgenoot Henri. Maria zou naar de pijpen van de kardinaal dansen. *En mijn zoon François onttrekt zich aan mijn invloed. Elke dag vertrouwt hij me minder, terwijl Maria en haar ooms hem ophitsen tegen mij... ja, ik zie het wel.*

Nee, de *petit galant* prins Louis Condé moest veilig achter slot en grendel blijven, buiten het bereik van huurmoordenaars.

Alleen ik heb het recht om moordaanslagen te beramen voor la gloire de la France!

Catherine zocht hem regelmatig op. Vaak liet ze een kruk-je brengen en ging bij hem zitten. Ze spraken een uur lang over van alles en nog wat. Catherine schiep er behagen in om hem allerlei vage beloftes in het oor te fluisteren.

Op een middag, niet lang na een bezoek aan Condé, had Catherine zich in haar slaapkamer in Fontainebleau terug-getrokken met een stapel brieven die een kamerheer haar op een gouden dienblad was komen brengen.

Terwijl ze genoot van een meloen uit de tuin, een van haar favoriete vruchten, werkte ze snel door haar post heen die afkomstig was van het hof of van veel verder. Toen stuitte ze op een *lettre* van de domme zuster van Sébastien, *comtesse* Françoise Dangeau-Beauvilliers, de liefhebbende moeder van de achterbakse Maurice Beauvilliers.

Wat wilde dit hysterische en opgewonden mens nu weer van haar?

Vol minachting las Catherine de brief. Zoals gewoonlijk maakte de gravin Catherine vele complimenten en smeekte haar vervolgens haar zoon te helpen.

Hoeveel verzoeken om de een of andere gunst had ze in de loop der jaren niet van haar gekregen? De vrouw begon haar de keel uit te hangen met al haar intriges om Maurice aan een invloedrijke positie aan het hof te helpen. Catherine overwoog of ze Maurice tot een hoge post zou bevorderen, zodat ze hem voor haar kar kon spannen. Ze zou hem zon-der problemen kunnen omkopen en hem als een *petit* aapje aan een touw kunnen dresseren. Maar zou Maurice een *bon* huurmoordenaar zijn?

Nee. Maurice had geen zelfdiscipline en zou op de pijn-bank direct bekennen en haar in diskrediet brengen. Ze kon het beste bij haar plan blijven en proberen markies Fabien te gebruiken om de hertog van Guise uit te schakelen. Kon ze hem maar teruglokken naar het hof. Verdraaid! Hij was uit Frankrijk weggegleden voordat ze er erg in had gehad. En waar was hij nu? Hij was bezig Spaanse galjoenen tot zinken te brengen! Ja, ze was ervan op de hoogte. *Misschien kan ik hem mijn 'bescherming' aanbieden tegen de wraak van Spanje in ruil voor zijn medewerking in de executie van die kwal van een Guise.*

In de brief jammerde Françoise over haar arme *petit* Maurice, die smoorverliefd was op de *belle* mademoiselle Rachelle Macquinet. Hij kon zelfs niet meer uit bed komen, zo ziek van verlangen was hij. En ach, haar zoontje wilde niet eten, en geen enkele *chère demoiselle* hier aan het hof of erbuiten, kon zijn diepbedroefde hart troosten. Daarom smeekte ze Hare Majesteit, de *bonne* koningin-moeder, om haar te helpen dit probleem op te lossen.

De gravin had eerst een beroep gedaan op prinses Marguerite om mademoiselle Rachelle naar het hof terug te roepen. De prinses had weliswaar begrip voor de situatie, maar gezegd dat Rachelle bij haar familie in het zijdekasteel was en rouwde om het verlies van haar *grandmère* en *petite* zusje. Maar nu begon prinses Marguerite, zo schreef gravin Françoise, zich zorgen te maken over haar garderobe voor de reis naar Spanje en daarom wilde ze graag dat Rachelle terugkeerde naar het hof. Kon de koningin-moeder graaf Maurice de opdracht geven om mademoiselle Rachelle naar Parijs te brengen?

Er verscheen een harde trek om Catherines mond. Waar haalde deze vrouw de brutaliteit vandaan? Vol verachting schoof ze de brief terzijde.

Toen viel haar oog op de brief waarop ze wachtte, namelijk die van haar persoonlijke spion, monsieur d'Alencome, de Franse ambassadeur aan het hof van de Engelse koningin Elizabeth.

Catherine, die altijd een dolk onder haar kleren droeg om zich tegen een moordaanslag te beschermen, gebruikte het mes met het gouden handvat om het zegel te openen. Ze las het volgende:

303

Majesteit,

naar aanleiding van uw laatste brief kan ik bevestigen dat ik uit betrouwbare bron het een en ander heb vernomen met betrekking tot het onderwerp waarover u informatie wenst te ontvangen. Deze bron, die een vooraanstaande positie aan het Engelse hof bekleedt en een vertrouweling is van de Engelse koningin, heeft mij bevestigd dat de 'Represaille', het schip van de markies van Vendôme, voor anker zal gaan in de haven van Portsmouth om proviand in te slaan alvorens binnen twee weken koers te zetten naar Florida, om precies te zijn, naar Fort Caroline, de door admiraal De Coligny gestichte hugenootse nederzetting. Volgens dezelfde bron zal de markies vanuit Portsmouth naar St. James Palace in Londen reizen samen met een aantal 'watergeuzen' in dienst van de Engelse koningin om daar gehuldigd te worden voor het tot zinken brengen van de galjoenen van de hertog van Alva in de buurt van de Lage Landen.

In afwachting van uw verdere instructies, verblijf ik,

hoogachtend,

uw trouwe dienaar pour la gloire de la France,

Monsieur Ronsard d'Alencome
Ambassadeur van Frankrijk aan het Engelse hof

Catherine trommelde met haar vingers op haar slaap en leunde achterover in haar koninklijke stoel. Haar hersens werkten op volle toeren. Ze was al lang van plan om de markies in te zetten, maar de vrouwen van haar *escadron volant* hadden ernstig gefaald in deze aangelegenheid. Ze had haar geduld verloren met madame Charlotte de Presney en haar bevolen het hof te verlaten, toen ze hoorde dat de markies uit haar netten was ontsnapt en Frankrijk had verlaten. Het laatste wat ze van Charlotte had gehoord was dat ze naar het landgoed van haar man was teruggekeerd en een kind verwachtte.

Ah, maar dan was er ook nog *la belle des belles*, Rachelle Macquinet. Maurice was niet de enige *monsieur* die voor haar schoonheid was gevallen. Catherine had de hartstocht in de ogen van de markies gezien, toen hij de zijdedochter had aangekeken.

Catherine glimlachte, terwijl een listig plan vorm begon aan te nemen in haar geest. Ja, er was een manier om zijn hartstocht voor de zijdedochter tegen hem uit te spelen.

Ze keek naar het officiële schrijven dat de Spaanse ambassadeur, Chantonnay, haar deze morgen demonstratief had overhandigd. Met een voldane blik in zijn donkere ogen had hij haar verteld dat de hertog van Alva onderweg was naar Frankrijk om haar aan de tand te voelen over de entering van zijn galjoenen.

Alva! Die barse legeraanvoerder met zijn ijzeren vuist! Alva zou uiting geven aan zijn woede met een aantal indirecte dreigementen. Ze zou door het stof moeten kruipen voor de hertog en hem verzekeren dat ze de trouwste bondgenoot was van Spanje en zijn wijze en godvruchtige koning Filips. Alva zou op zijn tenen getrapt zijn. Ja, hij zou haar vertellen dat die griezelige, norse koning van Spanje genoodzaakt zou zijn om Frankrijk aan te vallen, de Valoiskoning af te zetten en in zijn plaats een Guise te benoemen, als zij haar zoon niet zou aansporen om krachtdadiger op te treden tegen de ketters in Frankrijk.

Als ik die roekeloze beau *markies niet nodig had, zou ik meteen met hem afrekenen!*

Ze griste de brief van de hertog van Alva van tafel en verfrommelde die. Hij eiste dat haar zoon, de koning, de hertog van Guise opdracht zou geven om de Franse zeelieden die zich hadden aangesloten bij de ketterse kapers van de Engelse koningin zou laten oppakken en terechtstellen. Maar hij wilde dat de markies van Vendôme als gevangene naar Madrid zou worden overgebracht.

Ze liet haar mondhoeken hangen. Ja, daar zou koning Filips hem zonder twijfel gruwelijk aan zijn einde laten komen. Maar dat mocht niet gebeuren; ze had hem eerst nog voor iets anders nodig.

Het zou geen eenvoudige opgave zijn om de kapersavonturen van de markies te negeren. Spanje was bovendien gegriefd dat de hugenootse admiraal De Coligny en koningin Jeanne d'Albret van Navarre, die het opnamen voor de hugenootse burgerij, ook nog steeds vrij rondliepen. Rome wilde dat ze hen zou laten terechtstellen.

Maar het was nog te vroeg om de edele en loyale admiraal aan te pakken. Ze had de hugenoten voorlopig nog even nodig.

Als ze de ketterse hoofden van Coligny en Jeanne op een religieus dienblad aangeboden wilden krijgen, dan moest Filips eerst zijn toestemming geven voor het huwelijk van zijn oudste zoon met haar dochter Marguerite. Dit zou ze de Spaanse gezant als voorwaarde stellen bij haar bezoek aan Spanje volgend jaar.

Het belangrijkste was echter haar positie en die van haar zonen van het huis van Valois zeker te stellen, en dat betekende dat er een einde moest worden gemaakt aan de invloed van de hertog van Guise.

Ze gooide de verfrommelde brief van de hertog van Alva in de open haard. Haar handen jeukten om haar meest gevreesde en gehate vijand te vergiftigen. Maar het was beter een poosje te wachten voordat ze weer vergif zou gebruiken, of niet? Ze moest een bezoek brengen aan de gebroeders Ruggiero in Parijs. Misschien hadden ze wat Cosmo haar al zo lang in het vooruitzicht had gesteld inmiddels in voorraad: een vergif dat geen sporen naliet.

Rusteloos liep ze de kamer op en neer.

Ze had de verschillende stappen van haar plan uitgedacht.

Deze zouden haar dichter bij haar doel brengen. Maar ze moest ze nog in de juiste volgorde plaatsen. Dit vergde veel geduld en tijd, maar ze had het een, noch het ander. Onder de huidige omstandigheden zou het moeilijk zijn om markies Fabien terug te lokken naar het hof. Ze kon hem niet bedreigen. Nog niet.

Een huwelijk.

Plotseling barstte Catherine in lachen uit. Ze legde haar zakdoek over haar mond om het geluid te smoren. Haar schouders schokten.

Françoises brief was zo gek nog niet. Catherine zou haar verzoek om haar zoon Maurice toestemming te geven om met Rachelle te trouwen als middel gebruiken om de markies terug te lokken naar Frankrijk en hem op de knieën te dwingen. Eenmaal in Frankrijk zou ze hem haar bescherming aanbieden op voorwaarde dat hij haar in de kwestie van de hertog van Guise terwille zou zijn. Als iets hem tot gehoorzaamheid zou dwingen, dan was dat de dreiging om Rachelle aan een ander te verliezen. Als dit niet werkte, dan kon ze altijd nog dreigen met een arrestatie wegens ketterij en de brandstapel. Ja, dit was een geniaal plan, *bien sûr*! Waarom had ze hier niet eerder aan gedacht?

Catherine liep snel naar haar studeerkamer en doopte haar vergulde ganzenveer in de inkt.

Eerst schreef ze een brief aan Rachelle. Ze moest onmiddellijk naar het hof komen, al haar naaispullen meenemen en aan Marguerites garderobe voor het bezoek aan Spanje beginnen. De *neveu* van Sébastien, graaf Maurice Beauvilliers, zou Catherine de opdracht geven om haar naar Fontainebleau te escorteren.

Ze zou Rachelle nog niet over een huwelijk met Maurice vertellen. Haar familie zou in alle staten zijn. Ze kon hen natuurlijk zeggen dat de koning de bevoegdheid had om een huwelijk voor Rachelle te arrangeren en dat niemand het recht had zich hiermee te bemoeien. Maar waarom zou ze de situatie onnodig ingewikkcld maken? Het was voorlopig voldoende dat markies Fabien en graaf Maurice op de hoogte waren van haar plannen.

Vervolgens gaf ze graaf Sébastien schriftelijk opdracht om erop toe te zien dat haar wensen inzake Rachelle onverwijld ten uitvoer werden gebracht. Toen schreef ze haar laatste brief, bestemd voor Marguerite:

Dochter, naar ik heb vernomen wil je graag dat de Macquinet-couturière, Rachelle, aan je garderobe gaat beginnen met het oog op ons bezoek aan Spanje. Ik heb een bericht naar graaf Sébastien gestuurd met het verzoek om Rachelles reis van Lyon naar Fontainebleau via zijn neef Maurice te regelen.

Catherine sloeg op haar gong. Vrijwel onmiddellijk verscheen Madalenna.

'Zorg ervoor dat deze brieven *toute de suite* worden weggebracht.'

'*Oui, madame.*'

Nadat Madalenna was vertrokken, doopte Catherine opnieuw haar ganzenveer in de inktpot en schreef een brief aan een van haar andere dochters, Elizabeth, de koningin van Spanje, om haar te informeren dat zij en haar zuster Marguerite van plan waren haar een bezoek te brengen in Spanje.

Breng mijn honorés *groeten over aan mijn godvruchtige schoonzoon, Zijne Majesteit, koning Filips van Spanje,* sloot ze de brief af. Om haar lippen zweefde een boosaardige glimlach. *Die gulzige slang,* dacht ze.

Ik zou graag de uitdrukking op het gezicht van de knappe markies willen zien, als hij hoort dat de Macquinet belle des belles *zal worden uitgehuwelijkt aan graaf Maurice Beauvilliers.*

16

Het zijdekasteel, Lyon

Rachelle snoof de zoete geur van zomerbloemen op, terwijl ze door de *mûreraies* naar de zijderupskwekerijen liep. De roodborstjes zongen in de kastanjebomen langs het lemen pad waarover Rachelle liep. Haar elegante lichtblauwe linnen japon bolde op in de zwoele middagbries.

Op de ladders waren arbeiders aan het werk. Mannen, vrouwen en meisjes trokken bladeren van de witte moerbeibomen en legden ze in brede, fijngevlochten manden. Deze werden naar de werkplaats gebracht waar andere werkers de bladeren fijnhakten om ze vervolgens aan de zijderupsen te voeren.

Toen ze in de buurt van de schuur kwam, zag ze Arnaut met madame Claire bij de kassen staan, waar 'zijderupsmoeders' de fijngehakte bladeren aan de larven voerden. Er bevonden zich duizenden pastelkleurige zijderupscocons in kleine vierkante bakken die in houten stellages waren geplaatst.

De meeste larven kregen niet de kans om zich te verpoppen, omdat ze de cocon zouden beschadigen, waaruit de zijde zou worden gesponnen. De cocons werden in heet water geweekt, waarbij een kleverige substantie vrijkwam met de naam sericine of zijdelijm, of ze werden geroosterd en daarna te drogen gelegd. Andere werkers waren bezig de cocons af te wikkelen, een werkje dat grote precisie vergde. De draden van de cocons waren zo ragfijn dat er twaalf cocons voor nodig waren om één zijden draad te spinnen. De draden werden op speciale klossen gewonden en naar de hutten van de zijdewevers gebracht waar ze met speciale weefgetouwen tot allerlei soorten zijde werden geweven. Het verven van de zijde was een kunst op zich.

Terwijl Rachelle naar de *calèche* liep waarin haar moeder had plaatsgenomen, zag ze dat haar ouders druk in gesprek waren.

'Het is geen eenvoudige operatie, want het schip moet op het juiste tijdstip uitvaren, precies op het moment dat de eitjes worden uitgebroed. Als ze uitkomen, voordat we Canterbury bereiken, dan zullen de rupsen zonder de juiste voeding sterven. Vervolgens moeten ze met paard en wagen naar Spitalfields in Londen worden vervoerd. Hudson heeft me verzekerd dat er land buiten Londen te koop is, uitermate geschikt voor de zijdeteelt.'

Claire fronste haar wenkbrauwen. 'Het zal moeilijk worden. Deze onderneming zal al met al enkele maanden in beslag nemen, en Idelette... ik kan haar toch niet zo lang alleen laten.'

'Idelette heeft ons verzekerd dat ze zich sterk genoeg voelt voor de reis. Veel vrouwen hebben een dergelijke reis ondernomen, terwijl ze *enceinte* waren.'

Rachelle had het gesprek al vele malen eerder gehoord. Ze wist dat haar *père* overwoog om een lading moerbeiboomstekken, zijderupsen en eitjes naar Londen te transporteren. Ook hij begon zich grote zorgen te maken over de steeds hevigere vervolgingen in Frankrijk en voelde de noodzaak om samen met neef Bernard zijn netwerk in Spitalfields uit te bouwen.

'We kunnen het zijdekasteel niet naar Engeland transporteren,' zei Claire moedeloos. 'We weten zelfs niet of de jonge aanplant en de zijderupsen in het Engelse klimaat zullen gedijen.'

'Daar maak ik me nog de meeste zorgen over.' Hij liet zijn blik peinzend over zijn dierbare landgoed gaan en Rachelle voelde een steek in haar hart, toen ze de droefheid in zijn ogen zag.

'Als we ooit gedwongen worden om Lyon te verlaten...'

'Het zal nooit meer hetzelfde zijn, Arnaut. Het zijdekasteel is al zolang met onze familie verweven.'

'Dat ben ik met je eens, maar we moeten op het ergste voorbereid zijn, Claire. Er kan een dag komen dat we gedwongen zullen zijn om ons elders te vestigen, tenminste voor een tijd,' zei hij, toen hij zag hoe verdrietig ze achterom keek naar het witte *château*.

'We zijn hier allemaal geboren,' zei ze, 'en ik vind het een onverdraaglijk idee om alles zomaar achter te laten behalve wat stekken en zijderupsen.'

'Misschien zal het zo'n vaart niet lopen, *mon amour*. Het is een voorzorgsmaatregel. Na wat er met Avril en Idelette is gebeurd, en later met Sébastien... het zou zeer onverstandig van me zijn om Bernards advies om een stuk grond in Engeland te kopen in de wind te slaan.'

'Wat denkt Bernard van het klimaat in Engeland?' vroeg Claire met twijfel in haar stem. 'Is het niet mistig en koud?'

'In Spitalfields is een kleine, maar groeiende gemeenschap van zijdewevers, maar Engeland heeft veel agrarische gebieden waar onze moerbeibomen misschien gedijen. We moeten het proberen.'

Rachelle hield zich op de achtergrond. Arnaut moest zich wel grote zorgen over de toekomst maken als hij overwoog om een plantage met moerbeibomen in Engeland aan te leggen. Welke gevolgen zou dit voor de familie hebben?

'Bernard heeft me ook verteld over de nederzetting van admiraal De Coligny in Florida,' zei Arnaut bedachtzaam. 'Het klimaat daar is *bon*, dat is zeker. Maar de reis ernaartoe zal een enorme onderneming zijn, en het is allerminst zeker of we erin slagen. Als ik de overtocht zou wagen, zou ik meer dan een jaar weg zijn.'

'Hoe zou je de zijderupsen in leven houden?'

Arnaut zuchtte en schudde zijn hoofd. 'Het is niet onmogelijk, maar het zal heel lastig zijn.'

De naam Florida wekte Rachelles interesse. 'Admiraal De Coligny heeft geprobeerd om verschillende nederzettingen op het Amerikaanse continent te vestigen. De markies heeft er hier op het zijdekasteel met Bernard over gesproken.'

Rachelle merkte dat haar vader haar met grote belangstelling aankeek.

Op quasionverschillige toon ging ze verder: 'Ik geloof dat er ook een hugenootse kolonie is gesticht in het Caraïbische gebied of West-Indië.'

'Het klimaat is uitstekend in die gebieden, heb ik gehoord. Vorst of sneeuw komen er niet voor.' Hij verzonk in een diep gepeins en staarde in de verte alsof hij die verre gebieden al kon zien liggen.

Haar moeder leek slecht op haar gemak. 'Maar het is zo ver weg, Arnaut,' zei ze op gekwelde toon. 'Het is aan de andere kant van de wereld, of niet soms?'

Arnaut glimlachte teder naar haar. 'Engeland is dichterbij, en hun koningin ontvangt de hugenoten met open armen.'

Ineens begon Claire te lachen en legde haar hand tegen de zijkant van Arnauts knappe gezicht. Hun ogen zochten elkaar en Rachelle keek glimlachend toe. *Ze zijn nog steeds verliefd op elkaar; zo'n huwelijk wil ik ook.*

'Het weer is *bon* in Florida,' herhaalde Arnaut. Zijn blik gleed naar Rachelle.

'De markies kwam me als een nogal avontuurlijk ingesteld iemand over, toen ik hem kort in Calais ontmoette. Heeft hij Bernard niet verteld dat hij van plan was naar Florida te varen?'

'Ik geloof dat hij dit inderdaad van plan was,' zei ze, terwijl ze zich schaamde voor de hete blos op haar wangen. 'Hij heeft me ooit verteld dat hij geld had geschonken aan de nederzetting van admiraal De Coligny in dat gebied.'

'Ja, Fort Caroline,' zei hij, terwijl hij haar aandachtig aankeek.

'Hij zal er met een schip vol goederen naartoe varen.'

'Maar nu is hij samen met een aantal watergeuzen die trouw hebben gezworen aan de Engelse koningin uitgevaren om tegen Spanje te vechten,' zei Arnaut.

Rachelle merkte op dat dit een feitelijke constatering was. De stem van haar vader had niet afkeurend geklonken.

Ze zweeg. Hij had dus zowel met haar *père* als Bernard over zijn plannen gesproken.

'Een zeer riskante onderneming,' zei Claire met gefronste wenkbrauwen. 'Heeft hij zijn eigen schip?'

Arnaut was Rachelle voor. 'Inderdaad. Een prachtig schip; ik heb het in de haven van Calais zien liggen. *Represaille* is de naam, geloof ik.'

'Ik denk niet dat de markies gauw naar Frankrijk zal terugkomen,' zei Claire. 'Waarschijnlijk zal hij als kaperkapitein in dienst treden van de Engelse koningin. Misschien heeft hij Frankrijk voorgoed verlaten.'

Rachelle perste haar lippen stijf op elkaar en zweeg. Ze wist dat haar *père* haar reactie observeerde.

'Eens zal hij weer moeten terugkeren, Claire. Hij is een telg uit het koninklijke geslacht van de Bourbons met een markizaat in Vendôme. Hij moet zijn verplichtingen aan zijn pachters nakomen.' Hij wreef over zijn kin en fronste zijn wenkbrauwen. 'Sébastien heeft me kort geleden iets over Florida geschreven... het is me even ontgaan, maar ik zal zijn brief er opnieuw op naslaan.'

Rachelles nieuwsgierigheid was gewekt. Wat had hij over Florida te zeggen?

Arnaut keek Claire aan. 'Heb ik je verteld dat Bernard zich aan boord van het schip van de markies bevindt?'

De monden van zowel Claire als Rachelle vielen open van verbazing. 'Bernard?' zei Claire. 'Maar is de markies niet met een aantal kapers uitgevaren om aanvallen uit te voeren op Spaanse oorlogsgaljoenen?'

Arnaut grinnikte. 'Ja, en hij is erin geslaagd ze tot zinken te brengen, schreef Sébastien me. Spanje heeft een officiële klacht ingediend bij de koning en de koningin-moeder.'

'De markies speelt met vuur,' zei Claire. 'En als Bernard zich inderdaad aan boord van zijn schip bevindt, dan is hij medeplichtig.'

'Dat is mogelijk,' zei Arnaut bedachtzaam. 'Hij heeft er echter bewust voor gekozen om op de *Represaille* mee te varen.'

'En de bijbels?' zei Claire met opgetrokken wenkbrauwen.

'Die zullen in Portsmouth worden uitgeladen. Dat heeft de markies hem beloofd. Bernard zal ons heel wat boeiende verhalen te vertellen hebben, als we hem in Londen zien.'

Fabien had Bernard dus alsnog geholpen met de verscheping van de bijbels naar Engeland.

Terwijl ze samen met haar ouders in de *calèche* terugreed naar het zijdekasteel voor het avondeten, bleef Rachelle denken aan neef Bernard aan boord van Fabiens piratenschip.

Ze had het vermoeden dat Bernard het niet alleen als zijn plicht zag om de bijbels veilig in Engeland af te leveren, maar ook om zich om het geestelijk heil van Fabien te bekommeren. Misschien had hij besloten dat deze tweede missie even belangrijk was als de eerste.

Rachelles hoop groeide. Als Fabiens welzijn zo belangrijk voor Bernard was dat hij bereid was om deel te nemen aan een expeditie tegen Spanje, betekende dit wellicht dat hij wist dat ze van de markies hield. In dat geval zou hij haar misschien willen helpen en een goed woord voor hen willen doen bij haar ouders.

In de daaropvolgende dagen en weken deed Arnaut koortsachtig onderzoek naar de wijze waarop hij moerbeiboomstekken, larven en eitjes naar Engeland kon transporteren. Hij werkte tot laat in de avond en reisde enkele malen naar Parijs en Fontainebleau om deze zaken in het geheim met Sébastien te bespreken. Sébastien was zeer geïnteresseerd in dit project en via zijn contacten aan het hof en de universiteit zorgde hij ervoor dat Arnaut zijn plannen aan diverse mensen kon voorleggen. Telkens als Arnaut na een dergelijk bezoek terugkeerde naar het zijdekasteel, leek hij meer vertrouwen te hebben in de onderneming. Vol spanning wachtte hij op nieuws van neef Bernard over een stuk grond op een zonnige locatie in de buurt van Spitalfields.

Na een van zijn bijeenkomsten met Sébastien en een groep gelijkgezinde *messieurs* in Fontainebleau, hoorde Rachelle haar vader tegen Claire zeggen dat er donkere tijden voor de hugenoten in Frankrijk zouden aanbreken. Hij vertelde haar wat Sébastien aan het hof had gehoord. Het colloquium dat in de herfst in Fontainebleau zou plaatsvinden was nog hun enige hoop.

Een paar dagen later hoorde Rachelle, toen ze de trap af liep, haar ouders in de *grande salle* van het zijdekasteel op bezorgde toon met elkaar spreken. Ze gaven uiting aan hun vrees dat er opnieuw een godsdienstoorlog in Frankrijk zou uitbreken die van de kant van de hugenoten zou worden geleid door de landadel en boeren die steeds heviger vervolgd werden voor het belijden van hun godsdienst.

Arnaut zei tegen Claire dat hij zijn reis naar Londen niet langer kon uitstellen. Hij wilde een stuk land in de buurt van Londen gaan bekijken en aan de voorbereidingen beginnen voor de opzet van een zijdeplantage ter plaatse.

'Bernard moet inmiddels in Engeland zijn aangekomen.'

Ze hadden het er ook over hoe de familie Hudson hen kon helpen bij de aankoop van een stuk grond dat geschikt was voor de zijdecultuur.

Het was niet de bedoeling van Rachelle geweest om haar ouders af te luisteren, maar toen ze het atelier binnenliep en aan een jurk begon te werken, zetten haar ouders het gesprek voort in een aangrenzend vertrek zonder de deur te sluiten.

Claire leek niet erg enthousiast over het plan. Ze besefte echter dat er weinig anders opzat en stemde daarom met de beslissing van haar man in.

Arnaut ging op ernstige toon verder: 'Lady Hudson wil jou en onze dochters heel graag ontmoeten. Ze was verrukt over de japon die Rachelle en Idelette voor de Engelse koningin hebben gemaakt. Sir James heeft nog geen gelegenheid gehad om de japon aan de koningin aan te bieden, maar dit zal ongetwijfeld binnen afzienbare tijd gebeuren.'

'En Idelette? Ik kan haar niet alleen laten, terwijl ze in december de baby al verwacht. En we kunnen Rachelle niet met de verantwoordelijkheid voor het hele kasteel opzadelen.'

'Waarom kunnen ze niet met ons meegaan naar Engeland?'

'Idelette wil voor geen prijs dat James Hudson haar in deze toestand ziet, Arnaut. Ze kan haar zwangerschap niet veel langer meer verbergen. Ze schaamt zich diep.'

'Ja, dat begrijp ik. In dat geval kunnen we haar beter achterlaten bij Madeleine en Sébastien. Voor de geboorte van het kind zullen we weer terug zijn in Frankrijk. Ze is in goede handen bij haar zuster en zwager. Madeleine zal zich liefdevol over haar ontfermen.'

'Ik geef toe dat een bezoek aan Madeleine Idelette goed zal doen en ik wil niet dat ze het contact verliest met die jonge *monsieur*, Andelot. Het is zo'n fijne jongeman en het schijnt dat hij zich zeer voor de reformatie is gaan interesseren.'

Bij het horen van de naam van Andelot Dangeau spitste Rachelle haar oren. Dit was niet de eerste keer dat Claire openlijk verklaarde hoe graag ze Andelot mocht. Toen hij nog heel jong was, had ze al een zwak voor hem gehad, maar zijn godsdienst was altijd een hindernis geweest. Kort geleden had hij een brief aan Arnaut geschreven waarin hij aangaf meer te willen weten over Genève en had gevraagd of hij de Institutie van Calvijn van hem mocht lenen. Dit werk was in eerste instantie voor koning François I geschreven om de reformatie te verdedigen. Later had Calvijn zijn verdedigingsrede uitgewerkt tot een dogmatische en theologische verhandeling en Andelot had geschreven dat hij meer over de reformatie wilde weten, nadat hij een Franse bijbel in het bos van Fontainebleau had gevonden.

De familie had enthousiast gereageerd op het nieuws van Andelots geestelijke verlichting. Rachelle was blij voor hem geweest, omdat ze Andelot als een broer zag. Maar voor Claire was hij plotseling ook interessant geworden als een mogelijke huwelijkspartner voor een van haar dochters en ze leek vooral aan Idelette te denken. Idelette wist hier niets van, maar Rachelle voelde aan dat ze dit voorstel onmiddellijk van de hand zou wijzen.

'Ik zal Madeleine en Sébastien een brief schrijven over Idelette,' zei Claire tegen Arnaut. 'Maar ik denk dat Rachelle met ons mee moet gaan naar Engeland. Ze wilde dit al voordat ze aan de japon van de Engelse koningin begon en ik denk dat het geen slecht idee zou zijn als ze James Hudson wat beter zou leren kennen. Hij is van hetzelfde geloof als wij en bovendien een couturier. Nu onze families nauwer gaan samenwerken is er geen geschiktere huwelijkskandidaat voor Rachelle dan James Hudson.'

'Ik heb een groot respect voor James. En ik denk dat hij een oogje op Rachelle heeft. Maar de markies dan? We weten allebei, Claire, dat ze verliefd op hem is. Ik heb het vanaf het eerste moment in Calais gezien.'

'Maar Arnaut, hij is een Bourbon en een markies. Hij is van haar gecharmeerd, dat heb ik gemerkt toen hij ons op het zijdekasteel kwam bezoeken. Maar hij kan niet met haar trouwen. De Bourbons zullen er ongetwijfeld op staan dat hij met een prinses trouwt. Ik heb geen enkele illusie dat deze romance op een huwelijk kan uitlopen. Hoe langer hun relatie blijft voortduren, hoe meer Rachelle eronder zal lijden. En bovendien is hij katholiek.'

'Misschien is dat zo, Claire, maar zijn expedities tegen Spanje en zijn steun aan admiraal De Coligny suggereren iets heel anders. Ik ben het echter met je eens dat James Hudson, vanwege de hoge positie van de markies, een veel geschiktere huwelijkskandidaat voor Rachelle is.'

'Vanavond zal ik onze dochters inlichten over onze plannen.'

Rachelles hart ging zo tekeer dat ze moest gaan zitten. Ze klemde haar schaar beet en werd door wanhoop overvallen. James Hudson! Ze had niets tegen deze sympathieke jongeman, ja, ze had van zijn gezelschap genoten.

Maar ze wilde alleen met de markies trouwen. Alle andere mannen lieten haar koud. Als hij niet de mijne kan zijn, dan zal ik nooit trouwen.

Waar was hij nu? Zou ze hem ooit nog terugzien?

Als ik me niet zo dwaas had gedragen, als ik me niet aan zijn voeten had geworpen en hem had gesmeekt om me eeuwig trouw te beloven; als ik hem had laten gaan, en als zijn liefde voor mij oprecht was geweest, zou hij dan naar me zijn teruggekomen? Ze dacht aan hun laatste ontmoeting in Calais – haar ogen werden vochtig en haar hart was ziek van liefde toen ze de zoete geur van de jasmijn rook die via het open raam naar binnen zweefde. Ze herinnerde zich hoe ze elkaar bijna hadden gekust en hoe haar hart sneller klopte, toen hij haar aanraakte. Nu – was hij haar ontglipt, net als al het andere.

O, waar is mijn vertrouwen in God gebleven, in Zijn voorzienigheid, Zijn zorg voor mij, voor al Zijn kinderen, en dus ook voor Fabien, want zijn geloof in Christus is even sterk als het onze.

De bladeren van de moerbeibomen ritselden in de wind, als een orkest dat wacht op de aanwijzing van de dirigent. Ze leunde met haar hoofd tegen het raamkozijn en keek naar de kleurige boogvormige bloemperkjes in de tuin. Ze bad en vroeg God haar vertrouwen te schenken in Zijn leiding.

Ze bad voor Fabien. Hij moest terugkomen. Ze kon de gedachte niet verdragen dat hij nooit meer zou terugkomen!

17

Fontainebleau

In de antichambre van oom Sébastiens appartement in het paleis van Fontainebleau was Andelot bezig met het bereiden van de geneeskrachtige kruiden die de dokter Sébastien had voorgeschreven voor zijn zwakke gezondheid. Sébastien, die eens het toonbeeld van gezondheid was geweest, leed sinds zijn verblijf in de Bastille aan zware hoofdpijnen en andere kwalen in heel zijn lichaam. *Het is schande wat ze hem uit naam van hun godsdienst hebben aangedaan,* dacht hij vol afkeer.

Terwijl Andelot de kruiden afwoog en met elkaar vermengde, ging de deur open en zag hij het hoofd van een wachter om de hoek verschijnen. Andelot zag dat het de jonge ridder was die in dienst was van graaf Maurice Beauvilliers. Toen de wachter zich ervan verzekerd had dat de kust veilig was, deed hij een stap naar achteren om de graaf binnen te laten en sloot de deur achter hem.

Andelot had ontdekt dat Françoise, de moeder van Maurice en zuster van Sébastien, Maurice had aangespoord om vaker met markies Fabien op te trekken, die aangetrouwde familie van hem was, omdat zowel Maurice als Françoise hier hun voordeel mee konden doen.

Maurice was echter zo jaloers op de markies dat ze nooit echte vrienden waren geworden. In Amboise had het er een seizoen lang op geleken dat er een soort *camaraderie* tussen Maurice en de markies was gegroeid, maar Maurice' groeiende interesse in Rachelle had deze in de kiem gesmoord.

Andelot had een van de jongere hofdames van Madeleine horen zeggen dat Maurice de wimpers van een struisvogel had. Telkens wanneer Andelot naar Maurice keek, viel hem nu diens lange, gekrulde wimpers op en moest hij de andere kant uitkijken om niet in lachen uit te barsten. Maurice zou het hem niet in dank afnemen als hij wist dat Andelot hem *très amusant* vond.

'*Bonjour, cousin,*' zei Andelot, met een knipoog naar de familierelatie tussen hen beiden.

Maurice maakte zijn superieure positie duidelijk door zijn slanke, met edelstenen bedekte hand nonchalant naar zijn baret te brengen.

'*Bonjour, Andelot.* Is mijn *oncle* nog wakker?'

'*Oui,* ik ga hem zo dadelijk zijn medicijnen brengen. Daarna zal hij naar bed gaan.'

Maurice streek het roze kant aan zijn mouw glad. 'Ik wens hem te spreken. Heb je het niet gehoord? Onze Antoine de Bourbon lijkt zich te ontpoppen als bondgenoot van de kardinaal van Lorraine en de koning van Spanje.'

Andelot wist dat de ster van Antoine, de koning van Navarre, rijzende was aan het hof doordat hij met de vijand collaboreerde, terwijl zijn broer, prins De Condé, in afwachting van zijn proces voor hoogverraad in de kerker van Amboise zat opgesloten. Antoine werd regelmatig in het gezelschap van de hertog en de kardinaal gezien, en sinds kort ook in dat van de ambassadeur van Spanje. Er werd zelfs gefluisterd dat Antoine op het punt stond zijn protestantse geloof af te zweren en de mis bij te wonen.

'Is prins Antoine door de mand gevallen als *échangeur*?' vroeg Andelot. 'Gisteren een hugenoot, vandaag een katholiek, en morgen, wie weet?'

'Ha, je weet dus hoe de hugenoten in Navarre hem noemen: *l'Echangeur*. Hij schijnt zich er erg over op te winden.'

'Hij zou zich schuldig moeten voelen in plaats van zich eraan te ergeren.'

'Hij hinkt nog steeds op twee gedachten,' zei Maurice op cynische en tegelijkertijd geamuseerde toon. 'Ik ben ervan overtuigd dat hij uiteindelijk de kant van Rome zal kiezen, nu *la belle* Rouet hem probeert over te halen om met de Guises samen te werken.'

La belle Rouet, zoals ze werd genoemd, was het belangrijkste lid van het *escadron volant* van de koningin-moeder. Sébastien had erop gezinspeeld dat Catherine haar als lokaas had gebruikt om Antoine tot samenwerking te dwingen.

Andelot had medelijden met Antoines hugenootse vrouw Jeanne, de goede en gerespecteerde koningin van Navarre, die volledig achter de hugenootse zaak bleef staan. Het overspel van haar man zou haar diep kwetsen en was een zware slag voor de reformatie in Frankrijk.

'Als prins Antoine het ene religieuze gewaad heeft bezoedeld en ingewisseld voor een ander, dan is dit een schande voor zowel katholieken als protestanten,' zei Andelot, geïrriteerd door Maurice' geamuseerde glimlach. 'Als je geloof oprecht is, *monseigneur* Maurice, zul je het niet als de dode huid van een slang van je afschudden om koningen en *belles dames* te behagen.'

'Val me niet lastig met godsdienstige zaken, Andelot, want ik vind het gekissebis tussen katholieken en protestanten maar smakeloos. En jij,' ging Maurice verder, 'begint steeds meer als een ketter te klinken. Ik raad je dringend aan op je tellen te passen. Je bezighouden met ketterse praktijken onder de neus van de kardinaal – zoals het lezen van een Franse Bijbel – is spelen met vuur.' Met een verachtelijk gebaar veegde hij een pluisje van zijn jas van zwart en rood brokaat.

Andelot keek hem steels aan, terwijl hij de kruiden in de beker van Sébastien vermengde. *Wat stak achter deze opmerking? Hij kon toch onmogelijk weten dat hij een Franse bijbel tussen zijn spullen had verborgen?* Hij had nog geen gelegenheid gehad om het boek aan de hugenootse dominee terug te geven. Of was het misschien omdat hij er diep in zijn hart eigenlijk geen afstand van wilde doen? Hij hield zichzelf voor dat hij het boek ooit aan zijn rechtmatige eigenaar zou terugbezorgen.

Met een geamuseerde trek om zijn mond sloeg Maurice hem gade. 'Je bent dus nog steeds de dienaar van *mon oncle* Sébastien, zie ik? Ik benijd je niet, Andelot. Hij kan af en toe behoorlijk veeleisend zijn.'

'Daar heb ik tot nu toe niets van gemerkt.'

'Andelot, de loyale page,' zei hij smalend.

Andelot imiteerde zijn spottende toon. 'Dat hoop ik, *messire*, net zoals ik ook een loyale *cousin* van u ben. Graaf Sébastien heeft veel voor me gedaan aan het hof. Ik doe niets liever dan studeren onder begeleiding van een geleerde als Thauvet.'

Maurice wuifde met zijn hand om aan te geven dat hij genoeg had van het gesprek. 'Kondig me bij *mon oncle* aan alsjeblieft.'

'Zo laat nog? Zoals je weet, is het een lange dag geweest voor onze zwakke oom...'

Maurice strekte zijn lange vingers uit. 'Ik heb een zeer belangrijke brief voor hem bij me. Hij moet hem beslist van-avond nog lezen.'

Andelot zag een zelfvoldane blik in zijn ogen. Er wachtte Sébastien een verrassing, en omdat hij van Maurice afkom-stig was, was het hoogstwaarschijnlijk een onaangename ver-rassing.

'Zal ik je mijn geheim verklappen?' Maurice hield zijn hoofd met de donkere, golvende lokken een beetje schuin en glimlachte.

Als hij uiting gaf aan zijn nieuwsgierigheid, zou Maurice het nieuws expres verzwijgen.

Andelot tuitte zijn lippen. 'Ik weet zeker dat mijn neef zijn geheim niet zal verklappen, tenzij hij dit perse wil.'

Maurice' mysterieuze glimlach werd breder. 'Mijn brief,' zei hij plechtig, 'is afkomstig van prinses Marguerite Valois – ze wil dat mademoiselle Rachelle Macquinet met grote spoed naar het hof terugkeert, want de prinses wenst een nieuwe garderobe voor haar en haar moeder in verband met hun bezoek aan Spanje.'

Maurice had het dus op de een of andere manier voor elkaar gekregen dat Rachelle naar het hof zou worden teruggeroepen. Dit nieuws stelde Andelot allerminst gerust. Waarom wilde Maurice haar uitgerekend naar het hol van de leeuw brengen na de aanval op de hugenootse gemeente in Lyon, het verdachte overlijden van haar Grandmère en de vreemde ziekte van Madeleine?

'Je ziet eruit als een oude houthakker die over een houtblok staat gebogen, Andelot.' Maurice grijnsde zelfvoldaan en zwaaide triomfantelijk met zijn handen. 'Wacht maar af. Genoeg nu, kondig me aan bij mijn oom. Zoals ik je al heb gezegd, heb ik een belangrijke boodschap voor hem.'

Andelot slikte zijn gekrenkte trots in en boog zijn hoofd. Toen liep hij Sébastiens appartement binnen.

Sébastien was alleen naar Fontainebleau gekomen. Hij had erop gestaan dat Madeleine en *petite* Jeanne in Parijs zouden blijven, tenzij Madeleine zou besluiten naar het zijdekasteel te gaan. Hoewel Sébastien geen woord had gezegd, geloofde Andelot dat Sébastien Madeleine uit de buurt van de koningin-moeder wilde houden. Elke keer als zij met een vreemde glimlach naar hen informeerde, zag hij Sébastien verstijven. Andelot huiverde. Soms had hij de indruk dat de koningin-moeder een kat-en-muisspel met Sébastien speelde. Andelot vroeg zich af waarom. Ooit had hij bij haar in de gunst gestaan en zelfs na Amboise en de Bastille had ze hem opnieuw benoemd tot haar persoonlijke raadgever.

Andelot kende Sébastien goed genoeg om te weten dat deze vermoedde wat de koningin-moeder zijn vrouw en Grandmère had aangedaan. Andelot had het onderwerp proberen aan te snijden, maar Sébastien had het gesprek direct afgekapt. Zelfs met hertogin Dushane die erover was begonnen, toen Andelot en Sébastien in Fontainebleau waren aangekomen, wenste hij niet over deze kwestie te spreken.

Sébastien had bij voorbaat de mogelijkheid uitgesloten dat

er vergif in het spel was geweest, maar Andelot wist zeker dat hij dit uit zelfbehoud deed.

Zou de zaak in de doofpot blijven, als Rachelle naar het hof kwam? Hij dacht van niet. Dit was een van de redenen waarom Andelot zich zorgen maakte. Maurice had zelfvoldaan geglimlacht. Voor Andelot was dit een teken dat aan Maurice' wens om haar naar het hof te halen weldra gehoor zou worden gegeven.

Mismoedig opende Andelot de deur naar het blauwe en goudkleurige appartement van zijn oom met de Italiaanse wandtapijten en de met brokaat overtrokken, donkerbruine, bewerkte stoelen.

Sébastien stond met zijn handen op zijn rug voor de haard. Hij staarde naar de gloeiende houtblokken die een warme en aangename geur van dennenhout verspreidden. Andelot zag zijn gebogen rug en had er een hekel aan hem lastig te vallen, vooral op dit uur van de dag. Normaal gesproken zou hij zijn kruidenthee drinken en vroeg naar bed gaan. Hij verdiende een goede nachtrust, want de dag van morgen zou hem genoeg zorgen brengen. Om zijn aandacht te trekken schraapte Andelot beleefd zijn keel. Dit was het afgesproken teken voor hen geworden, als Andelot hem in zijn overpeinzingen moest storen.

Sébastien tilde zijn donkere, grijzende hoofd op en keek hem vragend aan.

Andelot had geleerd om zo neutraal mogelijk te kijken, alsof hij geen eigen mening had, maar het gaf hem grote voldoening als hij Sébastiens gezicht zag oplichten bij het zien van zijn neef. Andelot was vaderloos opgegroeid en was daarom zeer gesteld op zijn *oncle*. Eerst had hij gehoopt dat er een band zou groeien tussen hem en de kardinaal van Lorraine en de hertog van Guise, maar al snel was hij erachter gekomen dat hij die hoop wel kon vergeten. In eerste instantie was hij teleurgesteld geweest, maar de laatste tijd eerder opgelucht. Hij zou zijn nieuwe interesse in de reformatie nooit kunnen ontwikkelen, als hij de hete adem van de kardinaal constant in zijn nek voelde. Andelot begon de leiding van God in zijn leven te zien.

Niet dat Sébastien demonstratief was in het uiten van zijn genegenheid. Sébastien was vriendelijk, maar correct. Andelot wist dat zijn oom hem werkelijk mocht.

'*Monseigneur,*' zei Andelot zachtjes en hij boog zijn hoofd, zoals de etiquette vereiste, want zelfs binnen één familie werden de leden met een adellijke titel met respect behandeld. Het gaf Andelot voldoening om Sébastien en markies Fabien respectvol te behandelen, maar hij kon het niet uitstaan om voor graaf Maurice te moeten buigen.

'Ja, Andelot? Heb je dat vieze kruidendrankje voor me bereid?'

Andelot glimlachte. 'Helaas wel, maar misschien wilt u er nog even mee wachten. De zoon van uw zuster is hier. Graaf Maurice Beauvilliers wil u zeer dringend spreken over een brief van prinses Marguerite Valois.'

Bij het horen van de naam van de flamboyante prinses kreunde Sébastien. 'Wat nu weer? Meer problemen, daar ben ik zeker van. Over problemen gesproken – ik zat net aan die schurk van een neef van mij te denken en kijk eens welke plaaggeest er opduikt?' Hij keek Andelot geamuseerd aan. 'Ben je het met me eens dat mijn neef een schurk is, Andelot?'

'*Mon oncle,* het zou hoogst ongepast zijn om u tegen te spreken.'

Sébastien grinnikte. 'Een eerlijk, maar diplomatiek antwoord. Je zult het verder schoppen aan het hof dan vele anderen met een adellijke titel. Wat Maurice betreft, ik heb helemaal geen zin om hem te zien...' Hij hief zijn handen op naar de hemel. 'De prinses stuurt hem dus zogenaamd precies op dit tijdstip, door weer en wind naar mij toe?' Hij zuchtte. 'Laat hem maar binnenkomen.' Sébastien wreef over de dikke rimpel boven zijn zware wenkbrauwen. 'Françoise zou het me nooit vergeven als ik haar geniale zoontje de deur zou wijzen.'

Andelot glimlachte en stapte de antichambre weer in, waar Maurice op hem wachtte. Hij stond met zijn slanke lichaam verveeld tegen de muur geleund en pulkte aan zijn gelakte nagels.

'Kom verder, de graaf wacht op u.'

'Het werd tijd.'

Andelot deed een stap opzij en hield de deur wijd open voor Maurice.

Maurice liep hem parmantig voorbij en maakte een buiging voor zijn oom. 'Ah, *mon cher oncle*. Ik zal u niet lang op- houden.' Zijn zoetgevooisde tenor galmde door de kamer.

Andelot maakte aanstalten om de deur te sluiten en terug te gaan naar zijn boeken, toen Sébastien zei: '*Non,* Andelot, blijf hier. Het gebeurt niet vaak dat ik twee neven bij me heb.'

Niemand had verbaasder kunnen reageren dan Andelot, behalve Maurice misschien, die Sébastien plotseling scherp aankeek.

Met slepende gang liep Sébastien over het Aubussonse ta- pijt naar Maurice toe.

Waarom wilde Sébastien dat hij bij het gesprek bleef? An- delot ging bij het raam staan en wist zich geen raad met zijn handen. Ten slotte hield hij ze achter zijn rug en keek met een onbewogen gezicht strak voor zich uit zonder dat hem echter ook maar één woord van het gesprek ontging.

Maurice haalde zijn schouders op en perste zijn lippen stijf op elkaar. 'Zoals u wenst, *mon oncle,* waarom zou Andelot er niet bij blijven?' Hij wees met een onverschillig gebaar in de richting van Andelot. 'Andelot is immers familie van ons, nietwaar?'

Andelot spitste zijn oren. Wat bedoelde hij met deze du- bieuze opmerking over hun bloedverwantschap?' Andelot keek van Maurice naar Sébastien. Maurice keek hem met een lome blik aan, terwijl Sébastien slechts geïrriteerd leek.

'Ik weet zeker dat je niet op dit late uur hiernaartoe bent gekomen om over Andelot te spreken,' zei Sébastien met opgetrokken wenkbrauwen.

Maurice wuifde nonchalant met zijn hand, alsof het er allemaal niets toe deed. 'Een glaasje wijn zou ik wel lusten, voordat u me weer wegstuurt, *monsieur oncle*. Onder het genot daarvan kunnen we even bijpraten.'

Andelot bleef kaarsrecht staan, met zijn handen op zijn rug. *Zo*, dacht hij, *hij durft hem niet goed te vertellen dat prinses Marguerite Rachelle terug zal halen naar het hof. Hij weet dat Sébastien hier zeer ontstemd over zal zijn, want hij wil dat de jongere zuster van zijn vrouw in Lyon blijft.*

Maurice slenterde naar de lange, hoge en met *fleurs de lis* bewerkte tafel waarop een Florentijnse karaf stond met dure Franse wijn. Hij schonk zichzelf een glas van het bordeauxrode vocht in. Aan zijn ene oorlel danste ook iets roods: een robijnen oorhanger, die met diamantjes was versierd. Andelot had gezien dat hij zich opdofte met allerlei soorten gouden armbanden, diamanten broches, saffieren hangers en zelfs parels. *Hoe komt hij aan al deze juwelen?*

'Wijn, *oncle*?'

Sébastien schudde zijn hoofd. '*Non*.'

Maurice leunde met zijn slanke lichaam tegen de muur, naast een gouden kooi met een kneu erin. Hij klakte met zijn tong en bood het vogeltje een stukje fruit aan, maar dit fladderde verschrikt naar de andere kant van de kooi.

'U gaat wel vroeg naar bed, zeg, *mon oncle*.'

'Tegenwoordig probeer ik dat inderdaad te doen. Daar zou je toch begrip voor moeten hebben, Maurice?'

'Ik vind de situatie inderdaad zeer zorgwekkend. Ik word misselijk van de lucht van de brandstapels in Parijs, maar het aan gruzelementen slaan van heiligenbeelden in kerken, zo *beaux*, is ook weerzinwekkend.' Maurice maakte smakkende geluidjes naar het vogeltje.

Sébastien hief langzaam zijn hoofd op. 'Het raakt me diep, *neveu*, je zo oprecht bedroefd te zien over de recente arrestatie van twee hugenootse landgenoten van je.'

Andelot was voldaan over deze sarcastische opmerking. Sébastien begon met zijn handen op de rug peinzend de kamer door te lopen.

'Arrestaties... ah, *oui, pardon!* De Bourbonse prinsen... inderdaad buitengewoon vervelend.' Maurice fronste zijn wenkbrauwen en knikte even met zijn donkere hoofd om uitdrukking te geven aan zijn medeleven. Andelot twijfelde aan de oprechtheid van deze reactie. Het enige wat Maurice op het moment interesseerde was Rachelles terugkeer naar het hof.

Maurice ging languit op een brokaten sofa met goudkleurige franjes liggen. Hij nipte van zijn wijn en sloeg zijn enkels over elkaar. Hij tuitte zijn lippen, alsof hij in een diepe *rêverie* verzonken was. Verstrooid speelde hij met de kwastjes aan de onderkant van de sofa.

'Prinses Marguerite heeft het prachtige naaiwerk van mademoiselle Rachelle geprezen. Als couturière is ze in de voetsporen van haar Grandmère getreden. Marguerite heeft gehoord dat de Engelsman, James Hudson, Macquinetzijde naar Spitalfields heeft geïmporteerd. Haar is ook ter ore gekomen dat monsieur Arnaut van plan is om grond in de buurt van Londen te kopen om er een zijdeplantage op te zetten.'

Sébastien bleef abrupt staan en draaide zich met een ruk om naar Maurice.

'Heb jij de plannen van Arnaut aan *la Valois* doorverteld?'

'*Oncle!*' Maurice tilde zijn hoofd op van het satijnen kussen met de gouden kwastjes. Hij zette grote ogen op. 'Waar ziet u me voor aan! Waarom zou ik zoiets doen?'

Waar had hij het over? Andelot wist niet dat Arnaut Macquinet over de grenzen aan het kijken was. Waarom leek Sébastien zo van streek, ja, zelfs boos?

'Als jij dit hebt doorverteld aan de dochter van de koningin-moeder...'

'*Saints*, waarom zou ik dat doen?'

'Je hebt dit nu al twee keer gezegd, Maurice, maar ik zie je ervoor aan.'

Maurice haalde zijn schouders op. 'Ik heb er geen problemen mee dat Arnaut contacten heeft in Engeland en zijn onderneming verder wil uitbouwen... zolang mademoiselle Rachelle maar niet met hem meegaat. Ah! Dat zou ik niet kunnen verdragen, *oncle*. Vertel hem dit alstublieft.'

'Dat is jouw zaak niet, Maurice.'

'Daar ben ik het niet mee eens, *oncle!* Bovendien mogen Arnauts plannen u niet in diskrediet brengen. U moet aan het hof blijven om de koningin-moeder te dienen.' Maurice nipte van zijn wijn en keek hem over de rand van zijn glas aandachtig aan.

De rimpel op Andelots voorhoofd werd dieper. Hij kreeg de indruk dat Maurice Sébastien indirect liet weten dat hij op de hoogte was van een zaak die Sébastien geheim wilde houden.

'Madrid weet dat Fabien achter de aanslagen op de Spaanse galjoenen steekt.'

'Denk je dat ik dat niet wist? Wekenlang heb ik de correspondentie tussen Madrid en de koningin-moeder over deze affaire gevolgd. De vraag is echter hoe jij hiervan op de hoogte bent, *neveu*.'

'Chantonnay maakt van zijn hart geen moordkuil.'

'Chantonnay, die Spaanse spion! Ik heb je de laatste tijd te veel in zijn gezelschap gezien, Maurice. Hij laat me geen moment met rust, net als de koningin-moeder.'

Maurice haalde zijn schouders op. 'Ze bespioneren elkaar. Ik heb geen medelijden met hen.'

'Dat kan wel zijn, maar ik wil dat je verder je mond houdt over markies Fabien aan het hof. Hij heeft al problemen genoeg.'

Maurice leek geen enkele sympathie voor de markies te hebben. 'Het zou me niet verbazen als hij na zijn terugkeer onmiddellijk door de koning op het matje zal worden geroepen om zich tegenover de Guises voor zijn daden te verantwoorden. De koning van Spanje is zeer ontstemd over de aanslagen van de Engelse kapers en tot overmaat van ramp hebben de markies en een aantal Franse piraten zich bij hen aangesloten. Het zijn geduchte tegenstanders.'

'Wat heeft de Spaanse ambassadeur je nog meer verteld?'

'Dat markies Fabien en een aantal Engelse kapers een paar Spaanse galjoenen die op weg waren naar de Lage Landen tot zinken hebben gebracht. De hertog van Alva is niet alleen zijn voorraden kwijtgeraakt, maar ook het goud waarmee hij de soldij van zijn soldaten zou betalen.' Hij glimlachte en nipte van zijn wijn. 'Mademoiselle Rachelle zal niet langer wensen om te gaan met een ordinaire zeerover.'

Andelot was geërgerd. Maurice had zijn zinnen op Rachelle gezet en dacht blijkbaar dat hij Fabien als rivaal had uitgeschakeld.

Sébastien zei op waarschuwende toon: 'Je bemoeit je te veel met de jongere zuster van Madeleine. En de markies is mans genoeg om zich voor de koning te verantwoorden.'

Maurice keek hem verveeld aan. Hij leunde met zijn hoofd op zijn arm en bestudeerde het wijnglas in zijn hand.

'Ik ga met Rachelle trouwen.'

Hoewel het niet de eerste keer was dat hij dit zei, leek hij nu veel zekerder van zijn zaak.

Sébastien snoof verachtelijk, maakte een afkeurend gebaar met zijn hand en ging bij het vuur staan.

Binnen een seconde was Maurice weer op de been, als een panter die op het punt staat om aan te vallen. '*Mille diables!* Wat bent u toch zwartgallig, *oncle*. En jij Andelot, trek geen gezicht als een oorworm. Ik geef om *la Macquinet*. Ik zal haar vader zeer binnenkort om haar hand vragen.'

'En hij zal je zijn toestemming weigeren. Als je je bood-

schap in zulke mooie woorden verpakt, dan weet ik dat
je iets in je schild voert, Maurice,' zei Sébastien vermoeid.
'Hoeveel *demoiselles* heb je de laatste twee jaren niet eeuwig
trouw gezworen?'

'Ah, *oncle*, dit is anders.'

'Het doet er niet toe. Ik wil dat je de jongere zuster van
Madeleine met rust laat.'

Maurice keek hem gepikeerd over de rand van zijn glas
aan.

'Ik zal mijn zin krijgen, *oncle*. Ik krijg altijd mijn zin. En
waarom zou ik te min voor haar zijn? U doet net alsof ik een
barbaar ben. Ik woon dagelijks de mis bij en zo nu en dan
bezoek ik, ondanks het verbod van de kardinaal van Lorraine, ook een protestantse eredienst.'

'Zo nu en dan,' herhaalde Sébastien ironisch.

Maurice legde zijn hand op zijn met ruches afgezette
hemd. 'Twijfelt u aan mijn goede bedoelingen, omdat ik
mijn hart heb verloren aan Rachelle?'

Précisément, dacht Andelot.

'Je hebt je hart in het verleden al aan te veel *demoiselles*
verloren, Maurice. Iedereen aan het hof kent je streken,' zei
Sébastien.

Andelot had de neiging om instemmend te knikken.

'U bent een oude zuurpruim,' zei Maurice. 'Vroeg of laat
zou Rachelle sowieso teruggeroepen worden naar het hof
om haar plaats als eerste hofdame van prinses Marguerite
weer in te nemen. Dit was al lang afgesproken. Ik heb het
slapende vogeltje alleen maar wakker gemaakt. En deze keer
komt Rachelle bovendien als volwaardige en zelfstandige
couturière, in plaats van haar *grandmères grisette*. Ze zal het
hier naar haar zin hebben. De garderobe die Marguerite voor
haar reis naar Spanje heeft besteld, zal haar genoeg afleiding
bezorgen. *Ma mère* zal er nog met u over spreken.'

'Françoise hoeft me helemaal niets te vertellen.'

'*Oncle,* wees nu redelijk. Mijn moeder is degene die de

opdracht heeft gekregen om ervoor te zorgen dat Rachelle onmiddellijk terugkeert naar het hof. Ik heb de brief hier bij me, want ik wil zo spoedig mogelijk met *la Macquinet* trouwen.'

Andelot veinsde onverschilligheid, maar hij balde zijn vuisten achter zijn rug.

'Het is gevaarlijk aan het hof voor Rachelle,' zei Sébastien, terwijl hij zijn hoofd vol overtuiging schudde. 'Françoise had je plannen eerst aan mij moeten voorleggen in plaats van er direct mee naar prinses Marguerite te gaan.'

'Andelot, schenk me nog een glaasje in.' Maurice hield zijn glas in de hoogte. Hij trommelde met zijn slanke vingers tegen de gouden steel.

Andelot nam de karaf en liep naar zijn neef toe, die weer op de sofa was gaan liggen.

'Ah, *mon amour,* ze heeft zulke prachtige ogen, en haar haren...' Maurice nam het laatste slokje van zijn wijn. Hij zuchtte. '*Oui,* misschien zal ik mijn bruiloft op de dag van het colloquium in Fontainebleau plannen. Het zal zeer passend en plechtig zijn.'

Andelot kneep in de karaf.

Maurice hield zijn glas tegen het licht en keek met een sensuele glimlach naar het rode vocht waarmee Andelot zijn glas vulde. Andelot haatte deze glimlach. Even ontspande hij zijn grip op de karaf, zodat deze een eindje naar beneden gleed en er wat wijn op Maurice' hemd met de ruches en zijn satijnen pofbroek viel...

'Bah!' Maurice sprong overeind en probeerde de gemorste wijn van zijn kleren te vegen. 'Ik zit onder de vlekken! Dat deed je met opzet, Andelot, wat een minne streek! Je bent een onbetrouwbare en gemene vent.'

'*Mille pardons, monseigneur,*' zei Andelot haastig en met gespeelde nederigheid. Hij snelde de kamer uit om een doek voor Maurice te halen. 'Heel onhandig van me,' voegde hij eraan toe.

'Onhandig? *Non!* Je deed het expres. Geef hier – ik zal het zelf wel doen.' Hij griste de doek uit Andelots handen en begon er zijn kleren mee droog te deppen. 'Ze zijn geruïneerd.' Woedend gooide hij de doek op de grond.

'Het spijt me zeer, *monsieur cousin*, ik...'

'Noem me geen *cousin!*' Maurice draaide zich om naar Sébastien, die hem verwonderd aankeek.

Maurice stak zijn vinger beschuldigend uit naar Andelot. 'U zag wat hij deed!'

'Rustig nu maar, Maurice,' zei Sébastien sussend. 'Het was een ongeluk. Je hebt tientallen hemden. Er zijn wel ergere dingen in het leven.'

Andelot maakte een buiging voor Maurice en deed behoedzaam een paar stappen naar achteren, terwijl hij zijn misleidende lome blik ontweek. Hij zette de halflege karaf weer op zijn plaats. *Net goed.*

'Wel?' zei Sébastien met iets van ongeduld in zijn stem. 'Waar is de brief van prinses Marguerite waar je het zojuist over had?'

Met een van woede vertrokken gezicht keek Maurice Andelot na. Toen zei hij stug: 'Het is belangrijk. Anders had ik u niet op dit tijdstip gestoord.' Hij stak zijn hand in de zak van zijn met vlekken besmeurde pofbroek en haalde er een envelop uit met een indrukwekkend gouden zegel. Andelot schrok. Ook Sébastiens gezicht betrok.

Maurice merkte de verandering in hun houding en genoot zichtbaar van het effect van zijn onthulling. 'Deze brief is niet van prinses Marguerite, *mon oncle*, hoewel ik haar heb gebruikt om de zaak onder de aandacht van de koningin-moeder te brengen.'

Maurice overhandigde de envelop aan Sébastien.

'Deze brief is afkomstig van de koningin-moeder zelf,' zei Maurice. '*La Macquinet* krijgt opdracht om zich hier in Fontainebleau te melden voor een onderhoud met de koningin-moeder.'

Andelot kon nog net een uitroep van schrik onderdrukken.

Sébastien nam de envelop met een boos en ongerust gezicht aan. 'Een vergissing. Een verschrikkelijke vergissing. Françoise heeft prinses Marguerite dus voor haar karretje gespannen om ervoor te zorgen dat jij je zin kreeg. Dat was slim gespeeld van mijn zuster, maar heel onverstandig en gevaarlijk.'

'Gevaarlijk? Kom, u overdrijft, *mon oncle!*'

Met het koninklijke schrijven in zijn hand hinkte Sébastien naar de haard, waar een kristallen lamp met zilveren voet op een marmeren tafel met een vergulde rand brandde.

'De koningin-moeder zit hierachter. Maar waarom wil ze dat Rachelle terugkeert naar het hof?' mompelde Sébastien met gefronste wenkbrauwen.

Maurice' gezicht kreeg een norse uitdrukking. 'Met mijn hand op mijn hart kan ik u verzekeren, *mon oncle*, dat er geen andere reden is dan de garderobe van Marguerite en mijn verlangen om met haar in het huwelijk te treden.'

Sébastien keek hem somber aan. 'Als Catherine haar geen toestemming had gegeven, dan had prinses Marguerite haar nooit naar het hof kunnen terugroepen. En ik vraag me af waarom. Maurice, vergeet niet dat Catherine de Médicis altijd iets in haar schild voert – altijd.'

Maurice zweeg. Na een ogenblik schonk hij zichzelf nog een glas wijn in en en staarde in het rode vocht.

'Françoise had me moeten vertellen dat ze van plan was naar prinses Marguerite toe te gaan. Door deze dwaze bevlieging van jou om Rachelle naar het hof te halen, breng je haar leven in gevaar.'

'*La belle* zal het heel druk hebben met haar zijde,' zei Maurice nors. 'U hoeft zich geen zorgen te maken over haar godsdienst. Ik zal ervoor zorgen dat dit de kardinaal niet ter ore komt.'

Sébastien draaide zich om. 'Je hebt gemakkelijk praten.

Hugenoten worden in heel Frankrijk vervolgd; prins De Condé is gevangengenomen en Antoine de Bourbon heeft een morele nederlaag geleden. De Guises zijn machtiger dan ooit.'

'*Saint Denis!* U denkt toch niet dat de Guises één vinger zouden durven uitsteken naar Rachelle?'

'O nee? Wie denk je dat er verantwoordelijk was voor de brute aanval op haar twee hulpeloze zusjes in Lyon?'

Maurice keek boos. Hij zette zijn lege glas hard op tafel. 'Dat was een lafhartige daad. Als ik daar op dat moment was geweest, had ik natuurlijk mijn zwaard getrokken. De markies en ik hadden samen heel wat soldaten een kopje kleiner kunnen maken. Maar zoiets zou Rachelle nooit in Fontainebleau overkomen.'

'Dat verwacht ik ook niet. Het gevaar hier is veel sluipender, maar de gevolgen zullen even desastreus zijn.'

'Als prinses Marguerite wist dat het leven van Rachelle gevaar liep, dan zou ze direct ingrijpen. Heeft ze haar niet weggestuurd tijdens de hugenootse opstand in Amboise?'

'Prinses Marguerite buigt voor de wil van de koninginmoeder. En ik! Ik zal machteloos moeten toezien...' Plotseling wankelde Sébastien op zijn benen.

Andelot vloog naar hem toe en leidde hem naar een stoel. Zelfs Maurice leek van zijn stuk gebracht. Hij reikte Sébastien een glas wijn aan en smeekte hem het leeg te drinken om op krachten te komen.

'Ik zal ervoor zorgen dat Rachelle geen haar gekrenkt wordt, dat beloof ik u met de hand op mijn hart, noch een van de andere Macquinets,' zei Maurice. Zelfs Andelot keek hem nu aan.

'Jij zult daarvoor zorgen?' zei Sébastien. 'Op grond waarvan denk je dat je je met de Guises kunt meten?'

Maurice streek over zijn das van alençonkant. Zijn gladde, norse, donkere gezicht had een nadenkende uitdrukking gekregen.

'*Ma mère* heeft een goede verstandhouding met prinses Marguerite en ik ook. En Marguerite heeft grote invloed op Henri, de zoon van de hertog van Guise. De hertog zal doen wat Henri van hem vraagt. Hoe dan ook, ik geloof niet dat Rachelles leven gevaar loopt.'

Omdat je egoïstisch bent en je hoofd in het zand steekt, dacht Andelot boos. Hij kon zijn mond niet langer houden.

'*Monsieur oncle,* als mademoiselle Rachelle inderdaad terugkeert naar het hof, laten we dan niet vergeten dat markies Fabien bevriend is met prinses Marguerite, koning François en zelfs prins Charles. Misschien kunnen we een beroep doen op de markies?'

Maurice werd rood van ergernis en hij perste zijn lippen op elkaar. 'Als de markies het waagt om weer aan het hof te verschijnen, dan zal hij merken dat zijn vrienden niets meer met hem te maken willen hebben.' Hij stak een beringde vinger naar Andelot uit. 'Waarom moet je zo nodig de markies noemen? Zijn er al niet genoeg problemen met de Bourbons?'

'Stop... stop... houden jullie allebei alsjeblieft je mond,' zei Sébastien vermoeid en kwam met moeite overeind uit zijn stoel. 'Ik moet in alle rust nadenken over deze kwestie. Ga nu, Maurice. Ik zou deze brief graag zelf willen lezen.'

Maurice pakte zijn duifgrijze cape. De oranje en goudkleurige draden glinsterden in het licht, terwijl hij snel naar de deur liep. Zoals van een page verwacht werd, zorgde Andelot ervoor dat hij als eerste bij de deur was, opende die voor Maurice en maakte een buiging.

Maurice keek achterom naar zijn oom die het perkament met gefronste wenkbrauwen voor de haard stond te bestuderen.

'*A bientôt, mon oncle,*' zei hij gehaast. 'Ondanks uw ongenoegen, zal ik mij weldra met mijn *entourage* op weg naar Lyon begeven, in opdracht van de koningin-moeder.' Hij maakte een buiging. 'Tot ziens.' Maurice liep naar buiten.

Andelot volgde hem en deed de deur achter zich dicht.

In de antichambre draaide Maurice zich met fonkelende ogen naar Andelot om. 'Denk je dat ik niet weet dat je een oogje hebt op *ma chérie, Rachelle*, dwaas?'

'Jouw *chérie*? Als ze haar hart al heeft verloren aan iemand, dan is het aan de markies van Vendôme. Ze moet niets van je hebben.'

'Dat denk jij! *Non, non,* daar heeft ze niets over te zeggen!'

'Haar hugenootse ouders hebben alles te zeggen over met wie ze trouwt.'

'Het doet er niet toe. Ik zal mijn zin heus wel krijgen!'

'Wat voer je in je schild?'

'Dat gaat je niets aan.' Maurice trok aan zijn met wijn bevlekte hemd. 'Dit zal ik niet vergeten. Je hebt het laatste woord hierover nog niet gehoord. Op een dag – zal ik je deze krenking van mijn *honneur* betaald zetten. Neem alvast maar schermlessen, Andelot.' Hij draaide zich om en trok woest de deur open. Hij stapte de gang in en liep met zijn wapperende cape en glanzende schoenen weg.

Dit belooft niet veel goeds, dacht Andelot somber.

18

Het zijdekasteel, Lyon

Rachelle hoorde in de verte paarden aan komen galopperen.

Ze draaide zich om naar de diamantvormige ramen aan de voorzijde van het atelier. Vlug liep ze door het vertrek en tilde een van de witte, gesteven gordijnen op. Ze reden in galop over de weg naar het plein voor het kasteel: ruiters, een compleet gevolg op fiere zwarte en bruine paarden met zadels van Spaans leer en versierd met zwaar zilver. De soldaten waren boogschieters en zwaardvechters, gekleed in zwarte pofbroeken en blauwe, met gouddraad bestikte jassen.

Wie zijn dit? Ze waren hier niet gekomen om zich zogenaamd te wreken, dat was zeker. Deze mannen reden onder de vlag van het huis van – Beauvilliers.

De deur van het atelier vloog open. Nenette kwam binnen. 'Mademoiselle Rachelle, er komt een groep ruiters aan!'

Rachelle, die bij het raam was blijven staan, herkende de aanvoerder van de groep. Non, *daar heb je hem weer!*

'O, het is graaf Maurice Beauvilliers,' fluisterde Nenette opgewonden en vol ontzag. 'Met zo veel dienaren.'

'En zo veel narigheid. Wat zou hij hier komen doen?'

'Misschien komt hij nieuws brengen van zijn oom, graaf Sébastien Dangeau?'

Rachelles gezicht betrok. Maurice was de laatste *monsieur* die ze nu wilde zien. De jonge graaf had haar sinds hun ontmoeting in Parijs constant lastiggevallen. Hij had verschillende malen geprobeerd om haar het hof te maken; hoe beslister ze hem afwees, des te meer had hij aangedrongen. *Zou hij ooit opgeven?*

'Waarom is de *messire* in wie je niet bent geïnteresseerd altijd degene die het hardnekkigst volhoudt?'

Nenette giechelde. 'Misschien weet hij dat markies Fabien niet in Frankrijk is.'

Rachelle liet haar blik over de verweerde gezichten van de soldaten glijden in de ijdele hoop er Andelots gezicht tussen te herkennen.

Ze kende deze mannen niet, hoewel ze enigen van hen in de buurt van Maurice had zien rondhangen in Chambord en Amboise. Haar blik viel op het sensuele gezicht van Maurice met zijn donkere haren en grijze, amandelvormige ogen. Hij droeg een pofbroek met een jas van paars satijn waarop het familiewapen van de Beauvilliers met roze en zilverkleurige zijde was geborduurd. Schuin op zijn hoofd droeg hij een lichtblauwe fluwelen baret waarin hij een takje dennengroen had gestoken. Aan zijn ene oor fonkelde een robijnen oorhanger, versierd met diamanten. In zijn hand droeg hij een goudkleurige tas met een jong hondje erin; hij kuste het zachte, slappe oortje van het dier, fluisterde het een paar woorden toe en overhandigde het toen aan een lakei. Vervolgens liet hij zich lenig als een panter uit het protserige zadel glijden. Met een flauwe glimlach om zijn lippen keek hij naar het kasteel.

Rachelle zag hem glimlachen en haar ogen vernauwden zich tot spleetjes. Ze liet het gordijn op zijn plaats vallen en liep met haar handen in haar zij naar de boogvormige ingang van het atelier. *Ik heb toch al genoeg problemen en komt deze wolf me nu ook nog lastigvallen?*

Nenette staarde nog steeds uit het raam met een dromerige glimlach om haar lippen. Rachelles mond vertrok. Ze trok haar bij het raam vandaan en duwde haar in de richting van de deur.

'Ga messire Arnaut of madame Claire waarschuwen. Zeg hen dat we bezoek hebben – ongewenst bezoek, als je het mij vraagt. Vlug.'

'Monsieur Arnaut is in de werkplaats van de wevers en madame Claire is tien minuten geleden met de koets naar hem vertrokken.'

Rachelle zuchtte en keek hulpeloos om zich heen. Zij moest hem ontvangen, er zat niets anders op. Idelette zou haar niet te hulp komen. Ze zou niet naar beneden komen, daar was Rachelle zeker van. Idelette was deze morgen slechts even uit bed gekomen om wat warm kininewater te drinken tegen haar ochtendmisselijkheid.

'Ga ze toch maar halen.'

'Te voet zal ik er heel lang over doen.'

'Vraag Pierre je naar hen toe te rijden. En blijf niet treuzelen bij de graaf.' Onder de kastanjeboom stond een rustig paard te grazen dat de familie gebruikte voor dringende boodschappen op het landgoed.

'De manier waarop hij glimlacht met zijn lippen omhooggekruld...' Nenette probeerde Maurice te imiteren en trok haar wenkbrauw op – 'is zo charmant.'

Rachelle pakte – Nenette bij haar schouders, draaide haar om en liep met haar naar de deur. 'Voort, jij, onverbeterlijke flirt.'

Rachelle glimlachte, terwijl ze Nenette met dansende krullen onder haar kapje vandaan zag wegvliegen.

Toen draaide ze zich om en sloeg met de palm van haar hand op haar voorhoofd. *Dit soort bezoekingen heb ik toch echt niet verdiend.*

Ze wierp opnieuw een blik door het raam. Maurice liep het plein op naar de trap van het bordes. *Kijk hem eens als een koning paraderen. Wat een verwaande kwast. Ik kan me niet voorstellen dat hij niet op de hoogte is van alles wat hier de afgelopen maanden is gebeurd. Misschien is hij hier om ons te condoleren met het overlijden van Avril en Grandmère. Heeft Nenette gelijk en weet hij inderdaad dat Fabien op zee is? Was hij nog op zee? De aanvallen op de galjoenen waren nu toch zeker wel voorbij? Waar was hij nu? Was hij al uitgevaren naar Fort Caroline in Florida met goederen voor de nederzetting van admiraal De Coligny?*

Rachelle verliet het atelier en liep de gang door. De voordeur stond open en ze zag dat de bediende van de familie, Laurent, een buiging voor de graaf maakte.

Rachelle stapte snel het bordes op en maakte een kleine buiging met haar donkerblauwe katoenen rok. Maurice zag haar en zijn ogen lichtten op. Hij legde een met juwelen bedekte hand op de ruches van zijn hemd, alsof zijn hart oversloeg bij de aanblik van haar.

'Ah, mademoiselle Rachelle, wat fijn dat we elkaar weer zien. De afgelopen weken leken eindeloos zonder uw lieflijke aanwezigheid!'

Laurent schraapte zijn keel.

'*Monsieur le comte,*' zei ze zo plechtig en formeel mogelijk. Ze moest ervoor zorgen dat haar bedienden bij haar in de buurt bleven. De stoïcijnse Laurent en rondborstige Pierre hadden een ontnuchterende invloed op de meest opgeblazen mannen.

Als een kat sprong Maurice de treden van het bordes op en met een zwierig gebaar pakte hij haar hand. Hij nam er geen genoegen mee zich over haar hand heen te buigen, maar drukte er met zijn kriebelige snor een kus op – zonder zich te generen voor de bedienden.

Met zijn kwijnende blik nam hij haar van top tot teen op. Een sensuele glimlach krulde om zijn lippen. Ze sloeg haar ogen neer om haar ergernis te verbergen. Eindelijk slaagde ze erin haar hand te ontworstelen aan de grip van zijn lange vingers die zwaar waren van de juwelen en zich met haar vingers verstrengeld hadden.

'Mademoiselle Macquinet, van harte gecondoleerd met het hartverscheurende verlies van uw geliefden. Ik leef uiteraard innig met u mee. Als ik iets voor u kan doen...' Zijn toon verried zijn verlangen om zijn hart voor haar te openen. Hij liet het aan haar verbeelding over om te ontdekken welke schatten ze daarin zou aantreffen.

Ze boog haar hoofd. '*Merci*, monsieur Beauvilliers.'

Zijn lippen krulden zich. 'Neemt u het me alstublieft niet kwalijk, *mademoiselle*, als ik u nog niet heb toegestaan om me Maurice te noemen.'

'Zoals u wenst, monsieur Maurice,' zei ze stijfjes. 'Het is heel vriendelijk van u om onze familie te komen condoleren, maar u had zich deze lange en vermoeiende reis uit Parijs kunnen besparen.'

De ironie in haar opmerking leek Maurice volledig te ontgaan. Hij streek het kant op zijn mouw glad en keek haar aan.

'*Non, mademoiselle*. Hoewel ik natuurlijk uw hele familie wil condoleren met het verlies, heb ik om u, en u alleen, het vertier en vermaak in Fontainebleau achtergelaten.'

Ze keek hem met grote, onschuldige ogen aan. 'Ik, *monsieur*, maar waarom? In tegenstelling tot mijn zuster en de neef van mijn *père*, monsieur Bernard, ben ik ongedeerd gebleven tijdens de aanval van de hertog van Guise op de onschuldige hugenoten in onze schuilkerk. Zonder Gods bewarende hand waren we allemaal omgekomen.'

Hij legde zijn hand op zijn hart en boog zijn hoofd. 'Een verschrikkelijke tragedie, *mademoiselle*. Ik moet u de groeten overbrengen van prinses Marguerite, want zij is gedeeltelijk de reden dat ik u hier kom opzoeken.'

Marguerite? Officieel had ze Rachelle nog niet ontheven van haar verplichtingen als hofdame. En de zomergarderobe met de bijbehorende accessoires die ze voor Marguerite zou maken, was ook nog niet af. Rachelle wist bovendien dat de koningin-moeder en Marguerite haar wilden vereren met de opdracht om de uitzet van de prinses te maken, als ze ooit zou trouwen. Prinsen uit verschillende koninkrijken waren geïnteresseerd geweest in een huwelijk met haar, totdat ze vanwege haar vele affaires beledigd hadden bedankt voor de eer.

De koningin-moeder was er nog niet in geslaagd om haar uit te huwelijken aan een lid van de Spaanse koninklijke familie, waar haar voorkeur naar uitging. Hertogin Dushane had in haar laatste brief geschreven dat er weer sprake was van onderhandelingen en dat de koningin-moeder haar onstuimige dochter zo veel mogelijk afschermde in de hoop dat het schandaal over haar affaire met Henri de Guise zou overwaaien. Zoals gewoonlijk leek Marguerite te buigen voor de wil van haar moeder, maar in het geheim bleef ze Henri de Guise zien.

Maurice knipte met zijn vingers naar een page, die een verzegelde brief voor de dag haalde. Maurice maakte een buiging en reikte Rachelle de envelop aan.

'Deze brief, *mademoiselle*,' zei hij triomfantelijk, 'bezegelt uw glorierijke toekomst als couturière. De koningin-moeder en Marguerite zijn van plan een staatsbezoek aan Spanje te brengen. U wordt naar het hof ontboden om de garderobe voor beide dames te ontwerpen.'

Zijn grijze ogen straalden triomfantelijk. 'En ik heb opdracht gekregen van de koningin-moeder om u, uw *grisettes* en *équipage* naar Fontainebleau te escorteren. De koningin-moeder licht het een en ander toe in haar brief.'

Ze staarde naar de brief met het gouden zegel en zag deze onverwachte opdracht niet als vloek, maar als zegen. Japonnen voor zowel Catherine als Marguerite! Dit bood haar de kans om uit te zoeken hoe de koningin-moeder aan haar vergif was gekomen.

'Het hof zal in glans toenemen met een zuivere parel als u in zijn midden, *ma chérie*.'

'Noemt u me alstublieft niet uw *chérie*, monsieur Maurice. U weet dat ik van plan ben om ongetrouwd te blijven.'

'Ach ja, u treurt misschien nog om de beroemde markies Fabien, maar dat zal gauw overgaan. Hij is in ongenade gevallen aan het hof. De hertog van Guise heeft de piratenavonturen van de markies onder de aandacht van de koning gebracht, en ik kan u verzekeren, *mademoiselle*, dat deze zaak zeer hoog wordt opgenomen.'

Ze keek hem quasiverontwaardigd aan. 'Een piraat? De markies! Maar dat is laster. De hertog heeft zich ongetwijfeld vergist. Waarom zou een markies die zwemt in het goud en de robijnen, de zilvervloot van Spanje plunderen?'

'Niet de zilvervloot, maar oorlogsschepen – de galjoenen van de hertog van Alva, die met soldaten, wapens en munitie aan boord op weg waren naar de Lage Landen. Misschien heeft de haat die de markies jegens Spanje koestert hem ertoe gedwongen zeer drastische maatregelen te nemen namens zijn geloofsgenoten in de Lage Landen? Hij is in het geheim een hugenoot. Dat moet u toch weten?'

'De markies? *Mais non,* monsieur Maurice, dat lijkt me zeer onwaarschijnlijk. Hij is een trouw dienaar van Rome, dat weet ik zeker.'

'Aha? Hoe kunt u dan verklaren dat hij een bijbel van Lefèvre d'Etaples als kostbare schat in zijn kasteel in Vendôme bewaart?'

Dit keer was haar verbazing oprecht. 'Een bijbel? Hoe weet u dat?'

Een schalkse en voldane glimlach verscheen om zijn lippen. 'Tijdens mijn verblijf in Vendôme, waar ik u na de opstand in Amboise als een galante ridder in veiligheid heb gebracht, stuitte ik toevallig op het verboden boek. Het was gesigneerd door zijn *mère,* hertogin Marie-Louise de Bourbon, een *amie* van de hugenootse zuster van koning François I. Bent u verbaasd?'

Dat was ze inderdaad, maar ze wilde hier niets van laten blijken onder Maurice' nieuwsgierige blik. Wat voerde hij in zijn schild? Was hij een spion van de koningin-moeder en de Guises? Ze voelde haar irritatie groeien. 'De markies zou niet blij zijn te horen dat u zijn persoonlijke spullen hebt doorzocht.'

Hij haalde zijn schouders op. 'Ik ben het boek toevallig ergens tegengekomen, echt waar.'

Hij leek van elke gelegenheid gebruik te maken om de

markies, op wie hij jaloers was, zwart te maken. Ze was ervan overtuigd dat hij niet zomaar op de Franse bijbel was gestuit. Fabien was te voorzichtig om nonchalant met zo'n kostbaar bezit om te gaan. In het bijzonder een bijbel die hem was geschonken door zijn overleden moeder.

Wat is er met Fabiens familiebijbel gebeurd?

Ze probeerde Maurice' gedachten te lezen en even verdacht ze hem ervan dat hij het boek had weggenomen om er de markies later mee te chanteren. Zou Maurice tot zoiets in staat zijn? Maurice trok zijn gezicht in de plooi en opnieuw was hij een en al voorkomendheid en charme. Hij wilde graag kennis maken met haar ouders, zei hij. Hij zou hen beloven haar veilig naar Fontainebleau te brengen, want hij zou liever in zijn eigen zwaard vallen dan toestaan dat hun *belle* dochter en haar *petites grisettes* ook maar één haar gekrenkt zouden worden.

Rachelle vertrouwde Maurice aan de zorgen van Laurent toe en vertelde hem dat *monsieur* en *madame* zeer binnenkort bij hem zouden zijn. Ondertussen gaf ze Laurent opdracht om Maurice naar een van de logeerkamers te brengen waar hij zich voor het avondeten zou kunnen opfrissen. Ze vroeg de bediende ook voor thee, fruit en wijn te zorgen, voordat hij haar ouders op de hoogte zou brengen van zijn koninklijke missie. Zijn gevolg moest ook van eten en drinken worden voorzien en de paarden en ezels zouden voor een dag moeten worden gestald, of misschien zelfs langer, want het zou minimaal een dag duren voordat ze al haar spullen had ingepakt. Rachelle en haar familie zouden ervoor moeten zorgen dat de rollen zijde en kant en al het naaigereedschap met de grootste zorg werden ingepakt voor de reis van Lyon naar Fontainebleau. Ze twijfelde er geen seconde over of ze zou gaan. Zelfs al zouden Arnaut en Claire er nog zo fel tegen zijn, ze konden geen nee zeggen tegen een koninklijk bevel.

Ze zei niets tegen Maurice over de plannen van haar ouders om naar Spitalfields te reizen om zaken te doen met vader en zoon Hudson en dat Idelette tot Parijs met hen mee zou reizen, waar Madeleine zich verder over haar zou ontfermen tot de geboorte van het kind. Idelette durfde zich niet meer in het dorp te vertonen en behalve de naaste familie en dokter Lancre wist niemand dat ze *enceinte* was.

'*Mademoiselle*, u bent zo vriendelijk,' zei Maurice, nadat Rachelle hem van alle gemakken had voorzien, en hij maakte een buiging uit dankbaarheid.

Rachelle, die de koninklijke brief nog steeds in haar hand had, verontschuldigde zich en ging naar boven om Idelette te vertellen dat Maurice er was.

Met gefronste wenkbrauwen liep ze de trap op. Hoewel ze blij was dat ze naar het hof was teruggeroepen, vond ze het niet eerlijk tegenover Idelette, die de komende maanden in zelfgekozen eenzaamheid zou doorbrengen. Rachelle had het aanbod gekregen om een garderobe te maken voor zowel Catherine de Médicis als prinses Marguerite Valois, terwijl Idelette de ondankbare taak had om zich staande te houden in deze beproeving. Rachelle vreesde dat haar eigen opwinding om terug te keren naar het hof de wanhoop van haar zuster alleen maar groter zou maken.

Hun paden zouden zich scheiden en hun levens zouden een verschillende loop nemen. Zou het Idelette pijn doen dat de Heer blijkbaar opnieuw de deur naar het hof voor Rachelle had geopend?

Maar mijn pad zal met doornen bezaaid zijn en wie kan zeggen of er rozen aan de kant groeien? Ik zal me niet alleen wijden aan mijn werk als couturière, maar ik wil ook meer te weten komen over het gifkabinet van Catherine de Médicis en haar geheime gifmengers – wie hebben haar met haar boosaardige plannen geholpen? Daar moet ik achter zien te komen.

Een japon voor Catherine de Médicis! Rachelle voelde zich nerveus worden bij de gedachte alleen al, maar onwillekeurig werd haar creativiteit geprikkeld, toen ze bedacht welk model en welke kleuren de koningin-moeder goed zouden staan.

'Rachelle?' klonk de bezorgde stem van Idelette.

Rachelle draaide zich om en zag Idelette in de deuropening van haar slaapkamer verderop in de gang staan.

'Was dat het vaandel van de Beauvilliers?'

'Ja, de *neveu* van Sébastien, graaf Maurice, is zojuist aangekomen uit Fontainebleau. Idelette! De koningin-moeder heeft me teruggeroepen naar het hof. Ik heb geen andere keuze dan te gaan.'

Idelette kneep krampachtig in de kraag van haar jurk en liep een paar stappen in haar richting.

'Catherine de Médicis heeft je ontboden? Rachelle, ga niet. Ga in plaats daarvan met onze *père* naar Spitalfields. Ik heb een bang voorgevoel dat ze je kwaad wil doen.'

Rachelle snelde op haar af en probeerde haar te kalmeren. Normaal gesproken was Idelette veel rustiger dan zij. Maar nu waren er rode blosjes op haar wangen verschenen en ze knipperde nerveus met haar lichtblauwe ogen.

Rachelle nam haar bij de arm en leidde haar terug naar haar kamer.

'Maak je geen zorgen, zusje. Ze heeft er geen idee van dat ik ook maar enige verdenking koester. Deze brief komt niet als een verrassing. De japonnen voor prinses Marguerite waarmee ik in Amboise bezig was, heb ik nooit afgemaakt. Door de opstand en het afschuwelijke bloedbad is daar niets meer van gekomen. Nu is er een staatsbezoek aan Spanje gepland.'

'Spanje!'

'*Oui.*' Rachelle onderdrukte een huivering. 'Ze zullen daar gaan onderhandelen over het huwelijk van Marguerite. De koningin-moeder wil dat ik een japon voor haar maak voor haar audiëntie met koning Filips. Niet dat hij oog heeft voor dat soort dingen. Ik heb gehoord dat hij nors is en altijd in het zwart gekleed gaat. Misschien knaagt het aan zijn geweten dat zijn inquisitie verantwoordelijk is voor zo veel moorden en draagt hij daarom altijd begrafeniskleren.'

Even zag Rachelle iets van de oude Idelette, toen haar ogen oplichtten bij het idee om een japon voor de koningin-moeder van Frankrijk te maken. Toen maakte haar opwinding plaats voor bezorgdheid.

'Wanneer is dit bezoek aan Spanje gepland?'

'Dat heeft ze niet in haar brief gezegd. Ik vermoed dat het pas na het colloquium in de herfst zal zijn. Waarschijnlijk in het voorjaar.'

'Onze ouders zullen enorm aangeslagen zijn. Je zult in je eentje aan het hof zijn.'

'Niet helemaal alleen. Sébastien en hertogin Dushane zijn ook in Fontainebleau, en niet te vergeten Andelot.'

Bij het horen van de naam van Andelot, perste Idelette haar lippen stijf op elkaar.

'Ik zal je in Parijs komen opzoeken,' ging Rachelle verder, 'als je bij Madeleine bent. En als ze een bezoek aan Fontainebleau brengt, dan moet je met haar meekomen. Het gebeurt niet vaak dat we als zusjes bij elkaar zijn.'

'Ik zak liever door de grond dan me *enceinte* aan het hof te vertonen.' Haar stem klonk gejaagd. 'Ik durf niemand meer onder ogen te komen.'

'Er is geen reden om je te schamen. Je hebt hier niet om gevraagd en jou valt helemaal niets te verwijten.'

'Dat maakt niet uit. De uitkomst is hetzelfde. Ik ben *enceinte*. Zelfs als ik besluit om naar Madeleine te gaan, wat dan? Over een paar maanden zal iedereen het zien. Hoe kan ik aan het hof rondlopen, terwijl er een kind van een monster in mijn buik groeit?'

Idelette wreef met haar hand over haar buik. 'Ik droomde ervan om ooit mijn eigen *enfants* te hebben. Hoe had ik toen kunnen weten dat het zo zou aflopen?' Ze keek omhoog en haar mond verstrakte. Toen liep ze haar slaapkamer weer binnen en liet zich op de rand van haar bed neervallen. Er stond een kan op tafel. Ze schonk zichzelf een glas water in en nam een slokje.

Rachelle bleef even in de deuropening staan, stapte toen de kamer binnen en deed de deur achter zich dicht. Een ogenblik wist ze niet wat ze moest zeggen.

'Nenette is naar de werkplaats van de wevers gegaan om *papa* en *maman* te waarschuwen,' zei ze zachtjes. 'Wil je naar beneden komen om de graaf te begroeten?'

'*Non*. Hij mag me niet. Ik herinner me hoe hij me altijd aankeek, toen we in Chambord waren. Ik ben zonder twijfel de enige vrouw aan het hof die hij niet mocht. Ik heb geen idee waarom, maar ik heb geen enkele lust om in zijn arrogante gezelschap te verkeren.'

'Misschien heb je de blik van Maurice verkeerd begrepen, zusje. Er is geen enkele aantrekkelijke vrouw in wie hij niet is geïnteresseerd.'

Idelette schudde beslist haar hoofd. '*Non,* ik zag duidelijk iets van afkeer in zijn ogen. Ik herinner het me heel goed en ik kan je zeggen dat het heel vervelend was.'

Madame Claire had gelijk. Idelette moest de omgeving verlaten waar ze zo'n traumatische ervaring had meegemaakt, maar ze zou zich nooit meer in het openbaar durven vertonen, zelfs niet als ze tot na de geboorte bij Madeleine zou blijven. Idelette was sombere kleding gaan dragen, waardoor haar huid grauwer leek. Haar lippen hield ze vaak stijf op elkaar geperst en om haar ooit zo zachte mond was een bittere trek verschenen.

Rachelle voelde een grote woede in zich oplaaien toen ze dacht aan het egoïstische monster dat haar zuster dit had aangedaan. Maar als ze zich opwond over wat Idelette was aangedaan, waarom vroeg ze zich dan ook niet af waarom God het toeliet dat duizenden hugenoten op de brandstapel stierven, op de pijnbank in de Bastille van hun ledematen werden ontdaan of in talloze andere gruwelijke omstandigheden aan hun einde kwamen? Ja, waarom alleen de Franse hugenoten, waarom niet de Hollandse protestanten? Het was niet eerlijk alleen verontwaardigd te zijn over het lot van haar eigen zusters. Het waren allemaal zussen of broers van iemand.

Ze herinnerde zich wat dominee Bernard ooit had gezegd. De wereld was in opstand tegen God. De duivel was altijd op zoek naar nieuwe slachtoffers. De zonde tierde welig en dit zou zo blijven tot aan de dag van het laatste oordeel. Gods kinderen waren nog niet gevrijwaard van de gevolgen van de zonde. Zoals Gods regen op rechtvaardigen en onrechtvaardigen viel, zo leden alle mensen zonder onderscheid onder de gevolgen van de zonde. Maar daarmee hield elke vergelijking op en begon de grote scheidslijn. God had Zijn kinderen beloofd dat Hij als hun liefhebbende hemelse Vader alles – zowel het goede als het kwade, licht als duisternis – ten goede zou laten meewerken voor degenen die Zijn eigendom waren.

'Waar is de graaf nu?' vroeg Idelette.

'Hmm? O, beneden. Zeg, Idelette, hij rekent erop dat hij je zal zien. Kun je dan tenminste vanavond niet met ons mee-eten?'

Idelette liet zich met een bleek en gespannen gezicht in haar stoel neervallen. Ze schudde zeer beslist haar hoofd. 'Hoe kan ik dat doen? Hoe kan ik het hem uitleggen?'

'Je hoeft helemaal niets uit te leggen. Hij heeft geen idee. Daar kan hij niets aan doen. En is het bovendien niet beter dat iedereen weet wat er is gebeurd, in plaats van dat er allerlei verhalen de ronde gaan doen? Zelfs al vertoon je jezelf negen maanden lang niet in het openbaar, dan zul je het *enfant* niet kunnen verbergen als het geboren is.'

Idelette verborg haar gezicht in haar handen. 'Ik weet het niet meer. Ik verkeer in grote verwarring; ik ben bang en heel erg boos...' Ze balde haar vuisten. 'Mijn leven is kapot.'

Rachelle snelde op haar af en viel op haar knieën naast

haar stoel. 'In jouw plaats zou ik nog veel bozer zijn, *ma chère soeur*. Als je hem niet wenst te zien, dan hoeft dat niet. Maar is het niet beter om open en eerlijk te zijn over je situatie, zodat het beestachtige gedrag van de soldaten van de hertog van Guise aan het licht komt?'

Idelette deed haar ogen dicht. 'Hoe dan ook, ik blijf me schamen. Het is mogelijk om in het geheim een kind te baren, zo heb ik gehoord. Aan het hof is het schering en inslag – maîtresses van koningen baren op het platteland kinderen onder een valse naam. O, waarom moest mij dit overkomen? Het is niet eerlijk. Heb ik niet elke dag gebeden en in de Franse bijbel gelezen, ook al zette ik mijn leven daarmee op het spel?'

'*Bien sûr!* Ja, je was veel trouwer in deze zaken dan ik, zusje. O, kwel jezelf niet met dit soort gedachten, alsof God je wilde straffen voor de een of andere zonde die je tegen Hem hebt begaan. Wat je is overkomen, heeft niets te maken met je toewijding aan onze Heiland, maar is het gevolg van het feit dat we in een tijd leven waarin satan in volle hevigheid tegen ons woedt. Hij heeft het juist gemunt op degenen die trouw blijven aan Christus.'

'Je hebt gelijk. *Oui!* Maar wat moet er terechtkomen van mij en dit *enfant*? Is het niet beter te sterven om een einde te maken aan mijn schande?'

'Idelette!' Rachelle kwam overeind en keek op haar zuster neer. 'Je voelt je niet goed. Daarom zeg je deze dingen. Er zal een oplossing komen. De Heer zal je helpen. Op de een of andere manier, ja, op Zijn tijd en wijze zal Hij dit doen.'

'Hoe kan dit goed aflopen? Hoe?'

'Ik weet het niet, maar je mag op de donkerste ogenblikken van het leven op Gods Woord vertrouwen.'

'En mijn besmeurde *honneur* dan?'

'Je *honneur* is niet aangetast. Je bent tegen je wil overweldigd. Je *honneur* is intact gebleven.'

Idelette verborg haar gezicht weer achter haar handen en

slaakte een zucht van frustratie en boosheid. 'Welke man zal nu ooit met me willen trouwen?'

Rachelle sloeg haar armen over elkaar. 'Heel veel mannen, tenzij ze niet goed bij hun verstand zijn.'

Idelette glimlachte bitter. 'Mijn lieve, solidaire zusje.' Ze veegde haar tranen af en streek haar asblonde haar uit haar gezicht.

'Er is geen grotere *galant* aan het hof dan Andelot Dangeau,' zei Rachelle.

Idelette keek haar aan met een merkwaardige blik. 'Andelot... *oui*, een goeie jongen.'

'Hij is niet langer een jongen, zusje. Hij is een aantrekkelijke en solide man. Andelot zou een heel goede keuze zijn voor een vrouw die op zoek was naar een echtgenoot.'

'Maar hij is van jou.'

'Nee, dat is niet waar.'

'Hij is veel te jong voor me.'

'Slechts een paar jaar jonger. Als het kind eenmaal geboren is en er wat meer tijd is verstreken, zou hij een geweldige echtgenoot voor je zijn.'

Idelette glimlachte zelfs even naar haar. '*Ma chère soeur*, de koppelaarster. *Non*, hij is van jou. Hij is altijd van jou geweest. Hij is zeer op je gesteld.'

Niet Rachelle, maar haar ouders probeerden Andelot aan Idelette te koppelen. Ze vroeg zich af wat Idelette zou zeggen als ze haar vertelde dat hun *mère* Idelette graag met Andelot zag trouwen.

'Om eerlijk te zijn, heb ik mijn hart verloren aan een andere man,' zei Rachelle moedeloos.

Idelette keek haar aan. 'Je bent veeleisender dan ik, *ma soeur*; je wilt de maan en de sterren.'

'We fantaseren graag over onmogelijke dingen, dus waarom niet?' glimlachte Rachelle.

Idelette depte haar ogen droog met haar zakdoek. 'Ik heb medelijden met mezelf, dat is alles.'

'Ik hoop dat je zult ervaren dat God dezelfde is gebleven, ook al is jouw leven radicaal veranderd. Als God een week geleden getrouw, waarachtig en goed was, dan is Hij dat nu ook. Bernard zegt altijd dat God niet wispelturig is. Vergeet niet dat Jezus Christus gisteren, vandaag en morgen dezelfde is. Ons leven neemt vaak een andere loop dan we hadden gepland. We kunnen daar niets aan veranderen, maar slechts in vertrouwen op God verder leven.'

Idelette was altijd de rustige, stoïcijnse en verstandige dochter geweest, volhardend in het gebed, met een grote honger naar Gods Woord. Ze was de dochter die de gesprekken tussen haar *père* en de dominees uit Genève bijwoonde, en met groot inzicht kon spreken over godsdienstige leerstukken, als haar mening gevraagd werd. Hoe vaak had ze niet gezien hoe hun *père* Idelette trots had aangekeken, als de dominee blijk gaf van zijn bewondering voor haar kennis. Hoe vaak had Rachelle haar *père* niet horen zegen 'Idelette trouwt met een dominee, wacht maar af. De beste dominee uit Genève.'

'Ik dacht dat ik mijn God kende...' Idelette verfrommelde haar zakdoek en legde hem van de ene hand in de andere. Met gefronste wenkbrauwen zei ze: 'Dan gebeurt er zoiets en plotseling voel ik me als een losgeslagen schip dat is overgeleverd aan storm en regen. Hij heeft het toegelaten dat deze nachtmerrie werkelijkheid is geworden. Als onze familie nog iets overkomt, dan ben ik ervan overtuigd dat ons hetzelfde lot als Job heeft getroffen.'

Bij het noemen van de naam van Job, keek Idelette haar aan. Rachelle had haar ogen nog nooit eerder zo fel zien branden. 'Waarom heeft de Heer me niet beschermd?'

Rachelle was getroffen door de woede in haar stem.

Nadat ze enige minuten beiden hadden gezwegen, nam Rachelle het woord. Ze keek Idelette niet aan, maar staarde in de vlammen die langzaam het hout in de haard verteerden. Ze bedacht met verwondering dat ze zich door de vernietiging van het hout in de warmte van het vuur kon koesteren.

'Je vraagt me antwoord te geven op een zeer moeilijke vraag. Dat kan ik niet. Mag ik jou een vraag stellen?'

Idelette keek haar verwonderd aan. 'Mij een vraag stellen?'

'Ja.'

'Wat wil je me vragen?'

Rachelle keek haar ernstig aan. 'Je bent boos dat God je niet heeft beschermd? Maar de anderen dan? Als je de vraag kunt beantwoorden waarom Hij Zijn engelen niet heeft gezonden om hen te beschermen, dan zul je ook het antwoord weten op de vraag waarom jou dit is overkomen.'

Er verscheen een diepe rimpel op Idelettes voorhoofd.

'Monsieur Lemoine stelde zijn akker ter beschikking, zodat Gods gemeente kon samenkomen, ook al wist hij dat hij hiervoor gearresteerd kon worden. Hij liet zelfs een schuur bouwen om ons te beschermen tegen kou en regen. Toch liet de Heer het toe dat hij met het zwaard werd gedood. Zijn vrouw is als weduwe achtergebleven. Ze zal al haar akkers verliezen als zij en haar zoon hun geloof niet verloochenen. Er zijn ook kinderen omgekomen, en madame Hershey – en onze *petite* Avril.' Een snik ontsnapte uit haar keel toen ze de naam van haar zusje uitsprak. 'En de verwondingen die neef Bernard opliep en James Hudson, die net de dag ervoor uit Engeland was overgekomen?' Ze keek naar het smalle en sombere gezicht van haar zuster. 'En *ik* dan?'

Idelette keek haar met grote ogen aan. 'Jij? Wat is jou dan overkomen?'

'Niets.'

'Maar je zei zojuist...'

'Dat ik ongedeerd ben gebleven. En dat zit me juist dwars. Als ik die morgen niet te laat was geweest voor de dienst, omdat ik met onze *mère* was blijven praten, die de shawl voor madame Hershey nog even wilde afmaken, dan was mij misschien hetzelfde overkomen als jou, of misschien had ik nu in het graf gelegen, net zoals Avril. Soms voel ik me schuldig dat ik er niet bij was..., soms heb ik het gevoel dat ik had moeten sterven in plaats van Avril.'

Idelette sloot haar ogen en schudde ongelovig haar hoofd. 'Ik begrijp soms helemaal niets van je, Rachelle. Je zou jezelf gelukkig moeten prijzen. Het was Gods voorzienigheid. Daarom was je die morgen te laat.'

'Ja, maar waarom zou ik me gelukkig moeten prijzen? Misschien was ik, in tegenstelling tot jou, niet in staat geweest om staande te blijven in deze beproeving en heeft God me er daarom voor bewaard.'

'Wie kan dit soort vragen beantwoorden?'

'Zei je zojuist niet dat we allemaal getroffen zijn zoals Job? Dan is het antwoord misschien ten dele dat ons geloof op de proef wordt gesteld – en het is veel kostbaarder dan zilver of goud.'

Rachelle wilde een reactie van Idelette uitlokken, want Idelette kende de waarheid.

Idelette bedekte haar gezicht en schudde zachtjes haar hoofd.

Lange tijd zwegen ze, terwijl het hout in de open haard knetterde als een oude heks. De vonken schoten door de schoorsteen in de richting van de donkere, sterrenloze hemel.

Eindelijk verbrak Idelette de stilte en zei met verstikte stem: 'Ik weet dat God dezelfde is in tijden van tegenspoed. Hij is niet grillig. Net zoals gisteren, is Hij vandaag goed en getrouw, en dat zal Hij morgen ook zijn. De gebeurtenissen die ons tot in het diepst van onze ziel schokken, zijn als de wind die tegen een teer blaadje tekeergaat: God houdt de wind in Zijn hand. Ik weet dat de zonde ons tot onze laatste ademtocht op deze aarde zal blijven achtervolgen, maar dat onze Heiland machtiger is dan alle legers die satan op ons af stuurt.'

Rachelle bleef nog even staan en dacht na over haar woorden. Alles wat gezegd moest worden was gezegd. Ze draaide zich om en liep naar de deur. Nog eenmaal keek ze om. Ze herinnerde zich het citaat uit Efeziërs 6:14, dat de lijfspreuk van de vervolgde hugenoten was geworden, nadat een vrouw de woorden op de muren van haar cel had gekerfd.

'*Tenez ferme*,' zei ze zachtjes.

Idelette draaide zich naar haar om en ze keken elkaar aan. Er verscheen een glimlach om haar lippen. Ze knikte. '*Merci, ma chère* Rachelle.'

Rachelle liet haar zusje worstelend achter, met een geloof dat zwaar op de proef werd gesteld, maar Rachelle wist dat ze stand zou houden.

Na twee dagen was Rachelle gereed om naar Fontainebleau te vertrekken. In haar kist zaten de elegante japonnen en muiltjes die ze aan het hof droeg. De rollen Macquinetzijde, het fluweel en het kant waren zorgvuldig in de wagens geladen.

Nenette zou als *grisette* meegaan, terwijl de twaalfjarige Philippe, die zijn moeder bij de bestorming van de schuilkerk had verloren, haar als bediende en boodschappenjongen zou vergezellen.

Op een zonnige morgen stonden de wagens in een lange rij klaar om naar Fontainebleau te vertrekken. Graaf Maurice had zijn mannen in een statige stoet opgesteld, alsof hij een lid van de koninklijke familie escorteerde. Zoals gewoonlijk was hij zeer chique gekleed. Hij wenste vader Arnaut *adieu* en beloofde hem zijn leven voor dat van Rachelle te geven als dit geluk hem ten deel zou vallen. Rachelle betwijfelde het of haar *père* hem geloofde. Ze wist dat hij niet bepaald onder de indruk was van Sébastiens *neveu* en haar niet graag naar het hof zag vertrekken, terwijl Claire en hij naar Engeland zouden gaan en Idelette naar Parijs.

Een brief van Madeleine stelde hen eindelijk in staat om de knoop door te hakken wat Idelette betrof. Ze zou niet op het zijdekasteel blijven zoals ze had voorgesteld, maar naar Parijs gaan en bij Madeleine en *petite* Jeanne blijven totdat vader Arnaut en moeder Claire met neef Bernard uit Engeland zouden terugkeren om het colloquium in de herfst bij te wonen.

Arnaut en Claire zouden niet meteen in de richting van Calais reizen, want het zou nog een poosje duren voordat ze genoeg eitjes, moerbeiboombladeren en stekken hadden verzameld en ingepakt voor de reis. Ze hadden besloten dat Idelette tot Orléans met Rachelle mee zou reizen, en daarna verder naar Parijs, terwijl Rachelle naar Fontainebleau zou gaan.

Madame Claire had er zichtbaar moeite mee om in deze omstandigheden afscheid te nemen van haar dochters. Rachelle en Idelette probeerden haar gerust te stellen en beloofden haar goed voor zichzelf te zorgen.

Rachelle liep naar de koets met haar koffertje van bordeauxrood fluweel waarin haar naam met gouden letters was gegraveerd. Ze bewaarde er allerlei soorten naaibenodigdheden in: speciale naalden en spelden, scharen en klosjes gekleurde zijde uit Italië, Spanje en de Lage Landen. De gouden vingerhoed van haar Grandmère zat er ook in, als een herinnering aan de vrouw in wiens voetsporen ze zou treden – en die er tegelijkertijd ook de oorzaak van was dat ze ernaar uitkeek om naar het hof terug te keren.

Ze wist dat ze bitter weinig zou kunnen doen als ze het bewijs in handen had dat de koningin-moeder Grandmère had vergiftigd. Desondanks wilde ze achter de waarheid komen.

Toen Rachelle de treden van het bordes afliep, zag ze dat Maurice Idelette de koets van de Macquinets in hielp. Idelette droeg een wijde mantel, nogal ongewoon op een warme dag als deze. Ze vroeg zich af of vader Arnaut met Maurice had gesproken over zijn dochters toestand. Ze merkte dat hij veel voorkomender was dan vroeger.

Toen Idelette haar ouders gedag had gezegd en de koets was ingestapt, was het tijd voor Rachelle om afscheid te nemen van haar moeder.

Claire zuchtte diep, maar bleef het toonbeeld van kalmte en gratie. Ze pakte Rachelles arm en nam haar terzijde.

'Je zult geen woord zeggen aan het hof over de dood van Grandmère en de ziekte van Madeleine. Laat haar geen seconde denken dat je ook maar de geringste verdenking jegens haar koestert, begrepen?'

'Maakt u zich geen zorgen, *maman*. Het is niet de eerste keer dat ik in haar gezelschap verkeer en ik weet hoe ik me moet gedragen. Maar als ik geen woord zeg over wat hen is overkomen, dan krijgt ze misschien ook argwaan.'

'Dit is een heel vervelende situatie. Ik had erop gerekend dat je met ons mee zou gaan naar Engeland om de familie Hudson te ontmoeten. James heeft geschreven dat hij hoopte dat je bij het aanbieden van de japon aan koningin Elizabeth kon zijn.'

'Ach, *maman*, dat had ik ook gehoopt. Maar nu ziet het ernaar uit dat onze wegen zich scheiden.'

Rachelle sloeg haar armen om haar moeder heen en kuste haar op haar wang.

'Zo God wil, zullen we niet te lang van elkaar gescheiden zijn. We zullen elkaar weer zien bij het colloquium deze herfst in Fontainebleau. Ik zal erom bidden dat de reis naar Spanje niet dit jaar zal plaatsvinden. Gedraag je verstandig aan het hof en breng de hoofden van de wispelturige *galants* daar niet op hol. Spreek niet met anderen over je geloof en verlaat je op graaf Sébastien en hertogin Dushane. Laten we echter niet in vrees leven, maar in het vertrouwen dat de hand van onze Vader ons zal leiden in deze onzekere tijden. Hij zal met je gaan, *ma petite*. Mogen Zijn engelen je op al je wegen begeleiden.'

Rachelle kneep in haar moeders hand. '*Adieu, ma mère.*'

'Pas goed op jezelf. *Adieu, ma chère fille.*'

Ze keken elkaar aan en Rachelle kreeg een brok in haar keel, toen ze de ogen van haar *mère*, ondanks haar opgewekte woorden, vochtig zag worden. Madame Claire slikte een aantal malen om haar tranen terug te dringen. Met een dappere glimlach streek ze liefdevol een losgeraakte haarlok uit Rachelles gezicht.

Met kaarsrechte rug en schouders deed madame Claire een stap opzij. Rachelle liep naar de koets waar Idelette op haar zat te wachten. Vader Arnaut hielp Rachelle met instappen.

'*Au revoir*, dochter. Denk eraan wat ik je na terugkomst uit Calais in het Louvre heb gezegd.' Hij kuste haar op haar voorhoofd.

Rachelle wist waar hij op doelde. Opnieuw een waarschuwing om het raadsel van de handschoenen te laten rusten.

'*Au revoir, mon père*. Moge God u een behouden vaart geven met uw kostbare lading van eitjes en moerbeiboombladeren.'

Hij glimlachte en leunde voorover om Idelettes hand beet te pakken. 'Wees dapper. Je *mère* en ik zullen jullie over een paar maanden weer zien.'

Madame Claire kwam naast Arnaut staan en opnieuw zeiden ze elkaar gedag. Toen werd de deur van de koets gesloten en Rachelle voelde hoe het rijtuig zich in beweging zette en de poort uitreed, op weg naar Fontainebleau en Parijs. Idelette en zij keken uit het raam, zwaaiden en glimlachten voor de laatste maal naar hun ouders.

Rachelle zag het witte kasteel verdwijnen in de vroege ochtendzon. Het beeld van haar glimlachende ouders die arm in arm hun dochters stonden uit te zwaaien zou haar altijd bijblijven.

Toen was het moment voorbij. Ze leunde achterover in de kussens en bereidde zich op een nieuwe toekomst voor.

19

Londen, Engeland

Markies Fabien, gekleed in de kleuren van het huis van Bourbon, vergezelde de kaperkapiteins van de Engelse koningin naar een bijeenkomst in Whitehall. Ze zouden daar door haar ontvangen worden, omdat dankzij hun actie was voorkomen dat de hertog van Alva zijn legers in de Lage Landen met extra wapens en munitie had bevoorraad.

De koningin kwam binnen. Ze was van top tot teen gehuld in paars fluweel en behangen met goud, parels en juwelen. Ze waren niet de enigen die door de koningin werden ontvangen, en Fabien wachtte met Bernard en de andere geuzen rustig op zijn beurt.

Tussen de zuilen van de lange galerij hingen goud- en zilverkleurige brokaten draperieën en in de lucht hing de onmiskenbare geur van bloemkransen en guirlandes van verse bloemen. Op de oever van de rivier die langs Whitehall stroomde, liepen zwanen rond en in de tuin van het paleis bevonden zich vierendertig zuilen, op elk waarvan een standbeeld van een heraldisch dier stond.

Koningin Elizabeth was een intrigerende vrouw. Ze had een erg bleke huid en rood haar. Ze zag er niet stevig of gezond uit, maar haar ogen stonden fel en vastberaden en getuigden van haar wil om Engeland te dienen en te beschermen. Fabien voelde onmiddellijk een grote sympathie voor haar. Wat een hemelsbreed verschil tussen deze jonge vrouw en de donkere, sinistere en konkelende Catherine de Médicis. Ze straalde iets heel anders uit. Wat was het verschil precies? De een hield zich bezig met het occulte, terwijl de ander open leek te staan voor het licht.

Fabien, die naast Bernard Macquinet en kapitein Nappier stond, merkte een jongeman op die hem vaag bekend voorkwam. Hij bevond zich aan het hoofd van een groepje mannen, waarschijnlijk couturiers, dat monsters stof, ontwerpen voor japonnen en andere artikelen liet zien aan lady Montagu, de kleedster van de koningin. Zij nam ook alle geschenken in ontvangst waarmee de koningin werd overladen. Fabiens blik viel op een aantal donkerroze, ruimvallende 'huisgewaden' of 'ochtendkleden', die in Parijs *négligés* werden genoemd; ook zag hij zakdoeken, nachtjaponnen, zilver- en goudkleurige haarnetjes en slaapmutsen, allemaal geschenken van de beroemde couturiers.

Fabien bracht zijn hand naar zijn kin en keek strak naar de grond. Hij had moeite om zijn gezicht in de plooi te houden. Nappier keek hem even aan en er verscheen een ironische glimlach om zijn lippen. Het was merkwaardig dat de kapers juist na deze groep door de koningin zouden worden ontvangen – het waren allemaal mannen met een verweerd uiterlijk, uitgerust met zwaarden en leer, en een dorst naar Spaans bloed. De couturiers daarentegen pronkten niet met staal, maar met zijde en overlaadden de koningin met vrouwelijke en verfijnde cadeautjes in de hoop haar gunst te winnen en tot hofleveranciers te worden benoemd.

Fabien haalde zijn ene wenkbrauw op, toen een aantal 'zijden' kousen voor de dag werd gehaald en met veel fanfare aan de hofdame van de koningin overhandigd.

Koningin Elizabeth toonde weinig interesse voor al deze geschenken totdat de nieuwe kousen aan haar werden gepresenteerd. Ze was zichtbaar in haar schik met dit geschenk. Ze had nog nooit eerder zijden kousen gezien, zo zei ze, maar had gehoord dat ze zeer populair waren in Frankrijk.

Gewoonlijk werden kousen van taf of kamgaren gemaakt, materialen die niet erg elastisch waren en het been slechts tot op de kuit of de knie omsloten. Nauwsluitende en gladde zijden kousen waren iets nieuws voor de *haut monde*.

De stem van de koningin galmde door de galerij. 'Mij bevallen deze zijden kousen. Ze zijn fraai, elegant en prettig in het dragen. Vanaf nu zal ik geen ander type kousen meer dragen. Vertel uw couturière, mademoiselle Rachelle Macquinet, dat ik zeer in mijn schik ben met dit geschenk, sir Hudson. Vraag haar nog een aantal andere paren voor mij te maken.'

Fabien schrok op. *Rachelle?* Plotseling was zijn interesse voor zijden kousen gewekt. Hij keek de jonge Engelsman die de koningin deze geschenken overhandigde aandachtig aan. Ja, de Engelsman kwam hem bekend voor. Hij liep enigszins mank, toen hij op zijn bediende af stapte om een grotere kist te openen. Even later liepen ze met een adembenemende roze japon met een zilverachtige glans naar voren, die knisperde en ritselde alsof het een levend wezen was. Zelfs de koningin was onder de indruk en glimlachte.

'Is dat niet de Engelsman die ik op het zijdekasteel heb gezien?' vroeg Fabien zachtjes aan Bernard.

'Inderdaad. En als ik me niet vergis, is dat de japon waaraan Rachelle en James samen zo hard hebben gewerkt op het *château*. Hij vertegenwoordigt de nieuwe Engelse zijdeonderneming Dushane-Macquinet-Hudson. Ik neem aan dat hij toestemming van de koningin hoopt te verkrijgen om een nieuwe winkel in Londen te openen. Arnaut wil een atelier in de buurt van Londen opzetten, maar heeft daarvoor de goedkeuring van de koningin nodig. Met deze geschenken – ik geef toe dat ze aan de overdadige kant zijn – willen de Macquinets en de Hudsons Hare Majesteit voor hun zaak winnen.'

'De zijden kousen waren waarschijnlijk al genoeg geweest,' merkte Fabien droog op.

Dit was de eerste keer dat Fabien hoorde over de plannen van de familie Dushane-Macquinet en de familie Hudson om samen een bedrijf in Engeland op te zetten. Fabien herinnerde zich James Hudson van de morgen na de brand in de schuilkerk. Omdat hij op dat moment te veel andere zaken aan zijn hoofd had gehad, had hij niet geïnformeerd wat Hudson op het zijdekasteel kwam doen.

Fabien observeerde Hudson. Hij sprak over de japon. 'Majesteit, het doet mij een groot genoegen om u deze japon aan te bieden, vervaardigd door een van de beste jonge couturières in Frankrijk, mademoiselle Rachelle Macquinet. Zij en uw nederige dienaar…,' hij stopte even en maakte een kleine buiging – 'hebben vele weken en maanden aan deze japon gewerkt. Het is een grote eer voor ons u dit geschenk te mogen aanbieden, nu wij, de firma Hudson en het beroemde Franse zijdehuis Dushane-Macquinet, hebben besloten om de handen ineen te slaan.'

Fabien zag dat de japon van zijde en satijn was gemaakt en versierd met zilverkleurige en roze borduursels. De lange, smalle taille en de hoepelrok waren met pareltjes bewerkt en de bijbehorende waaier bestond uit roze veren.

'Wat een schitterende zijde. Een van de mooiste stoffen die ik ooit heb gezien… het is prachtig handwerk, sir Hudson. Is de Franse couturière hier in Londen?' vroeg de koningin.

'*Mademoiselle* zal binnenkort naar Londen komen om samen met ons een nieuwe winkel te openen. We zijn van plan om confectiejaponnen te maken die direct aan de klanten verkocht zullen worden. Het is onze bedoeling om als partners te gaan samenwerken.'

Wat had dit te betekenen? Fabien had moeite om zijn boosheid te onderdrukken. *Zou Rachelle naar Londen komen? Als partner van James Hudson?*

Hij nam James Hudson nogmaals aandachtig op. Hoelang was deze Engelsman op het kasteel geweest?

Fabien boog naar Bernard toe. 'Je hebt me nooit verteld dat mademoiselle Rachelle van plan was naar Engeland te verhuizen om met deze Hudson te gaan samenwerken.'

'Ik herinner me dat dit even ter sprake is gekomen toen ik daar was, maar nogal vrijblijvend. Madame Claire was niet zo ingenomen met het idee dat haar dochters alleen naar Londen zouden komen, hoewel ze er door de Hudsons zouden worden opgevangen, een goede, protestantse familie.'

Fabien was zeer ontstemd. James Hudson was goed gekleed in zijn zwart met witte jas, die was afgebiesd met goudkleurig lint. Achter hem stond een groepje tailleurs.

Bernard zei: 'Vanwege de zorgelijke situatie van de hugenoten in Frankrijk, denkt Arnaut dat het verstandig is om grond te kopen in Engeland. Hij was al een poosje van plan om een zijderupskwekerij buiten Frankrijk op te zetten. Een bron van zorg is het vochtige en koude weer in Engeland.'

En door deze nieuwe onderneming zou de familie Macquinet nauw gaan samenwerken met de Hudsons...

'Markies van Vendôme?'

Fabien draaide zich om. Naast zich zag hij een elegant geklede man met zilvergrijze haren staan. '*Monseigneur*, mag ik me *s'il vous plaît* even aan u voorstellen. Ik ben Ronsard d'Alencome, de ambassadeur van koning François in Engeland. Ik wil u uit persoonlijke hoofde mijn leedwezen betuigen met de arrestatie van uw familieleden, de Bourbonse prinsen.'

Fabien keek hem scherp aan. 'De prinsen zijn gearresteerd? Ik hoop dat u zich vergist. Bedoelt u niet graaf Sébastien Dangeau? Maar ik heb gehoord dat hij is vrijgelaten en weer in dienst is van de koningin-moeder.'

'*Oui*, graaf Sébastien mag van geluk spreken. Ik ken hem nog uit Parijs. Maar, *non*, ik had het wel degelijk over de Bourbonse prinsen, Louis de Condé en Antoine de Bourbon. Ik zie echter dat u hier nog niet van op de hoogte was. Mijn excuses, het was niet mijn bedoeling om u slecht nieuws te brengen.' Hij boog even zijn hoofd. 'In dat geval moet ik u helaas vertellen wat er is gebeurd.'

'Ik wil graag alles horen.'

Ambassadeur d'Alencome keek even naar de koningin, die zich nu met enkele kaperkapiteins onderhield. Fabien was de volgende die aan de beurt was. Hij fluisterde: 'Als u dit gelegen komt, kunnen we dan na uw onderhoud met Hare Majesteit onder vier ogen spreken? In de tuin bijvoorbeeld?'

Zodra Fabien een aantal beleefdheden had uitgewisseld met koningin Elizabeth, glipte hij weg en vond de ambassadeur van de koning in de buurt van de rivier.

De zwanen waren op het water neergestreken en de maan probeerde tevergeefs door de Londense mist heen te dringen. D'Alencome liep op de oever van de rivier op en neer. Toen hij Fabien zag, haastte hij zich naar hem toe en maakte een kleine buiging.

Waarom voel ik me niet op mijn gemak bij deze kerel?, dacht Fabien. Er was niets op zijn gedrag aan te merken, maar toch rook hij onraad. Was hij een spion van Catherine? Aan alle hoven van Europa had ze spionnen, in het bijzonder aan het hof van Elizabeth, die Catherine niet vertrouwde, omdat ze haar gelijke in de Engelse koningin had gevonden. Elizabeth was moreel gezien een veel betere vrouw, maar ze was sluw en intelligent. Koningin Elizabeth was niet gek.

Fabien droeg zijn cape en zwaard. Koningin Elizabeth had hem daar toestemming voor gegeven en het was nu de typische dracht van de geuzen geworden. Hij liet zijn hand op de met juwelen versierde schede rusten en keek d'Alencome indringend aan. Maar de ambassadeur sloeg zijn lichtblauwe ogen niet neer, alsof hij niets voor hem te verbergen had.

'*Monseigneur,* ik moest u onder vier ogen spreken. Ik heb een boodschap voor u van de koningin-moeder van Frankrijk.'

Even was Fabien sprakeloos. Hun kleren bewogen in de wind. Hij hoorde het water zachtjes kabbelen.

'Een boodschap voor mij?'

'Ja, van onze koningin...'

Met zijn hand nog steeds op zijn zwaard, deed Fabien een stap naar achteren. Dit gebaar miste zijn uitwerking niet op d'Alencome, die hem verschrikt aankeek.

'*Monseigneur*, alstublieft! Ik ben niet uw vijand, maar een *ami*, en de koningin-moeder draagt u geen slecht hart toe. Ze neemt het u niet kwalijk dat u de Spaanse galjoenen tot zinken hebt gebracht; eigenlijk juicht ze uw acties alleen maar toe, want ze heeft in haar hart weinig op met Spanje. Koning Filips maakt haar het leven zuur. De Guises, haar vijanden en de vijanden van het huis van Valois, heulen met Filips, maar zij niet. Als ze een einde kon maken aan de macht van de Guises, zou ze ook niet meer aan de leiband van Spanje hoeven lopen en de vrijheid hebben om milder op te treden tegen de Bourbons-hugenootse alliantie in Frankrijk. *Monseigneur* weet ongetwijfeld dat ze een groot respect heeft voor de hugenootse admiraal De Coligny en ook voor u, *monseigneur*.'

Fabien luisterde zwijgend. Hij nam deze vleiende woorden met een korrel zout.

'Wat wil de koningin-moeder van me?'

'Dat weet ik niet, *monseigneur*.'

'Het zou onbetamelijk zijn u een leugenaar te noemen, *monsieur l'ambassadeur*,' zei hij, 'maar ik denk dat u dit wel degelijk weet. Waar is de brief van de koningin-moeder? Reikt u hem mij heel langzaam aan.'

'*Marquis* de Vendôme, ik zou wel gek zijn om te proberen u neer te steken.'

'Laten we hopen dat u dat niet bent. *Merci*,' zei hij met een flauwe glimlach toen de ambassadeur hem Catherines brief met het indrukwekkende gouden zegel overhandigde.

'Voordat ik de brief lees, kunt u me alstublieft iets meer vertellen over mijn Bourbonse familieleden?'

'De situatie geeft helaas weinig aanleiding tot vreugde, hoewel het er beter uitziet voor prins Antoine. Hij staat onder huisarrest in Fontainebleau en zal niet terechtgesteld worden. De Guises hopen hem te gebruiken om hun macht te vergroten en ook die van Spanje dat zijn oog heeft laten vallen op het koninkrijk van Navarre.'

'Wat zijn ze met de beide prinsen van plan?'

'Ze willen prins Antoine overhalen zich te bekeren tot het rooms-katholicisme en hem in plaats van zijn vrouw tot koning van het koninkrijk uitroepen, zodat Navarre voortaan geregeerd zal worden door iemand die trouw heeft gezworen aan Rome en Spanje, uiteraard met rampzalige gevolgen voor de hugenoten in het koninkrijk.'

Antoine, katholiek? Zou Antoine van godsdienst veranderen om Spanje gunstig te stemmen? Fabien had geen enkel vertrouwen in Antoine. Zijn neef stond als zwak en twijfelachtig bekend. Hij veranderde vaak van gedachten en sloot compromissen. Maar Louis...

'En prins Louis de Condé?'

'Helaas is hij opgesloten in de kerker van Amboise.'

'Amboise!' De naam van de burcht bracht herinneringen boven aan het verraad en het bloedbad waarvan hij afgelopen maart getuige was geweest.

'Hij is in Orléans gearresteerd. Zijn broer en hij waren uit vrije wil naar Fontainebleau gekomen, nadat koning François hun het bevel had gegeven zich voor hem te komen verantwoorden voor hun rol in de hugenootse opstand in Amboise.'

Toen Fabien had gehoord wat er allemaal was gebeurd, voelde hij een grote woede in zich opkomen. Uiteraard zaten de Guises achter dit verraad. Ze hadden koning François voor de zoveelste keer voor hun kar gespannen.

Louis was aangeklaagd wegens hoogverraad. Hoe zou hij hem vrij kunnen krijgen?

Fabien las de brief van de koningin-moeder met grote argwaan en probeerde haar op leugens te betrappen.

Er stond weinig meer in dan wat d'Alencome hem al had verteld. Hem werd indirect te kennen gegeven dat hij naar Frankrijk zou moeten terugkeren voor het langverwachte colloquium waar zijn *ami* en bondgenoot, admiraal De Coligny, zo op had aangedrongen. Ze beloofde hem ook dat ze hem niet zou laten arresteren voor de aanvallen op de Spaanse galjoenen, hoewel een zeer vertoornde hertog van Alva er bij haar op aandrong actie tegen hem te nemen.

Ik verzeker u dat mijn bedoelingen vredelievend zijn en dat ik met u wens samen te werken.

Zijn mond vertrok. Hij vroeg zich af of ze op dezelfde manier haar vriendschap had aangeboden aan de prinsen van Bourbon.

Ik ben niet zo goedgelovig als u denkt, madame, dacht hij en las verder...

Er hebben de laatste tijd veel gesprekken plaatsgevonden tussen uw neef, graaf Maurice de Beauvilliers, mademoiselle Rachelle Macquinet en mijzelf. De graaf heeft zijn hart aan haar verloren en heeft mij om haar hand gevraagd. Wie ben ik om in de weg te staan van oprechte amour? Ik overweeg om hen toestemming te geven om na het colloquium deze herfst met elkaar in het huwelijk te treden. Haar ouders, messire Arnaut Macquinet en madame Claire, zullen zich niet tegen het besluit van de koning verzetten, want alle trouwe zonen en dochters van Frankrijk onderwerpen zich aan het gezag van de koning, die het beste met hen voorheeft. Als u naar Frankrijk terugkeert, heb ik er geen bezwaar tegen om met u van gedachten te wisselen over deze kwestie. Tevens ben ik bereid om te spreken over het doodvonnis van prins Louis de Condé...

Fabien verfrommelde de brief en keek naar ambassadeur d'Alencome, die hem aangaapte.

Maurice! Die schandelijke parasiet!

'*Monseigneur,* staat er slecht nieuws in de brief?' zei d'Alencome schaapachtig.

Fabien stapte naar voren; d'Alencome deinsde verschrikt achteruit. In het maanlicht glinsterden de saffieren ringen aan zijn vingers.

'*Monseigneur,* alstublieft, ik ben slechts de ambassadeur van onze geliefde koningin-moeder, Catherine – ah! *Messire, non,*

non...' sputterde hij tegen toen Fabien hem bij zijn hemd greep en hem door elkaar schudde.

'Onze geliefde Catherine, nietwaar?'

'*Monseigneur...*'

Fabien liet hem los en duwde hem van zich af. 'Wanneer hebt u deze brief gekregen?'

Hij schraapte zijn keel en keek angstig over zijn schouder naar het water, alsof hij vreesde dat Fabien hem een nat bad zou bezorgen. '*Monseigneur*, ik verzeker u met de hand op mijn hart dat ik niet verantwoordelijk ben voor dit nieuws, wat het ook is. Ik ben slechts de nederige dienaar van Hare Majesteit.'

'U bent één van haar vele spionnen, een kind kan dit zien. Hoe wist u dat ik hier vanavond zou zijn?'

'Ik hoorde Cecil, een van de raadgevers van koningin Elizabeth, dit toevallig op een avond tegen haar zeggen. Hij was het er niet mee eens om de kapers toestemming te geven de Straat van Dover over te varen en adviseerde haar hard tegen hen op te treden, maar zij weigerde en zei dat ze deel uitmaakten van haar koninklijke marine. Ik hoorde uw naam vallen, toen ze het hadden over de gezonken Spaanse schepen, en ik vernam ook dat u medeverantwoordelijk was voor het stelen van het goud van de schepen uit Genua dat was bestemd voor Alva's huursoldaten. Als ik dit soort wellicht onbelangrijke zaken niet via een omweg onder de aandacht van Catherine de Médicis breng, dan loopt mijn leven gevaar; hoewel ik eraan toe moet voegen dat de Spaanse gezant haar al op de hoogte had gesteld van deze kwestie. Ik kan u verzekeren, *monseigneur*, dat deze aangelegenheid haar in feite onverschillig laat, maar dat ze, net zoals koningin Elizabeth, in het openbaar zeer voorzichtig moet zijn. Beide koninginnen zijn van mening dat het machtige Spanje een bedreiging vormt voor hun nationale belangen. Toen de koningin-moeder hoorde dat u door koningin Elizabeth zou worden ontvangen, schreef ze de brief die u nu in handen hebt en liet hem via de Portugese gezant, die op dat moment bij haar op bezoek was en van plan was naar Engeland te reizen, aan mij bezorgen.'

'En Maurice Beauvilliers?'

'Ah, van die *monsieur* heb ik nog nooit gehoord.'

'De koningin-moeder heeft een huwelijk voor mademoiselle Macquinet gearrangeerd. Waarom? Om me terug te lokken naar het hol van de leeuw?'

'Daar weet ik niets van, *monseigneur*. Maar ze rekent er zeker op dat u zult terugkeren. Ja, ja, dat huwelijk is zoals u zegt misschien de manier waarop ze u terug probeert te halen naar Frankrijk.'

'Maar dit betekent niet dat ze mij niet in de boeien zal slaan. Is dit een valstrik? Zal ik door soldaten opgewacht worden in Frankrijk?'

'Ik zweer u dat ik dat echt niet weet. Ik denk echter van niet, want ze heeft uw hulp nodig in een bepaalde vertrouwelijke kwestie.'

Een vertrouwelijke kwestie? Wat kan dit anders zijn dan de zoveelste intrige tegen de door haar gehate Guises?

Ze hoorden stemmen in de buurt van het paleis. Een aantal wachters liep naar buiten. Ook de watergeuzen verlieten de ontvangsthal. Fabien zag dat Bernard en kapitein Nappier op het groene gazon op hem stonden te wachten. Fabien wendde zich tot de Franse ambassadeur.

'Spreek hier met niemand over. Anders zult u de gevolgen betreuren.'

'*Monseigneur* – ' hij maakte een buiging – 'in de hachelijke positie waarin ik verkeer, als dienaar van de koningin-moeder aan het Engelse hof, zou ik er zeer onverstandig aan doen om mijn mond voorbij te praten, tenzij de koning dit uitdrukkelijk van mij vraagt.'

Fabien keek hem met een harde blik aan en was ontstemd over de glinstering in de ogen van de ambassadeur.

'*Monsieur l'ambassadeur*, voor uw eigen welzijn hoop ik dat u niet tegen mij gelogen hebt om de koningin-moeder te behagen.'

Ambassadeur d'Alencome zei geen woord, maar maakte een diepe buiging. Fabien keek hem achterdochtig aan, draaide zich om en liep naar Bernard en Nappier. Fabien wist dat zijn gezicht boekdelen sprak, want beide mannen zwegen, toen hij de koets instapte om terug te keren naar de King's Way Inn.

Rachelle, ma chère, dit kan ik niet laten gebeuren. Je bent van mij, en van niemand anders.

Hij moest naar haar toe gaan, ook al was dit een valstrik. Hij wilde niet het risico nemen om koers te zetten naar de kolonie van admiraal De Coligny om er na zijn terugkeer achter te komen dat ze de vrouw van Maurice Beauvilliers of James Hudson was.

In de straten van Londen, waarvan er slechts een klein aantal geplaveid was, wemelde het van venters die hun waren te koop aanboden. Leerjongens stonden voor de etalages van de winkels om de speciale producten van hun meesters aan te prijzen. Hij zag adellijke dames en heren in prachtige koetsen en bedelaars – oud, vies en kreupel. Kinderen in lorren scharrelden als straatkatten en honden in de modder rond. Overal zag hij kerktorens aan de horizon, die onophoudelijk beierden voor een of andere plechtigheid.

De straten waren smerig en stonken. In het afval, dat in hopen bijeengeharkt was om verbrand te worden, krioelde het van de ratten. Er was geen gebrek aan woningen, maar de uit twee of drie verdiepingen bestaande huizen waren zo dicht op elkaar gebouwd dat het leek of ze bescherming bij elkaar zochten. Piepende en krakende uithangborden bewogen in de wind. Een dikke mist begon op de stad neer te dalen en vermengde zich met de rook uit de schoorstenen.

Fabien liep te ijsberen in zijn kamer in de King's Way Inn. Het geluid van zijn met grote gespen versierde laarzen werd gedempt door een degelijk, maar versleten vloerkleed. Zijn leren, met familiejuwelen versierde schede hing aan een haak naast zijn koningsblauwe, gevederde hoed en goudkleurige cape, die hij tijdens zijn onderhoud met de Engelse koningin had gedragen. Elizabeth had met hem geflirt. Hij wist het zeker. De Graaf van Essex was zichtbaar ontstemd geweest, hoewel Fabien wist dat koningin Elizabeth altijd alleen maar op afstand met mannen flirtte.

Door het verraad waarvan zijn Bourbonse familieleden het slachtoffer waren geworden en het nieuws van een mogelijk gearrangeerd huwelijk tussen Rachelle en Maurice zat er niets anders op voor Fabien dan terug te keren naar Frankrijk en het risico te lopen verwikkeld te raken in de intriges van de koningin-moeder.

Aan de andere kant van de kamer stond dominee Bernard in zijn zwarte hugenootse kleding en met zijn armen over elkaar geslagen toe te kijken. Zijn borstelige witte wenkbrauwen vormden een contrast met zijn doordringende donkere ogen. Met zijn waardige en rijzige gestalte wekte hij de indruk dat hij met een toornig gebaar bliksem en donder van de hemel kon laten neerdalen.

Bernard zou de volgende morgen direct na zonsopgang naar Spitalfields vertrekken. Hij keek met spanning uit naar nieuws van Arnaut over het stuk grond dat hij net buiten Londen wilde kopen. Ook verwachtte hij een belangrijke brief van Sébastien.

Fabien had er al voor gezorgd dat de bijbels in karren naar de Franse en Hollandse protestanten in Spitalfields waren vervoerd, onder escorte van een aantal van Fabiens soldaten. Inmiddels zouden deze naar de *Represaille* in de haven van Portsmouth zijn teruggekeerd en daar nu op hem wachten.

Kapitein Nappier en zijn bemanning keken uit naar de reis naar Florida, maar Fabien kon nog geen koers zetten naar Amerika. Evenmin wilde hij in dit stadium zijn schip aan Nappier overdragen. Hij besloot dat hij het beste in Calais kon aanleggen, totdat hij meer duidelijkheid had over zijn toekomst en die van Rachelle.

Fabien ging tegenover Bernard zitten en liet zijn blik rusteloos over de houten tafel glijden waar weldra een Engelse stoofpot zou worden opgediend. Hij had geen trek in eten of drinken. *Maurice, jij sluwe vos. Ik zal je het deze keer betaald zetten, daar kun je op rekenen.*

Hij nam een paar donkerrode druiven van de grote fruitschaal en bekeek ze aandachtig. 'Als ik nu uit zou varen naar Florida, dan zou ik Rachelle pas over een jaar terugzien, zwanger van Maurice of opgesloten in de Bastille!'

'Ik vrees dat de verwende jonge graaf niet zonder strijd van zijn plan is af te brengen,' zei Bernard. 'En denk eraan, niet alleen Rachelle, maar ook u loopt gevaar in dit slangennest.'

'De koningin-moeder is levensgevaarlijk. Ik weet dat ik op mijn hoede moet zijn. Helaas wil ze iets van mij, Bernard.'

Bernard keek hem ongerust aan. 'Wat denkt u dat ze van u wil?'

Fabien nam zijn schede van de haak en trok zijn zwaard eruit. Het lange, scherpe lemmet glinsterde griezelig in het licht.

'Het volgende,' zei Fabien zachtjes. '*Madame le Serpent* wil de hertog van Guise uit de weg ruimen. Ze zal me waarschijnlijk de bewijzen leveren dat hij verantwoordelijk is voor de moord op mijn vader Jean-Louis in Calais. Ik weet dat hij het gedaan heeft. Ze zal me vragen mij te wreken op de persoon die zij als de grootste bedreiging voor de Valois ziet. Als ik weiger, zal ze koning François dwingen om een huwelijk tussen Rachelle en Maurice te arrangeren.'

Bernard keek hem geschrokken aan. 'U zou toch niet zomaar een moord begaan?'

Fabien keek hem grimmig aan. 'Nee? Om eerlijk te zijn, dominee Bernard, zou ik er geen probleem mee hebben. Ik zin al zo lang op wraak, en na zijn aanval op de hugenoten en de familie Macquinet in Lyon, zou ik graag het recht in eigen hand nemen en er geen oog minder om dicht doen. Alleen al de wrede moord op Rachelles zusje zou me aanleiding genoeg geven – en ook wat hij Idelette heeft aangedaan.'

Langzaam liet Fabien zijn zwaard in de schede terugglijden. 'Ik ben weliswaar een zondaar, maar geen dwaas. En omdat ik mijn eigen hart ken, zal ik op mijn hoede zijn voor de koningin-moeder met haar glanzende beloften en duistere bedreigingen.'

Bernard liet zijn kin op zijn duim en wijsvinger rusten. 'Dit is nog een veel gevaarlijker situatie dan ik in eerste instantie dacht. Vergeet niet, *marquis, mon ami*, dat de duivel zeer listig is. Verleiding is niet iets waar je lichtvaardig mee om mag gaan. Als de koningin-moeder u een excuus geeft om u te wreken, zult u in grote tweestrijd geraken. Zonder Gods bijstand zult u geen weerstand kunnen bieden aan deze verleiding. Ik wist niet dat de hertog verantwoordelijk was voor de dood van Jean-Louis de Bourbon.' Hij keek Fabien een ogenblik aan. 'Door terug te keren naar het hof, zet u niet alleen uw leven op het spel, maar ook uw integriteit.'

'Er zit niets anders op. Ik moet gaan. Dankzij haar listigheid heb ik geen andere keuze. Als ik haar bevel negeer, dan zal ze me dit betaald zetten. Ik heb het ook bij anderen gezien. Ze zou er persoonlijk op toezien dat Rachelle werd uitgehuwelijkt aan mijn egoïstische neef.'

'Wat gaat u doen? Wat bent u van plan? U kunt er toch onmogelijk mee instemmen om de hertog van Guise te vermoorden?'

'Ik zal zien wat ze me te zeggen heeft. Maar eerst zal ik Rachelle in veiligheid brengen op een plek waar Maurice niet gemakkelijk bij haar kan komen.'

'Op korte termijn is dit een goede oplossing, maar op den duur zal dit niet volstaan.'

'Ik zal geen overhaaste beslissingen nemen.' Hij keek Bernard rustig aan. 'Als het nodig blijkt te zijn zal ik onmiddellijk met haar trouwen. Daarmee zou Maurice definitief aan het kortste eind trekken.'

Bernard keek bedenkelijk. 'Inderdaad. Maar ook u zou aan het kortste eind kunnen trekken wat de koningin-moeder aangaat, en Claire en Arnaut misschien ook.'

'Dat risico zal ik moeten nemen, *mon ami* Bernard.'

'Laten we er niet op vertrouwen dat het lot ons gunstig gezind is, maar onze hoop vestigen op God. We moeten Hem smeken om ons te helpen.'

'U hebt gelijk, Bernard. Ik zou u er dankbaar voor zijn, als u voor mij wilde bidden tot onze Heiland.'

'Dat heb ik gedaan en dat zal ik ook blijven doen.'

Later die nacht ging er, hoewel hij doodmoe was, van alles door Fabien heen. Hij dacht aan een mogelijke godsdienstoorlog in zijn geliefd Frankrijk; aan liefde en verraad en aan zijn toekomst als Bourbon. Als er een oorlog zou uitbreken, voor wie zou hij partij kiezen? De hugenoten? Zou hij zich bij de admiraal en zijn aanvoerders aansluiten?

Hij dacht met heimwee aan Rachelle en besefte hoeveel gevaar ze liep aan het hof. Opnieuw piekerde hij erover hoe hij haar kon beschermen en voor God en zichzelf kon behouden. Wat voelde ze voor sir James Hudson? Hij fronste.

Als ze me nog wil hebben, dan kunnen we in Vendôme trouwen.

Zou ze zijn huwelijksaanzoek accepteren? Was het te vroeg voor hen om te trouwen? Handelde hij uit wanhoop, omdat hij wist dat er een burgeroorlog zou uitbreken?

Hij zou gauw genoeg weten wat ze voor hem voelde, want over enkele dagen zou hij in Parijs zijn. Zou ze verrast zijn hem te zien of even afstandelijk als de laatste keer dat hij haar had gezien in de kantwinkel van de Languets?

Hij dacht terug aan de keren dat hij met Rachelle tussen de geurige bloemen in de tuinen van het zijdekasteel en

Vendôme had gewandeld. Hij voelde haar zelfs nu nog in zijn armen en herinnerde zich de zachtheid van haar lippen op de zijne en het verlangen dat uit haar ogen had gesproken. Ze had van hem gehouden; hield ze nog steeds van hem?

Zodra ik haar zie, zal ik haar vragen om met mij te trouwen. Als ze ja zegt, zal ze voor altijd de mijne zijn.

Hij zou zich geen zorgen meer hoeven maken over Maurice of over haar verblijf tussen de wolven en jakhalzen aan het hof. Hij zou het op een akkoordje gooien met de koningin-moeder. Rachelle was van hem. Maar welke prijs zou hij hiervoor betalen?

Zijn ogen vernauwden zich tot spleetjes. Ja, een akkoordje, maar op welke voorwaarden? En hoe kon hij daaraan voldoen? En als hij dit niet kon, wat dan?

Fabien dacht aan iets wat hij altijd voor onmogelijk had gehouden, iets wat hij altijd had uitgesloten vanwege de *honneur* van hertog Jean-Louis de Bourbon en zijn moeder, hertogin Marie-Louise de Bourbon. Misschien zou hij genoodzaakt zijn om alles achter te laten, zijn titel en zijn landerijen, en te vertrekken naar Engeland, Genève of misschien zelfs een nieuwe nederzetting in Amerika of het Caraïbische gebied.

Het idee om zijn dierbaar vaderland te verlaten was pijnlijk, maar voor de eerste keer overwoog hij het serieus. Mensen zoals Johannes Calvijn hadden moeten vluchten, dus waarom hij niet? Misschien zou hij aan het idee gewend raken, naarmate hij er langer over nadacht.

Kon hij zomaar alles achterlaten? Ja, dat kon hij, maar alleen met Rachelle, zodat hun kinderen in vrijheid konden opgroeien. Voor het eerst dacht hij aan de Bastille, de pijnbank en de brandstapel als zaken die hem persoonlijk aangingen. Ja, hij zou zijn adellijke titel opgeven en Frankrijk de rug toekeren, als dat nodig was.

Het colloquium en de dreigende burgeroorlog kregen een

nieuwe dimensie. Er moest iets veranderen in Frankrijk. Hij was bereid zijn leven op het spel te zetten om in vrijheid met Rachelle en de kinderen, als God die hun zou schenken, in het land te kunnen leven.

Zou het hierop uitlopen? Een burgeroorlog of de noodzaak om Frankrijk definitief de rug toe te keren en ergens anders een nieuw bestaan op te bouwen?

In gedachten hoorde hij paardenhoeven dreunen en zwaarden ketsen. Oorlog, dood en verderf. In ruil waarvoor? Vrijheid van godsdienst, vrede en liefde.

Ja, dit was het allemaal waard. Rachelle was het waard. Vendôme was het waard – als hij zou blijven.

Hij stapte zijn bed uit en liep naar het raam. Hij keek naar buiten, maar Londen was in dikke mist gehuld. Hij kon niets zien en moest denken aan een vers dat hij in de Bijbel had gelezen: 'Want wij wandelen in geloof, niet door aanschouwen.' Het geloof in de Schrift en in Christus alleen. Niet het geloof in zijn eigen wijsheid, zijn eigen kwaliteiten, zelfs niet in de kracht van zijn gebed, maar in God alleen.

Deze door de Geest geïnspireerde woorden zouden hem en Rachelle leiden op het gevaarlijke pad dat zij en alle hugenoten die besloten in Frankrijk te blijven zouden bewandelen. Het zou geen gemakkelijke weg zijn, maar ze waren niet alleen. Ze waren niet beklagenswaardig, omdat ze geroepen waren om Christus te dienen in een tijd van verdrukking, want Christus had gezegd dat de lijdende Kerk niet arm was, maar rijk, en geheiligd in Christus' liefde.

Wees niet bevreesd voor hetgeen gij lijden zult... Ik zal u geven de kroon des levens.

Fabien verheugde zich erop Rachelle te vertellen dat hij had besloten om openlijk voor zijn hugenootse geloof uit te komen. Hij zou in het openbaar deelnemen aan het heilig avondmaal tijdens het colloquium in Fontainebleau met Bernard, Beza en Johannes Calvijn.

En hij hoopte dat ze haar hart voor hem zou openen.

Hij zou voor zonsopgang uit Londen vertrekken. Over een paar dagen zou hij in Parijs zijn en zijn *belle amie* Rachelle weerzien.

Deze keer zal ik haar eeuwig trouw beloven en haar ten huwelijk vragen.

20

Rachelles reis van Lyon naar Fontainebleau verliep voorspoedig. In de buurt van Fontainebleau kwamen graaf Sébastien en zijn soldaten hen tegemoet en ze reden de weg af om temidden van een groepje naaldbomen een korte pauze te houden. Rachelle schrok toen ze Sébastien zag. Ook Idelette hield haar adem in. Hij zag er nu even oud uit als dominee Bernard, maar brozer. Haar hart ging uit naar hem. *Wat had Sébastien wel niet meegemaakt! Ik schaam me diep. Ik zal nooit meer een lelijke gedachte hebben over zijn schuldbekentenis.*

Ze was zo ontroerd dat ze hem spontaan omhelsde, toen ze elkaar aan de kant van de weg ontmoetten. '*Cher frère*, zei ze en omdat ze verder niets meer wist te zeggen, zweeg ze.

Sébastien, die even vaderlijk was als Bernard, klopte haar op haar schouders. 'Ik maak het goed, *ma petite soeur*. Ik ben blij je weer te zien, maar tegelijkertijd treurig dat je weer naar het hof bent geroepen. Ik heb mijn best gedaan om het niet zover te laten komen, om meer dan één reden, want misschien zal ik er niet altijd zijn om je te beschermen, maar ik hoop dat hertogin Dushane dan voor je klaar zal staan. Als je je in de toekomst ooit geen raad weet, ga dan onmiddellijk naar haar toe. Dit zijn gevaarlijke tijden voor ons allemaal. Je moet je heel voorzichtig in het bijzijn van de koninginmoeder gedragen, maar ik heb er vertrouwen in dat je dat zult doen.'

Hij vermoedt ook dat Grandmère en Madeleine vergiftigd zijn. Houdt hij er rekening mee dat hij weer gearresteerd zal worden?

Rachelle probeerde hem gerust te stellen en zei hem dat hij zich geen zorgen over haar hoefde te maken. Tot haar verrassing deelde hij haar mee dat hij hen de rest van de reis zou vergezellen en dat ze allemaal naar het Louvre in Parijs zouden reizen.

Sébastien zou een paar dagen met Madeleine en *bébé* Jeanne doorbrengen, voordat hij met Rachelle naar Fontainebleau zou terugkeren.

Rachelle had hier niet op gerekend, want ze had al haar naaispullen bij zich.

Sébastien wreef nerveus over zijn zwarte handschoen en trok hem daarna glad. *Wat was er aan de hand? Had hij misschien geen toestemming om naar Parijs te gaan?*

'En waar is de koningin-moeder?' vroeg ze zachtjes.

'Ze verblijft een paar dagen in Chambord om de hertog van Alva te ontvangen.'

Rachelle huiverde bij het horen van de naam van de militaire commandant van de Spaanse troepen in de Lage Landen over wie de markies haar zulke gruwelijke verhalen had verteld. Ze dacht aan Fabien en werd ongerust. De hertog was ongetwijfeld naar Frankrijk gereisd om zijn beklag te doen over de vernietiging van de Spaanse galjoenen.

Rachelle vond het niet erg om eerst naar Parijs te gaan, want ze had het raadsel van de handschoenen nog niet opgelost, en wellicht zou ze daar nu gelegenheid toe krijgen. Ook wilde ze Madeleine en *bébé* Jeanne graag zien.

Rachelle hielp Idelette met uitstappen, zodat ze even kon rondlopen en haar benen strekken na de lange rit. Maurice Beauvilliers reed naar zijn oom toe.

'Wat is er aan de hand, *mon oncle*? Parijs, zegt u? *Mais non.* De koningin-moeder heeft me bevolen om *mademoiselle* naar het *palais-château* van Fontainebleau te brengen.'

'De koningin-moeder is momenteel in Chambord in verband met het bezoek van de hertog van Alva. We blijven slechts een paar dagen in het Louvre. Daarna zal mademoiselle Rachelle met mij naar Fontainebleau terugkeren. Reis verder met al het naaigereedschap en zorg ervoor dat de spullen en de rollen zijde in het atelier worden afgeleverd.'

Maurice keek van Sébastien naar Rachelle. 'Er zit een luchtje aan, *mon oncle.*'

'Doe wat ik je zeg, *neveu*,' zei Sébastien ongeduldig. 'Het is al laat in de middag en ik wens Parijs voor zonsondergang te bereiken. Madeleine verwacht ons. Ik heb een boodschapper vooruitgestuurd.'

Maurice keek hem met stijf op elkaar geperste lippen achterdochtig aan. Toen blafte hij tegen zijn mannen dat ze verder naar Fontainebleau moesten rijden. Hij liet zijn kwijnende blik over Rachelle glijden. Ze kon de argwaan op zijn gezicht lezen. Rachelle keek hem kalm aan, inwendig geërgerd over zijn aanmatigende gedrag. Sinds hij op het zijdekasteel was aangekomen, had hij haar als zijn *bel amour* behandeld.

Hij liet zich van zijn zwarte paard glijden en liep parmantig op haar af. Met een theatraal gebaar nam hij haar hand in de zijne en drukte er een kus op. Vlug trok ze hem los en keek hem fel aan.

'Houdt u daar alstublieft mee op, graaf Maurice. Iedereen kan ons zien.'

'Zou u het wel toelaten, als we alleen waren?'

'Ik heb u nooit toestemming gegeven.'

'Dat maakt niet uit, *mademoiselle*,' zei hij stijf, 'u bent de mijne. Niemand kan dit betwisten, want de koning heeft dit zelf zo bepaald.' Er verscheen een zelfvoldane glimlach om zijn sensuele lippen.

De koning? Maurice' zelfverzekerde houding ergerde en alarmeerde haar. 'Wat bedoelt u precies?'

'De koningin-moeder heeft dit in haar brief aan u uitgelegd.'

'Neemt u me niet kwalijk, maar daar ben ik het niet mee eens. De koningin-moeder heeft mij alleen geschreven dat ik naar het hof moet komen om een garderobe voor prinses Marguerite te maken in verband met het staatsbezoek aan Spanje. Ze heeft geen woord over u, *monsieur le comte*, in haar brief gerept,' zei ze voldaan. Hij was zo'n verwaande kwast.

'Ha, *ma belle*, je zit er helemaal naast. Je zult weldra mijn *princesse* zijn.'

'U hebt een rijke fantasie. Ik stel geen prijs op de avances van welke *messire* dan ook. Ik wil me in alle rust aan mijn werk voor prinses Marguerite wijden.'

'Jij, Rachelle, bent degene die meer rechten meent te hebben dan je in werkelijkheid hebt. Jij en ik zullen in het huwelijk treden. De koningin-moeder heeft me dit zelf beloofd.'

Met grote ontzetting keek ze hem aan. Ze zag de hartstocht in zijn glanzende ogen. Zijn zelfverzekerde houding alarmeerde haar. Hij geloofde er echt in!

'*Messire*, ik denk dat u zich hebt vergist. De koningin-moeder zou u dit nooit beloven. Mijn ouders zouden er geen woord over willen horen.'

'Wat je ouders ervan denken, doet er niet toe,' zei hij boud. 'Alleen de wil van de koning is van belang. Als hij wil dat we met elkaar trouwen, dan trouwen we. Wees blij dat ik voor je ben gevallen en ga alvast maar bedenken hoe je me als vrouw gelukkig kunt maken.'

Rachelle keek hem woedend aan. 'Ah, u zit er helemaal naast, Maurice. Ik trouw nooit met u. Kom, maak plaats voor ons; mijn zusje wil instappen om verder naar Parijs te reizen en ik ga met haar mee. Uw oom heeft u een aantal instructies gegeven en ik verwacht van u dat u deze zorgvuldig zult opvolgen uit respect voor hem. *Adieu*, Maurice – en laat de lakeien geen centimeter zijde vuil maken, want anders zullen ze nog van me horen.' Ze liep langs hem heen in de richting van de koets. Ze hield haar adem in en verwachtte half dat hij haar bij haar arm zou beetpakken of als een klein kind in woede zou uitbarsten over haar afwijzing. Maar Maurice schopte slechts tegen een kei en begon zijn lakeien af te snauwen.

'Wat was er allemaal aan de hand?' Idelette zat tegenover haar, terwijl de koets zich opnieuw in beweging zette, in de richting van Parijs. Sébastien en een handvol soldaten reden voorop.

'Ik weet het niet, maar hij heeft zich in zijn hoofd gehaald dat de koningin-moeder een huwelijk tussen hem en mij zal arrangeren en met dit verzoek naar de koning zal gaan.'

'Een huwelijk met Maurice? Maar dat zouden onze ouders nooit goedkeuren.'

'Dat heb ik hem ook gezegd, maar hij beweert dat de koning een huwelijk tussen ons kan afdwingen.'

'De koning kan dit in principe doen, evenals de koningin-moeder, maar waarom zouden ze? Deze praktijk komt alleen voor bij hoge adellijke families en prinsessen, zoals Marguerite.'

Rachelle ging niet op haar opmerking in, maar ze was van haar stuk gebracht, en werd steeds ongeruster. Stel je voor dat de koningin-moeder haar werkelijk aan Maurice had beloofd, omdat ze hen wilde gebruiken in een van haar intriges? Was dit mogelijk? Maurice had zo zeker van zijn zaak geleken.

Er klopt iets niet, dacht ze, terwijl de paarden in een rustige draf over de ongeplaveide weg naar Parijs liepen. Ze keek uit het raam en zag het zonlicht door de kastanjebomen aan weerszijden van de weg schijnen.

Sébastien had zich ook vreemd gedragen. Ze wilde dit tegen Idelette zeggen, maar deze leunde met gesloten ogen tegen de met fluweel overtrokken rugleuning.

Rachelle piekerde over alles wat de afgelopen dagen was gebeurd. Ja, er klopte iets niet. Ze had een angstig voorgevoel. Haar leven zou een onverwachte wending nemen en misschien nooit meer worden als het was.

Met Maurice Beauvilliers trouwen? Nooit!

Met pijn in haar hart dacht ze aan markies Fabien. Ze verlangde zo hevig naar hem dat de tranen over haar wangen stroomden. Ze depte ze weg, blij dat Idelette ze niet zag en zich nog ongelukkiger zou voelen dan ze al was.

Toen droeg ze haar verdriet op aan haar hemelse Vader en dacht: *ik ben niet alleen.* God was altijd bij haar en Hij hield een wakend oog over de Zijnen.

Er waren een paar dagen voorbijgegaan. Bijna onmiddellijk na haar aankomst op het Louvre had Rachelle Grandmères kamer opnieuw doorzocht om te zien of de handschoenen misschien achter een kast waren gevallen of onder het bed waren beland. Ze had de kamer ondersteboven gekeerd.

Ze ondervroeg alle bedienden, maar niemand wist iets van de verdwenen handschoenen. Ze herinnerden zich allemaal dat Grandmère ze had gedragen, maar wisten niet precies wanneer ze waren verdwenen.

De enige nieuwe informatie die Rachelle kreeg, was afkomstig van het dienstmeisje.

'Eigenlijk is mij slechts één ding opgevallen, *mademoiselle*.'

'En wat was dat?' drong Rachelle aan.

'De dag voordat de *grande dame* stierf, zag ik een kleine geest in haar kamer. Eerst dacht ik dat het een jongetje was, maar toen ik hem aankeek, zag ik dat hij een oud gezicht had, *mademoiselle*. Ik knipperde met mijn ogen en wreef erin, omdat ik dacht dat ik een spook zag. Toen ik mijn ogen weer opendeed, was hij verdwenen. Nadat ik er een tijdje over had nagedacht, *mademoiselle*, kwam ik tot de conclusie dat het een dwerg moet zijn geweest.'

Een dwerg!

De koningin-moeder had een aantal dwergen in dienst die haar even slaafs gehoorzaamden als Madalenna. Het was mogelijk dat er eentje van hen ongemerkt de kamer was binnengeglipt tussen de vele bezoekers die de laatste dagen van haar leven bij Grandmère hadden gewaakt.

Als ze het slimmer hadden aangepakt, dan zouden ze de giftige handschoenen in het *beau* rode doosje hebben vervangen door een identiek paar waarin geen vergif zou zijn aangetroffen, als ze zouden worden onderzocht.

'Heeft iemand anders deze dwerg gezien?'

'Voor zover ik weet, niemand, *mademoiselle*. Iedereen was druk in de weer met de *grande dame*. Het kwam door de *petites* appels, *mademoiselle*. Ze is er heel ziek van geworden en uiteindelijk aan gestorven.'

Later sprak Rachelle met Madeleine over de dwergen van de koningin-moeder.

Madeleine fronste haar wenkbrauwen. Ze wilde nog steeds geen woord horen over de handschoenen, Grandmère of haar ziekte.

'Je begrijpt het niet, Rachelle. Ik moet aan Jeanne denken.'

'Ik begrijp het wel, maar als Grandmère...'

'Stel dat je iets ontdekt, wat dan? Breng je de zaak onder de aandacht van koning François, een zwakke jongen die volledig onder controle van de kardinaal staat? Of wil je Sébastien ermee lastig vallen? Hij zou eigenlijk een lange tijd rust moeten nemen van het gevaarlijke en veeleisende leven aan het hof dat hem voortdurend in gewetensnood brengt. Hij is het met veel maatregelen die de Guises met toestemming van de koning in Frankrijk doorvoeren helemaal niet eens, maar wat kan hij doen?' Madeleine rechtte haar rug en keek haar vastbesloten aan. 'Het enige wat ik wil, is wegvluchten.'

Rachelle begreep haar zorg en zweeg. Jeanne begon geluidjes te maken in de aangrenzende kamer en Madeleine ging naar haar toe. Er verscheen een zachte uitdrukking op haar gezicht en haar ogen lichtten op. Ze glimlachte en nam haar dochter van de min aan. Ze hield haar beschermend tegen zich aan.

Diezelfde middag hoorde Rachelle Sébastien met grote klem tegen Madeleine zeggen: 'Hij accepteert alleen...'

'Maar Sébastien...'

'Ik moet de spullen nu naar hem toebrengen. Doe alsjeblieft wat ik van je vraag, *chère*.'

'Hij neemt met niets anders genoegen?'

'*Non.*'

Rachelle beet op haar lip, deed zachtjes een paar stappen naar achteren en liep terug naar haar kamer. Had Sébastien schulden?

Toen Rachelle die avond aan tafel ging, zag ze Idelette en Madeleine opgewonden met elkaar fluisteren. Toen ze haar zagen, zwegen ze abrupt. Sébastien liet zich tijdens het eten helemaal niet zien, en Rachelle merkte op dat haar beide zusters heel gespannen waren.

Na het *dîner* werd er weinig meer gesproken. Sébastien keerde niet naar het appartement terug. Al gauw zei Madeleine dat ze hoofdpijn had en vroeg naar bed ging, en Idelette beweerde dat ze nog een aantal brieven te schrijven had.

Rachelle, die alleen achterbleef in de kamer, keek hen verwonderd na. Idelette stak nog even haar hoofd om de hoek van de deur en keek Rachelle aan.

'*Bonne nuit, petite* zusje,' zei ze.

De volgende morgen werd Rachelle al vroeg gewekt door Nenette, die aan haar schouder schudde.

'Wakker worden, *mademoiselle*, wakker worden. Philippe heeft de koningin-moeder en Madalenna in het geheim op het paleis zien aankomen, toen hij met de andere jongens in de stallen was.'

Rachelle vloog overeind en was klaarwakker. 'In het geheim?'

'Ze kwam zonder enige fanfare aan – geen trompetten of vaandels – in een eenvoudige koets. Maar dat is niet alles, *mademoiselle*.' Nenette was zo zachtjes gaan praten dat Rachelle haar nauwelijks kon verstaan. 'Philippe wil u iets vertellen.'

Rachelle trok vlug haar ochtendjas over haar nachtjapon aan.

'Vlug dan.'

Nenette gebaarde Philippe om binnen te komen.

Zijn donkere ogen glansden van angst en opwinding. '*Mademoiselle*, ik zag het meisje dat de stalknechten Madelenna noemen, in de buurt van de stallen rondsluipen, dus volgde ik haar. Er is een geheime uitgang aan de achterzijde van het *palais*. Daar bleef ze wachten, totdat er een oude marktvrouw naar buiten kwam. Samen zijn ze naar de rivier toe gelopen. Toen zag ik dat de marktvrouw de koningin-moeder was. Ik ben ze naar de kade gevolgd. Er waren daar een paar rare winkeltjes en wat huizen. De koningin-moeder ging een huis achter een apotheek binnen. Op de gevel stond *De gebroeders Ruggiero*.'

Rachelle pakte zijn arm beet. 'Wanneer was dit?'

'Een poosje geleden. Daarna ben ik direct naar Nenette gegaan.'

Haar hart begon sneller te kloppen. 'Zou je me het huis en de winkel aan de kade kunnen aanwijzen?'

'Daarom ben ik naar u toe gerend. Maar we moeten vlug zijn.'

'Wacht op me op de binnenplaats. Ik heb een paar minuten nodig.'

Toen hij was vertrokken, zei Nenette bijna buiten adem van opwinding: 'Is het wel veilig om te gaan? Stel je voor dat ze u ziet? O, *mademoiselle*, zie er alstublieft van af.'

'Ik zal ervoor zorgen dat ze me niet ziet. Vlug, breng mijn donkere jurk en cape.'

'Als de koningin-moeder erachter komt waarvan u haar verdenkt, zal ze u vergiftigen!'

Even was Rachelle overrompeld door haar directheid.

Nenette wrong haar handen ineen. 'O, *mademoiselle*, één *faux-pas* en...'

'Sst. Ik zal ervoor zorgen dat ze niets in de gaten heeft. Verzin een smoes als mijn zusjes naar me vragen. Vertel ze in geen geval dat ik naar de kade ben gegaan.'

Na een paar minuten glipte Rachelle Sébastiens appartement uit en liep naar de binnenplaats die aan de Seine was gelegen. Het vroege zonnetje had de mist waarin de stad was gehuld nog niet verdreven. Philippe stond haar in het geheim op te wachten en leidde haar langs de donkere rivier naar de kade.

Ze haastten zich door de mist langs het water en hoorden de boten kraken. Verder op de houten kade wees Philippe op een aantal vis- en fruitkramen. Erachter bevonden zich vele smalle en dichtopeengebouwde huizen. In de mist van de vroege morgen zagen ze eruit als kratten die op elkaar waren gestapeld. Achter een aantal ramen brandden olielampen die een gouden schijnsel verspreidden.

'Daar is het, *mademoiselle*. Daar ging ze naar binnen − dat huis daar, het hoge. Ziet u de stalletjes? De lampen zijn aangestoken voor vroege klanten.'

Ze draaide zich om en probeerde hem streng aan te kijken. 'Dit is genoeg, Philippe, *ami*. Ga terug naar het paleis en blijf op de binnenplaats op me wachten.'

'Kan ik me niet beter hier verbergen en op de uitkijk blijven staan? Waar hangt die spion, Madalenna, nu uit?'

Ze was ook bang voor Madalenna, maar haar onwil om Philippe nog verder bij deze kwestie te betrekken was groter dan haar vrees voor Italiaanse spionnen en dwergen. Toen Philippe was vertrokken, liep ze in de richting van de markt. Weldra zouden de winkels opengaan voor de eerste klanten. Door de mist drongen de geluiden van de markt tot haar door. Ze kwam bij de winkel aan die Philippe haar had aangewezen. In de etalage lagen elegante leren handschoenen en juwelen uitgestald. Een houten uithangbord bewoog in de wind: *De gebroeders Ruggiero*.

De winkel was gesloten. Rachelle keek naar het huis boven de winkel. Dit was waarschijnlijk de woning van de broers uit Florence.

Er was geen spoor te bekennen van de 'marktvrouw'. Was ze al vertrokken?

Rachelle besloot om zich te verbergen totdat ze naar buiten kwam. Daarna zou ze de winkel binnengaan en net doen alsof ze handschoenen wilde kopen.

Een stinkende bries deed haar cape en jurk opbollen. Ze aarzelde en liep langs de winkel naar de zijkant van het gebouw. Een van de ramen stond open en ze zag er schaduwen achter bewegen. Toen kreeg Rachelle haar in het oog. De koningin-moeder was gekleed zoals Philippe haar had verteld. Catherine stond tegenover twee mannen met lichtgebogen schouders. Ze maakte een aantal niet mis te verstane gebaren.

'Ik heb iets nodig voor een *seigneur*. Iets zeer vernuftigs wat geen sporen, en dus geen bewijzen achterlaat. Geen handschoenen of ringen.'

'Komt u binnen, *madame*. We hebben iets wat we nog nooit eerder in Frankrijk hebben gebruikt. Het laat geen sporen achter. Cosmo heeft het op ratten en katten uitgeprobeerd en het werkte perfect.'

'Het liet geen enkel spoor achter?'

'*Non, madame*.'

'Maar werkt het ook op grotere exemplaren?'

'Cosmo heeft het ook toegediend aan een gebrandmerkte vrouw, en het bleek zeer vlug te werken.'

Een 'gebrandmerkte vrouw' was een arm schepsel dat voor diefstal of een soortgelijk vergrijp was gearresteerd. Rachelle huiverde. Waarom was ze verbaasd? Ze wist toch eigenlijk bijna zeker dat Grandmère was vermoord? Op het moment dat ze instinctief de neiging had om te vluchten, hoorde ze geritsel in de struiken rechts van haar. Ze draaide zich om en staarde in de donkere ogen van Madalenna.

Halsoverkop maakte Rachelle zich uit de voeten, langs de verduisterde winkel in de richting van de drukke kade. Ze keek achterom, maar kon geen spoor van Madalenna ontdekken.

Rachelle rende voor haar leven. Op de smalle loopbrug

bleef ze even staan. Ze greep de leuning beet en probeerde op adem te komen.

Ze heeft me gezien. Ze weet wie ik ben. Ze weet dat ik stond af te luisteren – ze weet dat ik erachter ben gekomen dat de koningin-moeder een moordenares is!

Angstig en boos op zichzelf dat ze zo roekeloos was geweest, snelde ze de brug over en toen verder over het pad dat naar de binnenplaats leidde. Daar bleef ze opnieuw staan en keek achterom naar het troebele water van de Seine, die er grijs en geheimzinnig uitzag op deze mistig morgen, terwijl kleine bootjes stroomop- en afwaarts voeren.

Ze ging het paleis binnen en begaf zich onmiddellijk naar het appartement van Sébastien.

Nenette kwam haar met een kreet van ontzetting en de handen krampachtig samengevouwen tegemoet, haar ogen groot van schrik. 'O, mademoiselle Rachelle. Kijk!'

Nenette wees in de richting van Madeleines slaapkamer.

Rachelle vloog naar de deur en keek de kamer in.

'Ze zijn verdwenen,' huilde Nenette.

'Verdwenen? Hoe kan dat nu?'

Philippe kwam naar binnen stormen, zijn ogen groot van opwinding. '*Mademoiselle*, het is waar. Mademoiselle Idelette is ook vertrokken. Haar slaapkamer is ook leeg.'

'Dat is onmogelijk,' riep Rachelle. 'Ze kunnen toch niet zomaar verdwenen zijn?'

Hoewel er zich nog kleding, schoenen en hoeden in de kasten bevonden, waren de bureauladen waarin alle reisdocumenten lagen leeg. Rachelle, die nog steeds niet kon geloven wat er was gebeurd, haastte zich naar de kist waarin Madeleine het kostbare dekentje bewaarde dat Grandmère kort voordat ze ziek was geworden voor Jeanne had gemaakt. Madeleine zou het nooit achterlaten.

Rachelle deed het deksel omhoog. *Leeg.* Het kostbare dekentje was verdwenen. Ze keek verder rond en ontdekte dat de babykleertjes van Jeanne ook waren verdwenen.

Het was dus waar. Ze waren de afgelopen nacht in het geheim vertrokken. Rachelle had het gevoel een kei doorgeslikt te hebben. Verloren keek ze om zich heen.

Dit was dus het geheim dat Sébastien en Madeleine al deze maanden hadden bewaard. Hoelang was Idelette ervan op de hoogte geweest? Waarschijnlijk niet lang. Sébastien had Madeleine verteld om alleen haar juwelen en het allernodigste mee te nemen, omdat ze er onder de neus van de koningin-moeder vandoor zouden gaan. Blijkbaar hadden ze een aantal spullen van grote waarde elders verborgen voor de reis. Waar zouden ze naartoe gaan? Het zijdekasteel? Non, dat was niet ver genoeg voor Sébastien.

Toen zag Rachelle een briefje liggen op de bodem van de kist waarin Jeannes dekentje was opgeborgen.

Chère *zuster,*

Op advies van Idelette heb ik onze brief in deze kist achtergelaten, omdat zij wist dat je hierin zou kijken. Verbrand hem alsjeblieft zodra je hem hebt gelezen. Je zult inmiddels wel begrijpen dat we uit Parijs zijn vertrokken. We zijn op weg naar de vrijheid, naar Engeland. Zodra we veilig zijn aangekomen bij neef Bernard in Spitalfields, zullen we je uitgebreider schrijven. We hebben ons vertrek om twee redenen voor je verborgen gehouden: Sébastien wilde je niets vertellen, voor het geval er iets mis zou gaan en we gearresteerd zouden worden. In dit geval zou jij vrijuit gaan, omdat je niet op de hoogte was van onze plannen. Ten tweede wisten we dat jij niet met ons mee zou gaan naar Engeland, omdat je werk in Frankrijk nog niet beëindigd is. Sébastien en ik zijn geheel en al verantwoordelijk voor het besluit om uit Frankrijk te vluchten. Papa Arnaut is op de hoogte van onze beslissing, want Sébastien en hij hebben onze geheime plannen uitgebreid besproken kort nadat hij uit de Bastille werd vrijgelaten. Onze ouders hebben er bij Idelette op aangedrongen om met ons mee te gaan, omdat onze mère *van mening is dat ze beter in Engeland kan bevallen. Totdat we een eigen onderkomen hebben gevonden,* zullen we bij neef Bernard intrekken. *Zo God wil, zullen we vader Arnaut en moeder Claire in Spitalfields weerzien. Zoals je weet, probeert papa een stuk grond in de buurt van Londen te kopen. Na hun terugkeer naar Frankrijk zullen ze je alles vertellen. Bid voor onze behouden aankomst in Engeland, en bid vooral voor Idelette, dat de reis niet te zwaar voor haar zal zijn. Hertogin Dushane weet van onze plannen af, omdat Sébastien de zaak met haar heeft besproken in Fontainebleau. Andelot is echter niet op de hoogte. Je zult de hertogin en onze goede* ami *Andelot ongetwijfeld spoedig in Parijs weerzien. Blijf contact met hen houden.*

Adieu, ma chère soeur. *We houden veel van je. Ik hoop dat we elkaar gauw weer zullen zien.*

Madeleine, Sébastien,
Idelette en petite *Jeanne*
Jeremia 29:11

Hoelang zal het duren, voordat de koningin-moeder mij zal ont-bieden om haar uit te leggen wat ik bij de winkel van de gebroe-ders Ruggiero deed? Ze kan nu elk moment via haar geheime route terugkeren naar het paleis. *Hoelang zal het duren, voordat Madalenna haar verklikt dat mademoiselle Rachelle Macquinet een spion is? O, de koningin-moeder haat spionnen die haar bespione-ren.* Rachelle liep zenuwachtig over het Aubussonse tapijt in de *salle de séjour* van Sébastiens appartement op en neer. Haar geparfumeerde rokken van blauwe en crème zijde ritselden zachtjes bij elke beweging die ze maakte.

Ze is te sluw om te geloven dat ik daar toevallig was. Ça alors! Wat nu? O, waarom heb ik zo dwaas en onbezonnen gehandeld? Ze zal er ongetwijfeld achterkomen dat ik haar ben gevolgd.

Rachelle was in de val gelopen en zag geen uitweg. En om de zaken nog erger te maken, hoe zou de koningin-moeder reageren als ze erachter kwam dat haar raadgever Sébastien met zijn gezin naar Engeland was gevlucht?

Rachelle huiverde toen ze aan de slangenogen van de koningin-moeder dacht. Haar familie was vertrokken en nu was ze aan haar lot overgelaten! Ze hadden dit natuurlijk nooit kunnen voorzien. Haar avontuur op de kade had ze alleen aan zichzelf te wijten.

Non, ik ben niet alleen. Ze bleef staan en legde haar hand op haar voorhoofd. Even sloot ze haar ogen en probeerde zich Bijbelse personen te herinneren die ook in gevaarlijke omstandigheden hadden verkeerd... Daniël was zo'n gelovige. Daniël had aan het hof van een heidense koning geleefd... Daniël had zich gewetensvol van zijn plichten gekweten, maar desondanks bleef hij een trouw dienaar van God.

Ze begon weer te ijsberen. Het was stil in het appartement. Zelfs van Madeleines hofdames was geen spoor te bekennen. Rachelle vroeg zich af of Sébastien hen van zijn plannen op de hoogte had gesteld. Het was niet erg waarschijnlijk dat ze met Madeleine zouden meereizen naar Engeland, want een aantal van hen was getrouwd en hun families waren allemaal in Frankrijk. Misschien was hertogin Dushane op de een of andere manier betrokken geweest bij de list. Was hun misschien verteld dat ze in Fontainebleau op Madeleine moesten wachten?

Nenette en Philippe stonden in de aangrenzende bediendenkamer opgewonden met elkaar te fluisteren.

Rachelle bleef staan en keek de kamer rond. 'Wat is er, Nenette?'

Nenettes ogen stonden groot van schrik. 'Philippe zegt dat er iemand aan komt. O, *mademoiselle*!'

Rachelle had de neiging om door de andere deur weg te vluchten. Maar wat zou het haar baten? Overal in het kasteel bevonden zich soldaten. Als die eenmaal waren gemobiliseerd, had ze geen schijn van kans om te ontsnappen.

'Sst, vlug, verberg je in de bediendenkamer en doe de deur dicht. Zeg dat je niet weet wat ik heb gedaan, *c'est bien compris*? Probeer te vluchten naar hertogin Dushane.'

Nenette barstte in snikken uit. Ze knielde voor Rachelle neer en sloeg haar armen om haar rokken. '*Non,* ik laat u niet alleen achter! Als ze u in de Bastille opsluiten, dan ga ik met u mee!'

Rachelle liet zich op haar knieën zakken en sloeg haar armen om Nenette heen. 'Dat is heel lief van je, maar als ik gevangen word gezet, dan zullen ze ons apart opsluiten. De enige manier waarop je me nu kunt helpen is jezelf en Philippe in veiligheid brengen.'

De buitendeur ging open en er klonken voetstappen in de antichambre. Het koninklijke bevelschrift was gekomen. Rachelle kwam overeind en pakte krampachtig haar rokken beet, maar ze was vastbesloten om zich waardig te gedragen.

Een indrukwekkende figuur in het zwart bleef even in de deuropening staan en kwam toen de *salle de séjour* binnen.

Bijna was er een kreet aan Rachelles lippen ontsnapt. *Fabien!* Ze wilde huilen van blijdschap, maar onderdrukte de neiging om naar hem toe te rennen en zich opgelucht in zijn armen te werpen. Als iemand haar nu kon helpen, dan was het de markies. Maar ze durfde niet naar hem toe te hollen om hem te laten blijken hoe blij ze was met zijn komst, want hiermee zou ze misschien de indruk wekken dat hun relatie, waarachter zij zo drastisch een punt had gezet, wat haar betreft nog niet over was. Desondanks kon ze een gevoel van opwinding niet onderdrukken bij de gedachte dat hij misschien vanwege haar naar Parijs was teruggekeerd. Maar was dit geen voorbarige conclusie? Zijn onverwachte komst was op zich geen bewijs dat hij voor haar was teruggekomen en evenmin wist ze of hij niet spoedig opnieuw zou vertrekken.

Zouden Sébastien en haar zusters misschien op *zijn schip* naar Engeland ontsnappen? Haar hoop groeide. Maar hoe had hij van Sébastiens plannen om uit het *palais* van Catherine de Médicis te ontsnappen af kunnen weten? Dat was onmogelijk – tenzij Sébastien contact met hem had gezocht in Londen.

De markies nam zijn hoed af en maakte een buiging. '*Mademoiselle*,' zei hij op veel te ernstige toon.

Ze boog beheerst en waardig haar hoofd. '*Monseigneur.*'

Ze zag iets uitdagends in zijn donkerblauwe ogen, iets wat ze in deze omstandigheden als kiespijn kon missen. Er zweefde een sarcastische glimlach om zijn lippen, voordat hij zich tot Nenette en Philippe wendde. Ze maakten een buiging voor hem en vlogen de andere kamer in. Voordat Nenette de deur van de antichambre dichtdeed, wierp ze Rachelle een opgeluchte en opgewonden blik toe, terwijl Philippe onder haar arm door naar binnen gluurde. *Dit is uw kans,* leek Nenette te zeggen, *grijp hem en vraag de markies om hulp!*

Rachelle was nu alleen met de markies. Ze zag dat hij haar quasi-ernstig aankeek. 'Wilt u niet weten wat de reden van mijn onverwachte bezoek is?'

'Dat zijn niet mijn zaken, *monseigneur.*'

'Wat gedraagt u zich toch koel en onverschillig, *mademoiselle.*' Hij gooide zijn hoed en cape op tafel en keek haar sceptisch aan.

Rachelle keek de andere kant uit. Ze duwde haar handpalmen krampachtig tegen elkaar. Dit was zenuwslopend. Ze wist zich geen raad.

'Ik heb mijn leven op het spel gezet, mijn schip en bemanning in de steek gelaten om naar Parijs te komen en dit is alles wat u me te zeggen hebt, *mademoiselle*? Ik ben diep teleurgesteld en ben sterk in de verleiding om te bewijzen dat u ongelijk hebt!'

Ze ging achter een karmozijnrode stoel met de gouden franjes staan en pakte de rugleuning beet, terwijl ze hem verontwaardigd aankeek.

Zijn glimlach was ontwapenend. Hij sloeg zijn armen over elkaar.

'Uw leven, markies?' vroeg ze met opgetrokken wenkbrauwen. 'Ik vraag me af wie u naar het leven staat?'

Hij maakte een buiging. 'Filips van Spanje, om maar iemand te noemen. Maar omdat hij geen zin heeft om van zijn troon in het Escorial af te komen, heeft hij de hertog van Alva naar Frankrijk gestuurd om van de koningin-moeder te eisen dat ze mij laat oppakken. Ongetwijfeld zal ze me binnenkort aan de tand voelen over de galjoenen van de hertog. We hebben de ondingen naar de bodem van de zee gestuurd.'

Ze schrok. 'U hebt de galjoenen van de hertog van Alva tot zinken gebracht?'

'Onder andere. Ik heb dat met het grootste genoegen gedaan. We hebben er geen spaan van heel gelaten. Doet het u geen deugd dat ik de strijd heb aangebonden tegen degenen die de hertog van Guise van de middelen voorzien om uw hugenootse broeders en zusters in het geloof te vervolgen?'

Rachelle maakte zich niet langer zorgen over haar eigen situatie, maar over hem. Hij verkeerde in een nog veel groter gevaar dan zij en desondanks had hij het gewaagd om naar Parijs te komen.

'Weet u niet dat de hertog van Alva in Frankrijk is en op Fontainebleau te gast zal zijn bij de koning en koningin-moeder? Misschien is hij daar inmiddels al aangekomen.'

'Ik heb gehoord dat hij daar inderdaad al is.'

'U bent in de val gelopen!'

'Dat heb ik bewust gedaan. Sébastien weet er ook van.'

'O, in dat geval, weet u het van Sébastien?'

Hij trok zijn ene wenkbrauw op. 'Weet ik wat?'

'Dat zal ik later uitleggen. Gaat u alstublieft verder waar u gebleven was.'

'Er is inderdaad sprake van een valstrik, uitgezet door de koningin-moeder om me hiernaartoe te lokken. Soms denk ik dat Catherine de Médicis de grootste intrigante van heel Europa is.'

Ze was met afschuw vervuld, hoewel ze wist dat Catherine voor niets terugdeinsde om haar politieke doel te bereiken. 'Heeft de koningin-moeder u naar het hof gelokt met de bedoeling om u uit te leveren aan de hertog van Alva?'

'*Non*, ik ben hiernaartoe gekomen om een duel aan te gaan met uw verloofde.'

Ze staarde hem aan. Meende hij dit? De harde blik in zijn ogen overtuigde haar ervan dat hij geen grapje maakte.

'Waar is de onweerstaanbare graaf Maurice Beauvilliers?' vroeg hij sarcastisch. 'Ik ben naar zijn kamer gegaan, maar de ijdele schurk was er niet. Jammer, want ik had hem tegen de muur genageld en direct korte metten met hem gemaakt.'

Ze staarde hem met open mond aan. Het was alsof ze droomde – haar hoofd tolde van alles wat ze had gehoord en het duurde even voordat de feiten tot haar doordrongen. Een duel met Maurice!

Vlug kwam ze achter de stoel vandaan. 'U denkt toch zeker niet dat Maurice en ik...'

Hij stapte naar haar toe en pakte haar handen beet. Toen bracht hij haar ene hand naar zijn lippen en drukte er een kus op. De blik in zijn donkerblauwe ogen was nog steeds uitdagend.

Ze deed een stap naar achteren en verborg haar handen achter haar rug. 'Heeft Sébastien u verteld dat de koningin-moeder Maurice heeft beloofd een huwelijk tussen mij en hem te arrangeren?' Het idee vervulde haar met afschuw.

'Hij heeft het me inderdaad geschreven. Maar ik hoorde het nieuws eerst via de Franse ambassadeur aan het Engelse hof. Voordat de koningin-moeder de kans krijgt om dit huwelijk op schandelijke wijze te arrangeren, zal ik echter een afspraak met haar maken waarover Maurice niet te spreken zal zijn. Hij zal zo kwaad worden dat hij me tot een duel zal uitdagen, omdat het een *affaire d'honneur* voor hem is. En dan?' Hij zuchtte quasispijtig. 'Helaas zal ik aan zijn overmoedige verzoek gehoor moeten geven en hem een lesje moeten leren.'

'En ik heb helemaal niets in te brengen in deze belachelijke kwestie?'

'*Non*. Je bent zoals alle andere adellijke dochters aan het hof: je wordt verkocht aan de beste politieke bieder om de toekomst van het Franse koningshuis veilig te stellen.'

'Aha. Maar wie ziet de koningin-moeder graag dit liefdesduel winnen?'

'Uw nederige dienaar, *mademoiselle*.' Hij maakte een kleine buiging. 'Ze kan me beter gebruiken dan Maurice. Hij is slechts een pion, een gemakkelijke prooi vanwege zijn ijdelheid.'

Ze voelde haar wangen gloeien. 'Ik zie niet in hoe de koningin-moeder mij kan gebruiken.'

'Ze is niet in jouw persoon geïnteresseerd, *chère*; ze wil mij gebruiken. Het is geen complimenteuze vergelijking voor een *belle* zoals jij, maar jij bent slechts een lokaas, het enige wat mij ertoe kan overhalen om met haar aan tafel te gaan zitten. Misschien houd ik een poosje de schijn op en gooi ik het op een akkoordje met haar. Ik zal haar zeggen dat ik de zijdenaaister wil hebben met de honingbruine ogen en het kuiltje in haar wangen... en zij zal antwoorden: "Wat je maar wilt, zolang je de hertog van Guise maar vermoordt."' Hij deed een stap naar achteren en keek haar met zijn ene hand op zijn heup vanonder zijn donkere wimpers ernstig aan.

Ze begon te beven. Dat was het dus. Dit was de reden voor Maurice' overmoedige gedrag. De koningin-moeder had laten doorschemeren dat ze van plan was aan zijn verzoek gehoor te geven om Fabien naar Parijs te lokken. Maar dat betekende ook dat Catherine ervan overtuigd was dat de markies genoeg om haar gaf om haar als lokaas te gebruiken.

Rachelle keek Fabien aan en wendde toen verbijsterd haar blik van hem af.

'Dat is verschrikkelijk – de hertog van Guise vermoorden? De Guises zouden niet rusten voordat ze wraak hadden genomen. Het is absurd.'

'Dat zou haar prima uitkomen. Ik zou afrekenen met haar machtigste vijand en vervolgens vermoord worden door een

Guise. Op die manier slaat ze twee vliegen in een klap. Heel machiavellistisch, haar favoriete manier van politiek bedrijven.'

Ze draaide zich om en keek hem onderzoekend aan. Zijn gezicht verried geen enkele emotie, met opzet, zo geloofde ze. 'U – zult toch niet met haar samenwerken? Dat is natuurlijk een domme vraag.'

'Als ik weiger om mee te werken, *chérie*, zal ze een huwelijk arrangeren tussen jou en Maurice.'

Ze hief haar handen wanhopig omhoog en begon de zaal op en neer te lopen. 'Ik zal nooit met hem trouwen.'

'Als zij erop staat, zit er niets anders voor je op. Koning François zal doen wat ze van hem verlangt. Je kunt een bevel van de koning niet naast je neerleggen. Je begrijpt mijn dilemma, of niet soms?'

Ze bleef staan en keek hem aan. Wat ging er in hem om?

'Uw dilemma?' vroeg ze onzeker.

'Het dilemma om wel of niet samen te werken met Catherine. Zeg, heb je Maurice ook maar de minste aanleiding gegeven om te denken dat je zijn aanzoek zult accepteren?'

'Hoe durft u te suggereren dat ik zo dwaas zou zijn? Ik zou hem nooit die indruk geven, en ik wil hem niet als echtgenoot!'

Zoals jij heel goed weet, had ze eraan willen toevoegen, maar ze hield haar mond.

Hij sloeg zijn armen over elkaar en zijn blik en glimlach deden haar blozen. Ze draaide zich om met een grotere verontwaardiging dan ze eigenlijk voelde. Ze kon haar emoties amper in bedwang houden.

'Zoals de zaken er nu voorstaan, markies, doet uw dilemma er eigenlijk niet meer toe. Ik ben blootgesteld aan grotere gevaren dan Maurice en zijn avances.' Ze draaide zich om en keek hem recht in de ogen. 'Ik loop de kans om naar de Bastille gestuurd te worden. Wat voor zin heeft het dan om met Maurice te duelleren?'

Hij keek haar strak aan, alsof hij niet zeker wist of ze het meende. De blik in haar ogen verontrustte hem blijkbaar. Hij tikte op zijn kin en er veranderde iets in zijn houding. Plotseling was hij een en al aandacht voor haar.

Hij liep naar haar toe en pakte haar bij de schouders, zodat ze gedwongen was naar hem op te kijken.

'Wat is er gebeurd, Rachelle?' Zijn stem klonk zacht, maar dwingend; hij eiste de waarheid van haar.

'Het gaat om Sébastien en mijn zusters. Ze zijn gevlucht. Afgelopen nacht of heel vroeg in de ochtend zijn ze naar Engeland vertrokken. Niemand wist iets van Sébastiens plannen af, totdat Nenette Madeleine deze morgen een kopje thee kwam brengen en ontdekte dat ze allemaal waren verdwenen. Mijn zuster heeft een briefje achtergelaten dat ik op haar verzoek heb verbrand.'

Nadat ze Fabien had verteld wat er in de brief stond, merkte ze tot haar verwondering dat Fabien niet verbaasd was.

'Ik wist dat hij met het idee speelde om Frankrijk te verlaten,' zei hij, 'maar ik had verwacht dat het pas na het colloquium in Fontainebleau zou zijn.' Hij keek naar het raam, fronste zijn wenkbrauwen en leek haar een ogenblik lang te vergeten. Meer tegen zichzelf dan tegen haar zei hij: 'Hij zal inmiddels in de buurt van Calais zijn. We moeten dit absoluut geheim houden, want anders is er een kans dat Catherine haar elitesoldaten naar de haven stuurt om hem te onderscheppen.' Hij keek haar aan. 'Wie weet dit nog meer, behalve het dienstmeisje en jijzelf?'

'Voor zover ik weet, niemand, behalve Philippe.'

'Is dat de jongen die ik zojuist heb gezien?'

'Ja, zijn familie is bij de aanval op de schuilkerk in Lyon om het leven gekomen. Ik – wij hebben hem als leerjongen in dienst genomen. Maar Fabien, er is nog meer aan de hand. De gevolgen ervan zijn niet te overzien voor mij.'

Hij kneep in haar schouders. 'Vertel op.'

'Ik heb een roekeloos spel gespeeld met de koningin-moeder...'

Ze zweeg en beet op haar lip. Zijn vingers boorden zich in haar schouders. Hij was boos op haar en ze had er een hekel aan om te vertellen wat er was gebeurd.

'Ik was er zo zeker van dat ze Grandmère had vermoord, dat toen Philippe me vertelde over de winkel op de kade waarnaar de koningin-moeder zich vermomd als markt-vrouw had begeven, ik de verleiding niet kon weerstaan om haar te volgen.'

Ze hoorde hem diep zuchten. Zijn ogen vernauwden zich. 'Rachelle,' kreunde hij.

'Ik weet het, ik weet het. Vanmorgen ben ik haar naar de kade gevolgd, naar de winkel van de gebroeders Ruggiero. Ik hoorde hoe ze informeerde naar een bepaald soort vergif. Ze is van plan om weer toe te slaan...'

Hij legde vlug zijn vinger op haar lippen en gebaarde haar te zwijgen. Hij gluurde in de richting van de deur. 'Praat niet zo hard.' Hij keek haar aan. 'Ze heeft je dus gezien?'

'Madalenna. Hoe weet je dat?'

'Wat kan er nog meer misgaan?' zei hij fel. 'Waarom heb je dit gedaan? Heb ik je niet gevraagd om bij haar uit de buurt te blijven? Je bent niet tegen haar duivelse streken opgewassen!'

Plotseling nam hij haar in zijn armen en drukte haar tegen zich aan. Hij streelde zachtjes over haar haren. 'Dit maakt de zaken nog gecompliceerder. Vertel me alles en laat niets achterwege,' gebood hij haar zachtjes. Ze zag hoe zijn stemming compleet was omgeslagen. 'Wanneer is dit gebeurd?'

Ze probeerde haar gedachten te ordenen, terwijl ze zich koesterde in zijn warme, bedwelmende omhelzing. 'Vanmorgen, ongeveer een uur geleden. Madalenna heeft me gezien.' Ze keek vlug omhoog. 'Denk je dat ze het zal doorvertellen aan Catherine?'

'Zonder enige twijfel. Ze heeft geen eigen wil. Ze is

slechts een slaaf. Weet je het zeker? Overdrijf je niet een klein beetje, omdat je ongerust bent?'

'Nee, beslist niet! Ze heeft me gezien; ik overdrijf niet.' Ze begon te klappertanden. 'Ze weet dat ik het gesprek heb afgeluisterd. Misschien laat ze me opsluiten in de Bastille.'

'Als het aan mij ligt, zal dat niet gebeuren. Maar we moeten maken dat we hier wegkomen.' Hij liet haar los en dacht met gefronste wenkbrauwen na. 'Laat me even denken...' Hij tikte op zijn kin, liep de kamer rond en keek haar toen rustig aan. 'Nu we het toch over vermommingen hebben, kun je jezelf een beetje...' – hij maakte een gebaar alsof hij haar omvang mat – 'ronder maken?'

Ze bekeek zichzelf. 'Ja, geen probleem.'

'We vertrekken direct naar mijn kasteel in Vendôme.'

Vendôme. Onmiddellijk moest ze denken aan de dag dat ze naar zijn kasteel was gevlucht. Ze herinnerde zich hoe hij haar in de tuin zijn *amour* had verklaard.

'Maar zal ze geen soldaten naar Vendôme sturen?'

'Zonder enige twijfel. Misschien komt ze me zelf zoeken. Dat is prima. Daar zal ik haar op mijn voorwaarden ontvangen.' Hij liet het gordijn op zijn plaats vallen en keek haar bezorgd aan. Toen liep hij naar haar toe.

'We zullen je dienstmeisje en de jongen hier voorlopig moeten achterlaten, totdat ik een manier heb gevonden om hen het paleis uit te krijgen. Ze lopen hier geen gevaar. Ik zal ze instrueren om te zeggen dat jij er met mij vandoor bent gegaan, als ze worden ondervraagd. Dat zal haar voorlopig even zoet houden. Ze heeft me nodig om Guise uit de weg te ruimen. Ze zal me ontzien, totdat ik hem heb vermoord. Ik kan de zaak dus het beste vertragen.' Hij liep naar het raam en schoof het zware fluwelen gordijn opzij om naar de binnenplaats te kijken. 'Ga je snel verkleden. Vermom je zo goed mogelijk.'

Rachelle vloog haar slaapkamer binnen om een donkere jurk en een donkere mantel te vinden. Haar hart bonkte van opwinding en vrees. Ze stopte zo veel mogelijk onderkleding onder haar jurk om haar figuur op te vullen. Ze moest ondanks alles glimlachen, maar werd ernstig, toen ze zich de priemende blik van de koningin-moeder voor de geest haalde. Een paar minuten later kwam ze naar buiten en bleef in de deuropening staan in afwachting van zijn goedkeuring.

Hij draaide zich om en nam haar van top tot teen op. Hij legde zijn hand op zijn voorhoofd en sloot zijn ogen. Rachelle had moeite om niet te lachen.

Hij wees naar de deur en maakte een diepe buiging. Rachelle liep waardig en met opgeheven hoofd langs hem heen.

Catherine keerde niet terug naar het Louvre, zoals verwacht, maar reisde in de koninklijke koets naar Fontainebleau. Ze was tevreden met wat ze had gehoord in de winkel van de gebroeders Ruggiero. Terwijl de paarden zich door de bossen van Orléans naar Fontainebleau voortijlden, lachte ze in haar vuistje over het bericht dat een van haar belangrijkste spionnen haar via een boodschapper te paard had gestuurd. Markies Fabien de Vendôme had zijn schip, de *Represaille*, aangemeerd in de haven van Calais en was op weg naar Parijs om graaf Maurice Beauvilliers te treffen. Hoogstwaarschijnlijk zou het op een duel uitlopen over *la belle des belles, mademoiselle* Rachelle, tenzij Catherine hier een stokje voor zou steken. Ze grinnikte. Ze was niet van plan om zich zo'n grappig spektakel te ontzeggen.

Ze zou een ontmoeting tussen de twee regelen in Fontainebleau. Eerst zou ze hen als twee giftige slangen tegen elkaar ophitsen en er vervolgens voor zorgen dat ze elkaar zogenaamd toevallig ergens zouden tegenkomen.

Ze bedekte haar mond met een zakdoek en giechelde.

Later die middag ontving Catherine een andere boodschap in haar appartement in Fontainebleau, deze keer uit Parijs. Ze ontstak in woede en schreeuwde: 'Madalenna!'

Onmiddellijk verscheen het meisje vanuit een donkere hoek in de kamer. Catherine liep dreigend op haar af en hield de brief voor haar bleke, stoïcijnse gezicht.

'Waarom heb je me dit niet verteld? Dom wicht. Je hebt jammerlijk gefaald. Ik zou je in de slangenkuil moeten gooien, waardeloze meid. Hoelang wist je al dat graaf Sébastien met zijn familie uit Parijs is gevlucht?'

De donkere, onpeilbare ogen keken uitdrukkingsloos naar haar omhoog.

'Dat wist ik niet, Majesteit. Ik wist hier echt niets van totdat u het mij vertelde.'

'Leugens!' Ze sloeg het magere meisje in haar gezicht. Madalenna viel naar achteren en smakte met haar hoofd tegen de muur. 'Jij, dom wicht,' zei Catherine opnieuw. 'Hij is op weg naar Engeland. Ik zal je deze fout betaald zetten, Madalenna. Ik zal je laten geselen. Wat heb je nog meer voor me achtergehouden? Kom ermee voor de dag of anders zul je er voor de rest van je leven spijt van hebben dat je de waarheid voor me hebt verzwegen.'

Madalenna kroop op handen en voeten naar haar toe. Er sijpelde een straaltje bloed uit haar neus. Ze keek op naar Catherine.

Catherine staarde haar woedend aan. 'Nou? Je kunt er beter mee voor de dag komen. Alles staat in deze brief. Als je iets achterhoudt, zal ik er toch achter komen.'

Madalenna streek een gitzwarte lok van haar wang.

'Ik heb mademoiselle Rachelle op de kade gezien. Ze was u naar de winkel van de *messires* Ruggiero gevolgd. Toen ze me zag, rende ze weg.'

Catherine had het gevoel dat het bloed in haar aderen stolde. Ze kon geen woord uitbrengen. Ze staarde Madalenna aan zonder met haar ogen te knipperen. Toen draaide ze zich om en liep met zware stappen naar het raam. Ze keek uit over het woud en staarde naar de krijsende kraaien die in grote kringen over het landschap vlogen.

Ze verdenkt me ervan verantwoordelijk te zijn voor de dood van de grande dame.

Gevaar, fluisterde een stem van binnen, *gevaar.* Niemand mocht over haar vergiften weten.

Mij bespioneren? Mij volgen? Ik zal haar deze grove onbeschaamdheid betaald zetten. Ja, ze zal boeten voor dit verraad.

Dat is het. Rachelle zal moeten sterven. Maar niet voordat ik haar minnaar, de markies, heb gebruikt om af te rekenen met de hertog van Guise. Daarna zal ik de dierbare zoon van de hertog ervan op de hoogte stellen dat de markies zijn vader heeft vermoord. De jonge Henri zal niet rusten voordat hij zich zal hebben gewroken op de markies. Op die manier kan ik me ontdoen van twee vijanden zonder de verdenking op mij te werpen. Zodra de markies er niet meer is om haar te beschermen, zal ik definitief afrekenen met Rachelle, die spion!

21

Vendôme

In het grote Bourbonse *château* van Vendôme had Rachelle het gevoel dat alle politieke en persoonlijke intriges waarin zij en Fabien verwikkeld waren geraakt in Parijs waren achtergebleven.

In de *grande salle* liet Rachelle zich door Fabien omhelzen. Toen ze zijn hartstochtelijke lippen op de hare voelde, was haar wereld niet langer zwart, niet langer angstig en eenzaam. Fabien was er en hij liet haar zien hoezeer hij naar haar verlangde. Ze voelde zich veilig bij hem. Ze hoorde die onverwachte woorden – woorden waarvan ze had gedroomd, maar waarvan ze de hoop had opgegeven ze ooit te zullen horen. Hij hield van haar... zonder voorbehoud, en...

'Zeg ja, Rachelle, want ik geef niet op totdat je ermee instemt om hier met mij in Vendôme te trouwen. Wil je mijn geliefde *marquise* worden, Rachelle de Vendôme?'

'Ja, ja...'

'Houd je van me, Rachelle?'

Ze lachte, sloeg haar armen om hem heen en omhelsde hem hartstochtelijk.

'Voor altijd,' fluisterde ze, terwijl ze zich koesterde in de warmte van zijn liefdevolle blik.

Wat voelde ze zich veilig in zijn armen; wat voelde het goed om hier bij hem te zijn, om hem te horen spreken over zijn *amour* voor haar en te vergeten hoe bang en verlaten ze zich had gevoeld. Ze was uit een boze droom ontwaakt en vol hoop aan een nieuwe dag begonnen.

Ze zuchtte, toen ze hem hoorde fluisteren: 'Niets zal ons van elkaar kunnen scheiden.'

De zomerbloemen stonden in volle bloei, hun geur was zwaar en zoet; de beker van hun liefde vloeide over en hun toekomst zag er weer hoopvol uit.

Woord van de auteur

Beste lezer,

Voor deze serie romans heb ik een groot aantal bronnen onderzocht, zowel historische als hedendaagse. Hoewel op grond van het beschikbare historische materiaal niet bewezen kan worden of Catherine de Médicis al de moorden heeft gepleegd waarvan men haar heeft beschuldigd in de jaren dat ze aan het Franse hof verkeerde, kunnen zelfs historici die haar in een gunstig daglicht stellen niet om het feit heen dat ze tenminste twee moorden, en ongetwijfeld nog vele andere, heeft gepleegd. Op grond van deze moorden, haar brieven en verslagen van tijdgenoten ben ik ervan overtuigd dat ik een accuraat portret van haar heb geschetst in deze romans.

Helaas komt het in onze cultuur steeds vaker voor dat historici en andere academici een lans breken voor de schurken uit onze geschiedenis en de heiligen door het slijk halen.

Deze vorm van politieke correctheid is zelfs in onze christelijke kerken doorgedrongen, waar vaste Bijbelse principes steeds vaker worden afgezwakt, omdat tolerantie boven waarheid wordt gesteld. De Schrift waarschuwt ons voor degenen 'die het kwade goed noemen en het goede kwaad, die het licht tot duisternis maken en het duister tot licht' (Jesaja 5:20 NBV). We leven in een tijd waarin normen en waarden steeds meer worden gerelativeerd, zodat we bijna niet meer hardop durven te zeggen: 'Er staat geschreven.'

De belangrijkste reden dat ik juist voor deze periode uit de geschiedenis heb gekozen is dat ik de aandacht wilde vestigen op de hugenoten die onvoorwaardelijk stonden voor het principe 'Er staat geschreven.' Zij zullen de kroon der overwinning ontvangen, als zij voor de rechterstoel van Christus verschijnen (2 Korintiërs 5:10). Omdat Christus deze broeders en zusters voor hun standvastigheid in het geloof zal belonen, heb ik het als een voorrecht ervaren om over hen te schrijven. Ik had het graag beter gedaan.

In deze serie kon ik onmogelijk een volledig beeld schetsen van de geschiedenis van de hugenoten, die in totaal meer dan twee eeuwen bestrijkt. Ik heb mij daarom geconcentreerd op een aantal representatieve jaren uit deze periode. Omdat ik zo veel mogelijk historische gebeurtenissen vanuit het gezichtspunt van de personages in deze romans wilde beschrijven, heb ik deze gebeurtenissen hier en daar gecomprimeerd.

Ten slotte wil ik u hartelijk bedanken voor uw lieve en bemoedigende brieven. Ik heb deze enorm gewaardeerd. U kunt contact met mij opnemen via mijn website http://www.lindachaikin.com.

Ik wens u Gods zegen en bescherming toe.

Linda Lee Chaikin
Titus 2:13

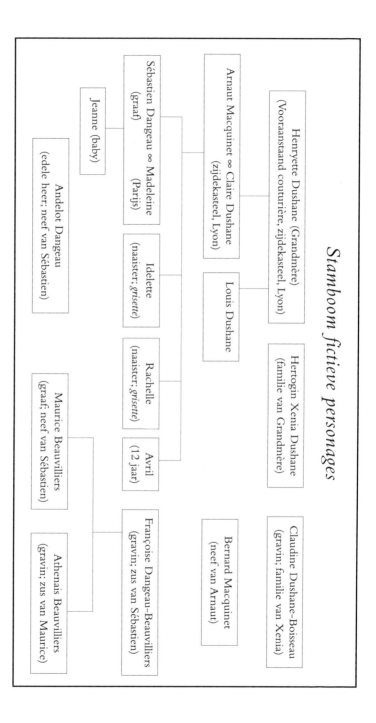

Stamboom fictieve personages

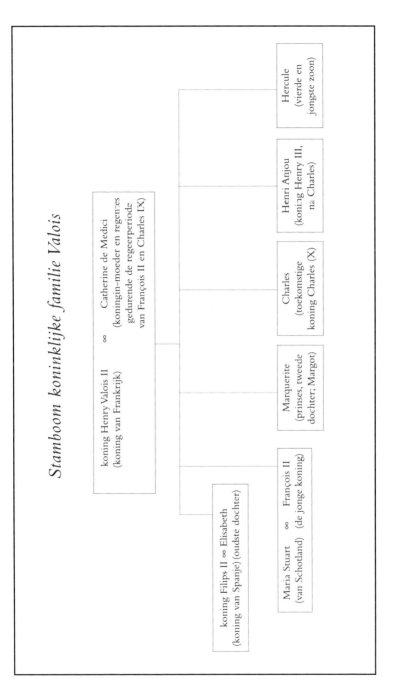

Stamboom koninklijke familie Valois

koning Henry Valois II   ∞   Catherine de Medici
(koning van Frankrijk)   (koningin-moeder en regentes
                                                    gedurende de regeerperiode
                                                    van François II en Charles IX)

koning Filips II ∞ Elisabeth
(koning van Spanje) (oudste dochter)

Maria Stuart   ∞   François II
(van Schotland)   (de jonge koning)

Marquerite
(prinses, tweede
dochter; Margot)

Charles
(toekomstige
koning Charles (X))

Henri Anjou
(koning Henry III,
na Charles)

Hercule
(vierde en
jongste zoon)

Stamboom familie De Guise

Anne d'Este ∞ Hertog van Guise (François de Guise)
(legerofficier van Frankrijk;
vervolger van hugenoten;
oom van Maria Stuart van Schotland)

Henry de Guise
(de liefde van
prinses Marguerite Valois)

Kardinaal van Lorraine (Charles de Guise)
(jongere broer van de hertog van Guise en leider
van de Franse inquisitie van de hugenoten;
oom van Maria Stuart van Schotland)